# Я.И. ПЕРЕЛЬМАН

# ЗАНИМАТЕЛЬНАЯ МЕХАНИКА

# ЗНАЕТЕ ЛИ ВЫ ФИЗИКУ?

# Я.И. ПЕРЕЛЬМАН

# ЗАНИМАТЕЛЬНАЯ МЕХАНИКА

# ЗНАЕТЕ ЛИ ВЫ ФИЗИКУ?

аст
ИЗДАТЕЛЬСТВО

Москва
2001

УДК 531
ББК 22.3
П27

**Перельман Я.И.**

П27    Занимательная механика. Знаете ли вы физику? / Я.И. Перельман. — М.: ООО «Издательство АСТ», 2001. — 464 с.

ISBN 5-17-007514-6

Предлагаем вашему вниманию уникальное пособие по физике и механике. Цель этой книги — развить интеллект ребенка, восстановить в его памяти пройденный материал и максимально дополнить школьную программу, привить ему интерес к самостоятельным занятиям. Занимательные сопоставления, примеры применения основных законов механики в технике, спорте и даже в цирковых трюках, а также увлекательные физические викторины, без сомнения, вызовут интерес у юного читателя.

Книга включает оригинальный материал автора, не входивший в другие издания.

УДК 531
ББК 22.3

ISBN 5-17-007514-6

# ЗАНИМАТЕЛЬНАЯ МЕХАНИКА

# ИЗ ПРЕДИСЛОВИЯ АВТОРА

Распространение у нас физических знаний, к сожалению, далеко еще не отвечает исключительной важности этой науки. Особенно смутны в широких кругах представления из того отдела физики, с которого начинается ее изучение: из механики, учения о движении и силах. А «кто не знает движения, тот не понимает природы» (Аристотель).

Хотя вопросам механики отведено немало страниц в обеих книгах «Занимательной физики», я счел полезным посвятить механике отдельную книгу, написанную в той же манере.

«Занимательная механика» считает нецелесообразным знакомить читателя с последними достижениями науки, пока не выяснены первые ее основы. Она не излагает, впрочем, своего предмета с учебной систематичностью.

Предполагая у читателя некоторые, хотя бы смутно усвоенные или полузабытые сведения, книга стремится освежить и уточнить их разбором ряда механических задач, любопытных в том или ином отношении. Не претендует книга и на исчерпание всех отделов механики: многие интересные вопросы не рассмотрены, иные — едва затронуты. Цель «Занимательной механики» — разбудить дремлющую мысль и привить вкус к занятию механикой; любознательный читатель сам тогда разыщет и приобретет недостающие сведения.

Вопреки установившемуся для популярных книг обычаю, в «Занимательной механике» попадаются математические выкладки. Мне известна неприязнь, которую питают многие к таким местам книг. И все же я не избегаю расчетов, так как считаю физические знания, приобретенные без расчетов, шаткими и практически бесплодными. Немыслимо получить сколько-нибудь полезные и прочные сведения из физики и, особенно из механики, минуя относящиеся к ним простейшие расчеты.

В «Кодексе Юстиниана» (VI век) имеется закон «о злодеях, математиках и им подобных», в силу которого «безусловно воспрещается достойное осуждения математическое искусство». В наши дни математики не приравниваются к злодеям, но их «искусство» из популярных книг почему-то изгоняется. Я не сторонник такой популяризации. Не для того тратим мы целые годы в школе на изучение математики, чтобы выбрасывать ее за борт, когда она понадобится. «Занимательная механика» прибегает к расчетам всюду, где необходимо внести точность в вопрос; излишне добавлять, что математические «злодеяния» совершаются здесь в скромных пределах школьного курса.

Создавая книгу, мы черпали материал отовсюду. Это — не учебник, а вольная книга, ставящая себе задачей повысить интерес к предмету занимательными сопоставлениями. Приводя ряд примеров применения законов механики в технике, мы включили в нашу книгу также приложения механики к спорту, цирковым представлениям и т. п. неожиданным областям. При составлении книги, которая должна быть занимательна для всех, нельзя идти шаблонным   утем

*Глава первая*
## ОСНОВНЫЕ ЗАКОНЫ МЕХАНИКИ

### Задача о двух яйцах

Держа в руках яйцо, вы ударяете по нему другим (рис. 1). Оба яйца одинаково прочны и сталкиваются одинаковыми частями. Которое из них должно разбиться: ударяемое или ударяющее?

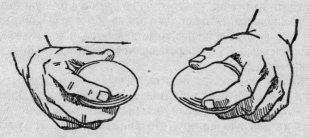

Рис. 1. Которое яйцо сломается?

Вопрос поставлен был несколько лет назад американским журналом «Наука и изобретения». Журнал утверждал, что, согласно опыту, разбивается чаще «то яйцо, которое *двигалось*», другими словами — яйцо *ударяющее*.

«Скорлупа яйца, — пояснялось в журнале, — имеет кривую форму, причем давление, приложенное при ударе к неподвижному яйцу, действует на его скорлупу снаружи; но известно, что, подобно всякому своду, яичная скорлупа хорошо противостоит давлению извне. Иначе обстоит дело, когда усилие приложено к яйцу *движущемуся*. В этом случае движущееся содержимое яйца напирает в момент удара на скорлупу *изнут*-

*ри*. Свод противостоит такому давлению гораздо слабее, чем напору снаружи, и — проламывается».

Когда та же задача была предложена в распространенной ленинградской газете, решения поступили крайне разнообразные.

Одни из решающих доказывали, что разбиться должно непременно *ударяющее* яйцо; другие — что именно оно-то и уцелеет. Доводы казались одинаково правдоподобными, и тем не менее оба утверждения в корне ошибочны! Установить рассуждением, которое из соударяющихся яиц должно разбиться, вообще невозможно, потому что между яйцами ударяющим и ударяемым различия не существует. Нельзя ссылаться на то, что ударяющее яйцо движется, а ударяемое неподвижно. Неподвижно — по отношению к чему? Если к земному шару, то ведь известно, что планета наша сама перемещается среди звезд, совершая десяток разнообразных движений; все эти движения «ударяемое» яйцо разделяет так же, как и «ударяющее», и никто не скажет, которое из них движется среди звезд быстрее. Чтобы предсказать судьбу яиц по признакам движения и покоя, понадобилось бы переворошить всю астрономию и определить движение каждого из соударяющихся яиц относительно неподвижных звезд. Да и это не помогло бы, потому что отдельные видимые звезды тоже движутся, и вся их совокупность, Млечный Путь, перемещается по отношению к иным звездным вселенным.

Яичная задача, как видите, увлекла нас в бездны мироздания и все же не приблизилась к разрешению. Впрочем, нет, — приблизилась, если звездная экскурсия помогла нам понять ту важную истину, что движение тела без указания другого тела, к которому это движение относится, есть попросту бессмыслица. Одинокое тело, само по себе взятое, двигаться не может; могут перемещаться по крайней мере *два тела* — взаимно сближаться или взаимно удаляться. Оба соударяющихся яйца находятся в одинаковом состоянии движения: они взаимно сближаются, — вот все, что мы можем сказать об их движении. Результат столкновения не зависит от того, какое из них пожелаем мы считать неподвижным и какое — движущимся.

Триста лет назад впервые провозглашена была Галилеем относительность равномерного движения и покоя. Этот «принцип относительности классической механики» не следует смешивать с «принципом относительности Эйнштейна», выдвинутым только в начале этого столетия и представляющим дальнейшее развитие первого принципа.

## Путешествие на деревянном коне

Из сказанного следует, что состояние равномерного прямолинейного движения неотличимо от состояния неподвижности при условии обратного *равномерного* и прямолинейного движения окружающей обстановки. Сказать: «тело движется с постоянной скоростью» и «тело находится в покое, но все окружающее равномерно движется в обратную сторону» — значит утверждать одно и то же. Строго говоря, мы не должны говорить ни так, ни этак, а должны говорить, что тело и обстановка движутся одно относительно другого. Мысль эта еще и в наши дни усвоена далеко не всеми, кто имеет дело с механикой и физикой. А между тем она не чужда была уже автору «Дон-Кихота», жившему три столетия назад и не читавшему Галилея. Ею проникнута одна из забавных сцен произведения Сервантеса — описание путешествия прославленного рыцаря и его оруженосца на деревянном коне.

«— Садитесь на круп лошади, — объяснили Дон-Кихоту. — Требуется лишь одно: повернуть втулку, вделанную у коня на шее, и он унесет вас по воздуху туда, где ожидает вас Маламбумо. Но чтобы высота не вызвала головокружения, надо ехать с завязанными глазами.

Обоим завязали глаза, и Дон-Кихот дотронулся до втулки».

Окружающие стали уверять рыцаря, что он уже несется по воздуху «быстрее стрелы».

«— Готов клясться, — заявил Дон-Кихот оруженосцу, — что во всю жизнь мою не ездил я на коне с более спокойной поступью. Все идет, как должно идти, и ветер дует.

— Это верно, — сказал Санчо, — я чувствую такой свежий воздух, точно на меня дуют из тысячи мехов.

Так на самом деле и было, потому что на них дули из нескольких больших мехов».

Деревянный конь Сервантеса — прообраз многочисленных аттракционов, придуманных в наше время для развлечения публики на выставках и в парках. То и другое основано на полной невозможности отличить по механическому эффекту состояние покоя от состояния равномерного движения.

## Здравый смысл и механика

Многие привыкли противополагать покой движению, как небо — земле и огонь — воде. Это не мешает им, впрочем, устраиваться в вагоне на ночлег, ни мало не заботясь о том, стоит ли поезд, или мчится. Но в теории те же люди зачастую убежденно оспаривают право считать мчащийся поезд неподвижным, а рельсы, землю под ними и всю окрестность — движущимися в противоположном направлении.

«Допускается ли такое толкование здравым смыслом машиниста? — спрашивает Эйнштейн, излагая эту точку зрения. — Машинист возразит, что он топит и смазывает не окрестность, а паровоз; следовательно, на паровозе должен сказаться и результат его работы, т. е. движение».

Довод представляется на первый взгляд очень сильным, едва ли не решающим. Однако вообразите, что рельсовый путь проложен вдоль экватора и поезд мчится на запад, против направления вращения земного шара. Тогда окрестность будет бежать навстречу поезду, и топливо будет расходоваться лишь на то, чтобы мешать паровозу быть увлекаемым назад, — вернее, чтобы помогать ему хоть немного отставать от движения окрестности на восток. Пожелай машинист удержать поезд совсем от участия во вращении Земли, он должен был бы топить и смазывать паровоз так, как нужно для скорости примерно две тысячи километров в час.

Впрочем, он бы и не нашел паровоза, подходящего для этой цели: только реактивные самолеты смогут развивать такую скорость.

Пока движение поезда остается вполне равномерным, собственно, нет возможности определить, что именно находится в движении и что в покое: поезд или окрестность. Устройство материального мира таково, что всегда во всякий данный момент исключает возможность абсолютного решения вопроса о наличии равномерного движения или покоя и оставляет место только для изучения равномерного движения тел *относительно* друг друга, так как участие наблюдателя в равномерном движении не отражается на наблюдаемых явлениях и их законах.

## Поединок на корабле

Можно представить себе такую обстановку, к которой иные, пожалуй, затруднятся практически применить принцип относительности. Вообразите, например, на палубе движущегося судна двух стрелков, направивших друг в друга свое оружие (рис. 2). Поставлены ли оба противника в строго одинаковые условия? Не вправе ли стрелок, стоящий спиной к носу корабля, жаловаться на то, что пущенная им пуля летит медленнее, чем пуля противника?

Рис. 2. Чья пуля раньше достигнет противника?

Конечно, по отношению к поверхности моря пуля, пущенная против движения корабля, летит медленнее, чем на неподвижном судне, а пуля, направленная к носу, летит быстрее. Но это нисколько не нарушает условий поединка: пуля, направленная к корме, летит к мишени, которая *движется ей навстречу*, так что при равномерном движении судна недостаток скорости пули как раз восполняется встречной скоростью мишени; пуля же, направленная к носу, *догоняет свою мишень*, которая удаляется от пули со скоростью, равной избытку скорости пули.

В конечном итоге обе *пули по отношению к своим мишеням* движутся совершенно так же, как и на корабле неподвижном.

Не мешает прибавить, что все сказанное относится только к такому судну, которое идет по прямой линии и притом с постоянной скоростью.

Здесь уместно будет привести отрывок из той книги Галилея, где был впервые высказан классический принцип относительности (книга эта едва не привела ее автора на костер инквизиции).

«Заключите себя с приятелем в просторное помещение под палубой большого корабля. Если движение корабля будет равномерным, то вы ни по одному действию не в состоянии будете судить, движется ли корабль, или стоит на месте. Прыгая, вы будете покрывать по полу те же самые расстояния, как и на неподвижном корабле. Вы не сделаете вследствие быстрого движения корабля больших прыжков к корме, чем к носу корабля, — хотя, пока вы находитесь в воздухе, пол под вами бежит к части, противоположной прыжку. Бросая вещь товарищу, вам не нужно с бóльшей силой кидать ее от кормы к носу, чем наоборот... Мухи будут летать во все стороны, не держась преимущественно той стороны, которая ближе к корме» и т. д.

Теперь понятна та форма, в которой обычно высказывается классический принцип относительности: «характер движения, совершающегося в какой-либо системе, не зависит от того, находится ли система в покое или перемещается прямолинейно и равномерно относительно земной поверхности».

## Аэродинамическая труба

На практике иной раз оказывается чрезвычайно полезным заменять движение покоем и покой движением, опираясь на классический принцип относительности. Чтобы изучить, как

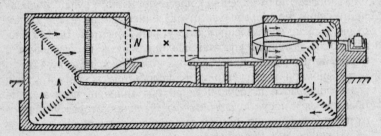

Рис. 3. Продольный разрез через аэродинамическую трубу. Модель крыла или самолета подвешивается в рабочем пространстве, отмеченном крестиком (×). Воздух, засасываемый вентилятором *V*, движется в направлении, указанном стрелками, выбрасывается в рабочее пространство через суживающийся насадок и затем опять засасывается в трубу.

действует на самолет или на автомобиль сопротивление воздуха, сквозь который они движутся, обычно исследуют «обращенное» явление: действие движущегося потока воздуха на покоящийся самолет. В лаборатории устанавливают широкую аэродинамическую трубу (рис. 3), устраивают в ней ток воздуха и изучают его действие на неподвижно подвешенную модель аэроплана или автомобиля. Добытые результаты с успехом прилагают к практике, хотя в действительности явление протекает как раз наоборот: воздух неподвижен, а аэроплан или автомобиль прорезают его с большой скоростью.

В настоящее время существуют аэродинамические трубы настолько большого размера, что в них помещается не уменьшенная модель, а корпус самолета с пропеллером или автомобиль средней величины. Скорость воздуха в трубе можно довести до скорости звука.

### На полном ходу поезда

Другой пример плодотворного применения классического принципа относительности возьмем из железнодорожной практики. Тендер иногда пополняется водой на полном ходу поезда.

Рис. 4. Как паровозы на полном ходу набирают воду. Между рельсами устроен длинный водоем, в который погружается из тендера труба. Вверху налево — трубка Пито. При погружении ее в текущую воду уровень в трубе поднимается выше, чем в водоеме. Вверху направо — применение трубки Пито для набора воды в тендер движущегося поезда.

15

Достигается это остроумным «обращением» одного общеизвестного механического явления, а именно: если в поток воды погрузить отвесно трубку, нижний конец которой загнут против течения (рис. 4), то текущая вода проникает в эту так называемую «трубку Пито» и устанавливается в ней выше уровня реки на определённую величину $H$, зависящую от скорости течения. Железнодорожные инженеры «обратили» это явление: они двигают загнутую трубку в *стоячей* воде, — и вода в трубке поднимается выше уровня водоема. Движение заменяют покоем, а покой движением.

На станции, где тендер паровоза должен, не останавливаясь, запастись водой, устраивают между рельсами длинный водоем в виде канавы (рис. 4). С тендера спускают изогнутую трубу, обращенную отверстием в сторону движения. Вода, поднимаясь в трубе, подается в тендер быстро мчащегося поезда (рис. 4, вверху справа).

Как высоко может быть поднята вода этим оригинальным способом? По законам того отдела механики, который носит название гидромеханики и занимается движением жидкостей, вода в трубке Пито должна подняться на такую же высоту, на какую взлетело бы вверх тело, подброшенное отвесно со скоростью течения воды; если пренебречь потерей энергии на трение, завихрения и т. д., то эта высота $H$ определяется формулой

$$H = \frac{V^2}{2g},$$

где $V$ — скорость воды, а $g$ — ускорение силы тяжести, равное 9,8 $м/с^2$. В нашем случае скорость воды по отношению к трубе равна скорости поезда; взяв скромную скорость 36 *км/час,* имеем $V = 10$ *м/с;*[1] следовательно, высота поднятия воды

$$H = \frac{V^2}{2 \cdot 9{,}8} = \frac{100}{2 \cdot 9{,}8} \approx 5 \ \text{м}.$$

Ясно, что каковы бы ни были потери, вызванные трением и другими, не принятыми во внимание обстоятельствами, высота поднятия достаточна для успешного наполнения тендера.

---

[1] Здесь, как и в дальнейшем изложении, *км/час* обозначает километр в час, *м/с* соответственно обозначает метр в секунду, а *м/с²* — единицу ускорения, т. е. ускорение такого равнопеременного движения, при котором скорость изменяется на 1 *м/с* за 1 секунду.

## Как надо понимать закон инерции

Теперь, после того как мы так подробно побеседовали об относительности движения, необходимо сказать несколько слов о тех причинах, которые вызывают движение, — о силах. Прежде всего нужно указать на закон независимости действия сил. Он формулируется так: *действие силы на тело не зависит от того, находится ли тело в покое или движется по инерции, либо под влиянием других сил.*

Это — следствие так называемого «второго» из тех трех законов, которые положены Ньютоном в основу классической механики. Первый — закон инерции; третий — закон равенства действия и противодействия.

Второму закону Ньютона будет посвящена вся следующая глава, поэтому здесь мы скажем о нем всего лишь несколько слов. Смысл этого закона состоит в том, что изменение скорости, мерой которого служит ускорение, пропорционально действующей силе и имеет одинаковое с ней направление. Этот закон можно выразить формулой

$$F = m \cdot a,$$

где $F$ — сила, действующая на тело; $m$ — его масса и $a$ — ускорение тела. Из трех величин, входящих в эту формулу, труднее всего понять, что такое масса. Нередко смешивают ее с весом, но в действительности масса и вес — совсем не одно и то же. Массы тел можно сравнивать по тем ускорениям, которые они получают под влиянием одной и той же силы. Как видно из только что написанной формулы, масса при этом должна быть тем больше, чем меньше ускорение, приобретенное телом под влиянием этой силы.

Закон *инерции*, хотя и противоречит привычным представлениям человека, не изучавшего физики, наиболее понятен из всех трех законов.[1] Однако иные понимают его совершенно превратно. Именно, инерцию определяют нередко как свойство тел «сохранять свое *состояние*, пока внешняя причина не нарушит этого состояния». Такое распространенное толкование подменяет закон инерции законом причинности, утверждающим, что ничто не происходит (т. е. никакое тело

---

[1] Противоречит он обыденным представлениям в той своей части, которая утверждает, что тело, движущееся равномерно и прямолинейно, не побуждается к этому никакой силой. Существует ошибочный взгляд, что раз тело движется, оно поддерживается в этом состоянии силой, а при отнятии силы движение должно прекратиться.

не изменяет своего состояния) без причины. Подлинный закон инерции относится не ко всякому физическому состоянию тел, а исключительно к состояниям *покоя и движения.* Он гласит:

*Всякое тело сохраняет свое состояние покоя или прямолинейного и равномерного движения до тех пор, пока действие сил выведет его из такого состояния.*

Значит, каждый раз, когда тело

1) приходит в движение;

2) меняет свое прямолинейное движение на непрямолинейное или вообще совершает криволинейное движение;

3) прекращает, замедляет или ускоряет свое движение, — мы должны заключить, что на тело действует *сила.*

Если же ни одной из этих перемен в движении не наблюдается, то на тело никакая сила не действует, как бы стремительно оно ни двигалось. Надо твердо помнить, что тело, движущееся равномерно и прямолинейно, не находится вовсе под действием сил (или же все действующие на него силы уравновешиваются). В этом существенное отличие современных механических представлений от взглядов мыслителей древности и средних веков (до Галилея). Здесь обыденное мышление и мышление научное резко расходятся.

Сказанное объясняет нам, между прочим, почему *трение* о неподвижное тело рассматривается в механике как сила, хотя как будто никакого движения оно вызвать не может. Трение есть сила потому, что оно замедляет движение.

Подчеркнем же еще раз, что тела не *стремятся* оставаться в покое, а просто *остаются* в покое. Разница тут та же, что между упорным домоседом, которого трудно извлечь из квартиры, и человеком, случайно находящимся дома, но готовым по малейшему поводу покинуть квартиру. Физические тела по природе своей вовсе не «домоседы»; напротив, они в высшей степени подвижны, так как достаточно приложить к свободному телу хотя бы самую ничтожную силу, — и оно приходит в движение. Выражение «тело *стремится* сохранять покой» еще и потому неуместно, что выведенное из состояния покоя тело само собой к нему не возвращается, а напротив, сохраняет навсегда сообщенное ему движение (при отсутствии, конечно, сил, мешающих движению).

Неудачным также является часто встречающийся термин «тело противодействует приложенной силе». Ведь с одинаковым основанием можно было бы сказать, что чай в стакане противодействует тому, чтобы стать **сла**дким, когда в нем размешивают сахар.

Немалая доля тех недоразумений, которые связаны с законом инерции, обусловлена этим неосторожным словом «стремится», вкравшимся в большинство учебников физики и механики. Не меньше трудностей для правильного понимания представляет *третий* закон Ньютона, к рассмотрению которого мы сейчас и переходим.

### Действие и противодействие

Желая открыть дверь, вы тянете ее за ручку к себе. Мышца вашей руки, сокращаясь, сближает свои концы: она с одинаковой силой влечет дверь и ваше туловище одно к другому. В этом случае совершенно ясно, что между вашим телом и дверью действуют две силы, приложенные одна к двери, другая — к вашему телу. То же самое, разумеется, происходит и в случае, когда дверь открывается не на вас, а от вас: силы расталкивают дверь и ваше тело.

То, что мы наблюдаем здесь для силы мускульной, верно для всякой силы вообще, независимо от того, какой она природы. Каждое усилие действует в две противоположные стороны; оно имеет, выражаясь образно, два конца (две силы): один приложен к телу, на которое, как мы говорим, *сила действует*; другой приложен к телу, которое мы называем *действующим*. Сказанное принято выражать в механике коротко — слишком коротко для ясного понимания — так: «*действие равно противодействию*».

Смысл этого закона состоит в том, что все силы природы — силы двойные. В каждом случае

Рис. 5. Силы *(P, Q, R)*, действующие на грузик детского воздушного шара. Где силы противодействующие?

проявления действия силы вы должны представлять себе, что где-то в ином месте имеется другая сила, равная этой, но направленная в противоположную сторону. Эти две силы действуют непременно между двумя точками, стремясь их сблизить или растолкнуть.

Пусть вы рассматриваете (рис. 5) силы $P$, $Q$ и $R$, которые действуют на грузик, подвешенный к детскому воздушному шарику. Тяга $P$ шара, тяга $Q$ веревочки и вес $R$ грузика — силы как будто одиночные. Но это лишь отвлечение от действительности; на самом деле для каждой из трех сил имеется равная ей, но противоположная по направлению сила. А именно, сила, противоположная силе $P$, приложена к нити, через которую она передается воздушному шарику (рис. 6, сила $P_1$); сила, противоположная силе $Q$, действует на руку ($Q_1$); сила, противоположная силе $R$, приложена к Земле (сила $R_1$, рис. 6), потому что грузик не только притягивается Землей, но и сам ее притягивает.

Еще одно существенное замечание. Когда мы спрашиваем о величине натяжения веревки, которая растягивается двумя силами в 1 *кг*, приложенными к концам веревки, мы спрашиваем в сущности о цене 10-копеечной почтовой марки. Ответ содержится в самом вопросе: веревка натянута с силой 1 *кг*. Сказать «веревка растягивается двумя силами в 1 *кг*» или «веревка подвержена натяжению в 1 *кг*» — значит выразить буквально одну и ту же мысль. Ведь другого натяжения в 1 *кг* быть не может, кроме такого, которое состоит из двух сил, направленных в противо-

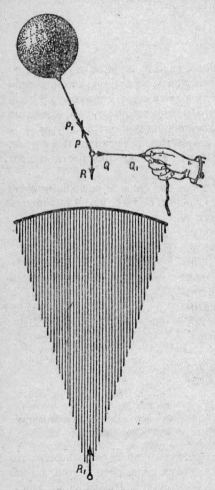

Рис. 6. Ответ на вопрос предыдущего рисунка: силы противодействующие: $P_1$, $Q_1$ и $R_1$.

20

положные стороны. Забывая об этом, впадают нередко в грубые ошибки, примеры которых мы сейчас приведем.

### Задача о двух лошадях

Две лошади растягивают пружинные весы с силой 100 *кг* каждая (рис. 7). Что показывает стрелка весов?

## РЕШЕНИЕ

Многие отвечают: 100 + 100 = 200 кг. Ответ неверен. Силы по 100 *кг*, с которыми тянут лошади, вызывают, как мы только что видели, натяжение не в 200, а только в 100 *кг*.

Рис. 7. Каждая лошадь тянет с силой 100 *кг*. Сколько показывают пружинные весы?

Поэтому, между прочим, когда магдебургские полушария растягивались восемью лошадьми, которые тянули в одну сторону, и восемью — в противоположную, то не следует думать, что они растягивались силой шестнадцати лошадей. При отсутствии противодействующих восьми лошадей остальные восемь не произвели бы на полушария ровно никакого действия. Одну восьмерку лошадей можно было бы заменить просто достаточно устойчивой стеной.

### Задача о двух лодках

К пристани на озере приближаются две одинаковые лодки (рис. 8). Оба лодочника подтягиваются с помощью веревки. Противоположный конец веревки первой лодки привязан к тумбе на пристани; противоположный же конец веревки второй лодки находится в руках матроса на пристани, который также тянет веревку к себе.

Все трое прилагают одинаковые усилия.

Какая лодка причалит раньше?

## РЕШЕНИЕ

На первый взгляд может показаться, что причалит раньше та лодка, которую тянут двое: двойная сила порождает большую скорость.

Но верно ли, что на эту лодку действует *двойная сила*?

Если и лодочник и матрос оба тянут к себе веревку, то *натяжение* веревки равно силе только *одного* из них — иначе говоря, оно такое же, как и для первой лодки. Обе лодки подтягиваются с равной силой и причалят *одновременно*.[1]

### Загадка пешехода и паровоза

Бывают случаи, — в практике нередкие, — когда как действующая, так и противодействующая силы приложены в разных местах *одного и того же тела*. Мускульное напряжение или давление пара в цилиндре паровоза представляет примеры таких сил, называемых «внутренними». Особенность их та, что они могут изменять взаимное расположение частей тела, насколько это допускает связь частей, но никак не

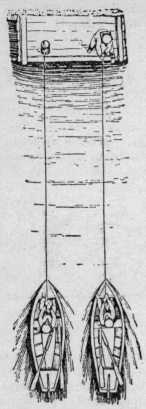

Рис. 8. Которая из лодок причалит раньше?

---

[1] С таким решением не согласился один из читателей, высказавший соображение, которое, возможно, возникнет и у других при чтении этой книги:

«Чтобы лодки причалили, — писал он, — надо, чтобы люди *выбирали* веревки. А двое, конечно, за то же время выберут веревки больше, и потому правая лодка причалит скорее».

Этот простой довод, кажущийся на первый взгляд бесспорным, на самом деле ошибочен. Чтобы сообщить лодке двойную скорость (иначе лодка не пристанет вдвое скорее), *каждый* из двоих тянущих должен тянуть лодку с надлежащим образом увеличенной силой. Только при таком условии удастся им выбрать вдвое больше веревки, чем одинокому (в противном случае — откуда возьмется у них для этого свободная веревка?). Но в условии задачи оговорено, что «все трое прилагают одинаковые усилия». Сколько бы двое ни старались, им не выбрать веревки больше, чем одинокому, раз сила натяжения веревок одинакова.

22

могут сообщить всем частям тела одно общее движение. При выстреле из ружья пороховые газы, действуя в одну сторону, выбрасывают пулю вперед. В то же время давление пороховых газов, направленное в противоположную сторону, сообщает ружью движение назад. Двигать вперед и пулю и ружье давление пороховых газов, как сила внутренняя, не может.

Но если внутренние силы неспособны перемещать *все* тело, то как же движется пешеход? Как движется паровоз? Сказать, что пешеходу помогает трение ног о землю, а паровозу трение колес о рельсы, — не значит еще разрешить загадку. Трение, конечно, совершенно необходимо для движения пешехода и паровоза: известно, что нельзя ходить по очень скользкому льду («как корова на льду», говорит распространенная поговорка) и что паровоз, находясь на скользких рельсах (например, при обледенении), «буксует»; это значит, что колеса паровоза вертятся, но паровоз с места не двигается. Каким же образом трение, которое, как мы видели (см. «Как надо понимать закон инерции»), замедляет существующее движение, может помочь пешеходу или паровозу сдвинуться с места?

Загадка разрешается довольно просто. Две внутренние силы, действуя одновременно, не могут сообщить телу движения, так как эти силы лишь сближают или раздвигают отдельные части тела. Но что будет, если некоторая третья сила уравновесит или ослабит действие одной из двух внутренних сил? Тогда ничто не помешает другой внутренней силе двигать тело. Трение и есть та третья сила, которая ослабляет действие одной из внутренних сил и тем дает возможность другой силе двигать тело.

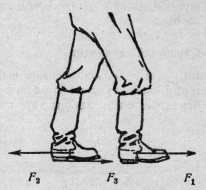

Рис. 9. Сила трения $F_3$ делает возможной ходьбу.

Представьте себе, что вы стоите на очень гладкой поверхности, например на льду, и хотите сдвинуться с места. Вы делаете усилие, чтобы занести правую ногу вперед. Между

23

отдельными частями вашего тела начинают действовать внутренние силы, подчиняющиеся закону равенства действия и противодействия. Этих сил много, но действие их будет приблизительно такое же, как если бы на ваши ноги действовали только две силы, из которых одна $F_1$ толкает правую ногу вперед, а другая $F_2$, равная и противоположная первой, толкает левую ногу назад. Результатом действия этих сил будет только то, что обе ваши ноги подвинутся: одна вперед, другая назад, ваше же тело или, лучше сказать, его центр тяжести останется на месте. Иначе будет обстоять дело, если левая нога опирается на шероховатую поверхность (лед под ногой посыпан песком). Тогда сила $F_2$, действующая на левую ногу, уравновесится (полностью или частично) силой трения $F_3$, действующей на подошву левой ноги, а сила $F_1$, приложенная к правой ноге, подвинет ее вперед, и центр тяжести всего тела также переместится вперед (рис. 9). Практически при ходьбе мы, занося одну ногу вперед, приподнимаем ее и тем устраняем трение между этой ногой и полом, в то время как на вторую ногу действует сила трения, которая препятствует скольжению этой ноги назад.

С паровозом дело обстоит несколько сложнее, но и тут вопрос сводится к тому, что сила трения, приложенная к ведущим колесам паровоза, уравновешивает одну из внутренних сил, давая тем самым возможность другой силе двигать паровоз.

### Странный карандаш

Возьмите длинный карандаш и положите его на вытянутые горизонтально указательные пальцы обеих рук (рис. 10). Приближайте теперь пальцы друг к другу так, чтобы карандаш

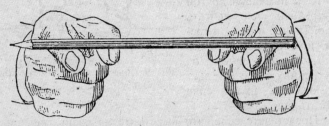

Рис. 10. При сближении пальцев карандаш двигается попеременно то в одну, то в другую сторону.

оставался горизонтальным. Вы тотчас заметите, что карандаш станет скользить сначала по одному пальцу, а затем по другому и т. д. Если вместо карандаша взять длинную прямую палку, то это повторяется довольно много раз.

Чем же объясняется это странное явление?

Разгадать его нам помогут так называемый закон Кулона—Амонтона и закон, гласящий, что сила трения при скольжении меньше, чем сила трения покоя. Закон Кулона—Амонтона утверждает, что сила трения $T$ в тот момент, когда начинается скольжение, равна некоторой числовой величине $f$, характерной для данных трущихся тел, умноженной на то давление $N$, которое оказывает тело на опору. Математически этот закон может быть записан в следующем виде:

$$T = f \cdot N.$$

Попробуем теперь объяснить странное поведение карандаша, пользуясь этими двумя законами. Если в самом начале карандаш расположен так, что на один палец он давит больше, чем на другой, а это почти всегда так случится, то и сила трения на первом пальце будет больше, чем на втором. Это непосредственно видно из формулы Амонтона. Эта сила трения и не позволит карандашу скользить по той опоре, давление на которую больше. Когда пальцы сближаются, центр тяжести карандаша приближается к скользящей опоре, и давление на нее возрастает. Но сила трения при скольжении меньше, чем при покое, поэтому скольжение будет еще долго продолжаться. В тот момент, когда давление на скользящей опоре значительно увеличится, скольжение на ней прекратится: его остановит увеличившаяся сила трения. Скользящей опорой станет другой палец. Далее явление повторится, и обе опоры станут чередоваться.

## Что значит «преодолеть инерцию»

Закончим главу рассмотрением еще одного вопроса, также зачастую порождающего превратные представления. Приходится нередко читать и слышать, что для приведения покоящегося тела в движение надо прежде всего «преодолеть инерцию» этого тела. Мы знаем, однако, что свободное тело нисколько не сопротивляется стремлению силы привести его в движение. Что же тут надо «преодолевать»?

«Преодоление инерции» — не более, как условное выражение той мысли, что для приведения в движение какого-либо тела с определенной скоростью требуется определенный промежуток времени. Никакая сила, даже самая большая, не может мгновенно сообщить телу заданную скорость, как бы ни была ничтожна его масса. Мысль эта заключена в краткой формуле $Ft = mv$, о которой мы будем говорить в следующей главе, но которая, будем надеяться, знакома читателю из учебника физики. Ясно, что при $t = 0$ (время равно нулю) произведение $mv$ массы на скорость равно нулю и, следовательно, равна нулю скорость, так как масса всегда отлична от нуля. Другими словами, если силе $F$ не дать времени для проявления ее действия, она не сообщит телу никакой скорости, никакого движения. Если масса тела велика, потребуется сравнительно большой промежуток времени, чтобы сила сообщила телу заметное движение. Нам будет казаться, что тело начинает двигаться не сразу, что оно словно противится действию силы. Отсюда и сложилось ложное представление о том, что сила, прежде чем заставить тело двигаться, должна «преодолеть *его инерцию*», его косность (буквальный смысл слова «*инерция*»).

### Железнодорожный вагон

Один из читателей просит разъяснить вопрос, который, в связи с сейчас сказанным, возник, вероятно, у многих: «Почему сдвинуть железнодорожный вагон с места труднее, чем поддерживать движение вагона, уже катящегося равномерно?».

Не только труднее, можно прибавить, но и вовсе невозможно, если прилагать небольшое усилие. Чтобы поддерживать равномерное движение пустого товарного вагона по горизонтальному пути, достаточно, при хорошей смазке, усилия килограммов в 15. Между тем, такой же неподвижный вагон не удается сдвинуть с места силой, меньшей 60 килограммов.

Причина не только в том, что приходится в течение первых секунд прилагать добавочную силу для приведения вагона в движение с заданной скоростью (сила эта сравнительно невелика); причина кроется, главным образом, в условиях смазки стоящего вагона. В начале движения смазка еще не распределена равномерно по всему подшипнику, и оттого заставить вагон двигаться тогда очень трудно. Но едва колесо сделает первый оборот, условия смазки сразу значительно улучшаются, и поддерживать дальнейшее движение становится несравненно легче.

*Глава вторая*
## СИЛА И ДВИЖЕНИЕ

### Справочная таблица по механике

В настоящей книге нам не раз придется обращаться к формулам из механики. Для читателей, хотя и проходивших механику, но забывших эти соотношения, дана на следующей странице небольшая табличка-справочник, помогающая восстановить в памяти важнейшие формулы. Она составлена по образцу пифагоровой таблицы умножения: на пересечении двух граф отыскивается то, что получается от умножения величин, написанных по краям. (Обоснование этих формул читатель найдет в учебниках механики.)

Покажем на нескольких примерах, как пользоваться табличкой.

Умножая скорость $v$ равномерного движения на время $t$, получаем путь $S$ (формула $S = vt$).

Умножая постоянную силу $F$ на путь $S$, получаем работу $A$, которая в то же время равна и полупроизведению массы $m$ на квадрат конечной скорости $v$: $A = FS = \dfrac{mv^2}{2}$.[1]

---

[1] Формула $A = FS$ верна лишь в том случае, когда направление силы совпадает с направлением пути. Вообще же имеет место более сложная формула $A = FS\cos\alpha$, в которой $\alpha$ обозначает угол между направлениями силы и пути. Также и формула $A = \dfrac{mv^2}{2}$ верна только в простейшем случае, когда начальная скорость тела равна нулю; если же начальная скорость равна $v_0$, а конечная скорость $v$, то работа, которую

|  | Скорость $V$ | Время $t$ | Масса $T$ | Ускорение $a$ | Сила $F$ |
|---|---|---|---|---|---|
| Путь S | — | — | — | $\dfrac{v^2}{2}$ (равноперем. движ.) | Работа $A = \dfrac{mv^2}{2}$ |
| Скорость $v$ | $2aS$ (равноперем. движ.) | Путь $S$ (равномерн. движ.) | Импульс $Ft$ | — | Мощность $W = \dfrac{A}{t}$ |
| Время $t$ | Путь S (равномерн. движ.) | — | — | Скорость $v$ (равноперем. движ.) | Количество движения $mv$ |
| Масса $m$ | Импульс $Ft$ | — | — | Сила $F$ | — |

Подобно тому как, пользуясь таблицей умножения, можно узнавать результаты *деления*, так и из нашей таблички можно извлечь, например, следующие соотношения:

Скорость $v$ равнопеременного движения, деленная на время $t$, равна ускорению $a$ (формула $a = \dfrac{v}{t}$).

Сила $F$, деленная на массу $m$, равна ускорению $a$; деленная же на ускорение $a$, равна массе $m$:

$$a = \frac{F}{m} \quad \text{и} \quad m = \frac{F}{a}.$$

Пусть для решения механической задачи потребовалось вычислить *ускорение*. Вы составляете по табличке все формулы, содержащие ускорение, прежде всего формулы

___

нужно затратить, чтобы вызвать такое изменение скорости, выражается формулой

$$A = \frac{mv^2}{2} - \frac{mv_0^2}{2}.$$

28

$$aS = \frac{v^2}{2}, \quad v = at, \quad F = ma,$$

а из этих формул получаете:

$$t^2 = \frac{2S}{a}, \text{ или } S = \frac{at^2}{2}.$$

Среди написанных формул ищете ту, которая отвечает условиям задачи.

Если пожелаете иметь все уравнения, с помощью которых может быть определена сила, табличка предложит вам на выбор

$FS = A$ (работа),
$Fv = W$ (мощность),
$Ft = mv$ (количество движения),
$F = ma$.

Не надо упускать из виду, что вес $P$ есть тоже сила, поэтому наряду с формулой $F = ma$ в нашем распоряжении имеется и формула $P = mg$, где $g$ — ускорение силы тяжести близ земной поверхности. Точно так же из формулы $FS = A$ следует, что $Ph = A$ для тела весом $P$, поднятого на высоту $h$.

Пустые клетки таблицы показывают, что произведения соответствующих величин не имеют физического смысла.

### Отдача огнестрельного оружия

В качестве примера применения нашей таблицы рассмотрим «отдачу» ружья. Пороховые газы, выбрасывающие своим напором пулю в одну сторону, в то же время отталкивают ружье в противоположную сторону, порождая всем известную «отдачу». С какой скоростью движется ружье при отдаче? Вспомним закон равенства действия и противодействия. По этому закону давление пороховых газов на ружье (рис. 11) должно быть равно давлению пороховых газов на пулю. При этом обе силы действуют одинаковое время. Заглянув в таблицу, находим, что произведение силы $F$ на время $t$ равно «количеству движения» $mv$, т. е. произведению массы $m$ на ее скорость $v$:

$$Ft = mv.$$

Это равенство является математическим выражением закона количества движения для случая, когда тело начинает двигаться из состояния покоя. В более общем виде этот закон формулируется так: изменение количества движения тела за некоторое время равно импульсу силы, приложенной к телу за то же время:

$$mv - mv_0 = Ft,$$

где $v_0$ — начальная скорость, а $F$ — постоянная сила.

Рис. 11. Почему ружье при выстреле отдает?

Так как $Ft$ для пули и для ружья одинаково, то должны быть одинаковы и количества движения. Если $m$ — масса пули, $v$ — ее скорость, $M$ — масса ружья, $w$ — его скорость, то согласно сейчас сказанному

$$mv = Mw,$$

откуда

$$\frac{w}{v} = \frac{m}{M}.$$

Подставим в эту пропорцию числовые значения ее членов. Масса пули военной винтовки — 9,6 *г*, скорость ее при вылете — 880 *м/с*; масса винтовки — 4500 *г*. Значит,

$$\frac{w}{880} = \frac{9,6}{4500}.$$

Следовательно, скорость ружья $w = 1,9$ *м/с*. Нетрудно вычислить, что отдающее ружье несет с собой примерно в 470 раз меньшую «живую силу», нежели пуля; это значит, что разрушительная энергия ружья при отдаче в 470 раз меньше, нежели пули, хотя — заметим это! — количество движения для обоих

30

тел одинаково. Неумелого стрелка отдача может все же сильно ударить и даже поранить.

Для полевой скорострельной пушки, весящей 2000 *кг* и выбрасывающей 6-килограммовые снаряды со скоростью 600 *м/с,* скорость отдачи примерно такая же, как и у винтовки, — 1,9 *м/с.* Но при значительной массе орудия энергия этого движения в 450 раз больше, чем для винтовки, и почти равна энергии ружейной пули в момент ее вылета. Старинные пушки при выстреле откатывались назад. В современных орудиях скользит назад только ствол, лафет же остается неподвижным, удерживаемый упором (сошником) на конце хобота. Морские орудия (не вся орудийная установка) при выстреле откатываются назад, но, благодаря особому приспособлению, сами после отката возвращаются на прежнее место.

Читатель заметил, вероятно, что в наших примерах тела, наделенные равными *количествами движения*, обладают далеко не одинаковой *кинетической энергией*. В этом, разумеется, нет ничего неожиданного: из равенства

$$mv = Mw$$

вовсе не следует, что

$$\frac{mv^2}{2} = \frac{Mw^2}{2}.$$

Второе равенство верно лишь в том случае, когда $v = w$ (в этом легко убедиться, разделив второе равенство на первое). Между тем люди, мало знакомые с механикой, думают иногда, что равенство количеств движения (а значит, и равенство импульсов) обусловливает собой равенство кинетической энергии. Известны случаи, когда изобретатели, исходя из ошибочного предположения, что равным импульсам соответствуют равные количества работы, пытались придумать машину, которая давала бы работу без соответствующей затраты энергии. Это лишний раз доказывает необходимость для изобретателя хорошо усвоить основы теоретической механики.

## Повседневный опыт и научное знание

При изучении механики поражает то, что во многих весьма простых случаях наука эта резко расходится с обыденными представлениями. Вот показательный пример. Как должно двигаться тело, на которое неизменно действует одна и та же сила? «Здравый смысл» подсказывает, что такое тело должно двигаться все время с одинаковой скоростью, т. е. равномерно. И наоборот, если тело движется равномерно, то это в обиходе считается признаком того, что на тело действует все время одинаковая сила. Движение телеги, паровоза и т. п. как будто подтверждает это.

Рис. 12. При равномерном движении поезда сила тяги преодолевает сопротивление движению.

Механика говорит, однако, совершенно другое. Она учит, что постоянная сила порождает движение не равномерное, а *ускоренное*, так как к скорости, ранее накопленной, сила непрерывно добавляет новую скорость. При равномерном же движении тело *вовсе не находится под действием силы*, иначе оно двигалось бы неравномерно (см. «Как надо понимать закон инерции»).

Неужели же обыденные наблюдения так грубо ошибочны?

Нет, они не вполне ошибочны, но относятся к весьма ограниченному кругу явлений.

Обыденные наблюдения делаются над телами, перемещающимися при наличии трения и сопротивления среды. Законы же механики имеют в виду тела, движущиеся свободно. Чтобы тело, движущееся с трением, обладало постоянной скоростью, к нему действительно надо приложить постоянную силу. Но сила нужна здесь не для того, чтобы двигать тело, а для того, чтобы преодолевать сопротивление движению, т. е. создать для тела условия свободного движения. Вполне возможны поэтому случаи, когда тело движущееся с трением *равномерно*, находится под действием *постоянной силы*.

Мы видим, в чем грешит обыденная «механика»: ее утверждения почерпнуты из *недостаточно полного* материала. Научные обобщения имеют более широкую базу. Законы научной механики выведены из движения не только телег и паровозов, но также планет и комет. Чтобы делать правильные обобщения, надо расширить поле наблюдений и очистить факты от случайных обстоятельств. Только добытое таким путем знание раскрывает глубокие корни явлений и может быть плодотворно применено на практике.

В дальнейшем мы рассмотрим ряд явлений, где отчетливо выступает связь между величиной *силы*, двигающей свободное тело, и величиной приобретаемого им *ускорения*, — связь, которая устанавливается уже упоминавшимся вторым законом Ньютона. Это важное соотношение, к сожалению, смутно усваивается при школьном прохождении механики. Примеры взяты в обстановке фантастической, но сущность явления выступает от этого еще отчетливее.

## Пушка на Луне

ЗАДАЧА

Артиллерийское орудие сообщает снаряду на Земле начальную скорость 900 *м/с*. Перенесите его мысленно на Луну, где все тела становятся в шесть раз легче. С какой скоростью снаряд покинет там это орудие? (Различие, обусловленное отсутствием на Луне атмосферы, оставим без внимания.)

РЕШЕНИЕ

На вопрос этой задачи часто отвечают, что так как сила давления пороховых газов на Земле и на Луне одинакова, а действовать на Луне приходится ей на вшестеро более легкий снаряд, то сообщенная скорость должна быть там в шесть раз больше, чем на Земле: 900 · 6 = 5400 *м/с*. Снаряд вылетит на Луне со скоростью 5,4 *км/с*.

Подобный ответ при кажущемся его правдоподобии совершенно неверен.

Между силой, ускорением и весом вовсе не существует той связи, из какой исходит приведенное рассуждение. Формула механики, являющаяся математическим выражением второго закона Ньютона, связывает силу и ускорение *не с весом, а с массой*: $F = ma$. Но масса снаряда на Луне нисколько не изменилась: она там та же, что и на Земле; значит, и ускорение, сообщаемое снаряду силой давления пороховых газов, должно быть на Луне такое же, как и на Земле; а при одинаковых ускорениях и путях одинаковы и скорости (согласно формуле $v = \sqrt{2aS}$ , где $S$ обозначает путь снаряда внутри дула орудия).

Итак, пушка на Луне выбросила бы снаряд точно с такой же начальной скоростью, как и на Земле. Другое дело, как *далеко* или как *высоко* залетел бы на Луне этот снаряд. В этом случае уменьшение тяжести имеет уже существенное значение.

Например, высота отвесного подъема снаряда, покинувшего на Луне пушку со скоростью 900 *м/с*, определится из формулы

$$aS = \frac{v^2}{2},$$

которую мы находим в справочной табличке (в начале второй главы). Так как ускорение силы тяжести на Луне в шесть раз меньше, чем на Земле, т. е. $a = \dfrac{g}{6}$, то формула получает вид:

$$\frac{gS}{6} = \frac{v^2}{2}.$$

Отсюда пройденный снарядом отвесный путь

$$S = 6 \cdot \frac{v^2}{2g}.$$

На Земле же (при отсутствии атмосферы):

$$S = \frac{v^2}{2g}.$$

Значит, на Луне пушка закинула бы ядро в шесть раз выше, чем на Земле (сопротивление воздуха на Земле мы не принимали во внимание), несмотря на то, что начальная скорость снаряда в обоих случаях одинакова.

**Выстрел на дне океана**

Одно из наиболее глубоких мест океана находится близ острова Минданао в группе Филиппинских островов. Его глубина составляет приблизительно 11 *км*.

Пусть на этой глубине очутился заряженный духовой пистолет; в его цилиндре находится воздух под большим давлением.

Спрашивается, вылетит ли пуля из пистолета, если нажать на собачку, считая, что в обычных условиях пуля вылетает из него с той же скоростью, что и из нагана, т. е. 270 *м/с*.

## РЕШЕНИЕ

Пуля находится в момент «выстрела» под действием двух противоположных давлений: давления воды и давления сжатого воздуха. Если первое давление больше второго, то пуля не вылетит, в обратном случае она вылетит. Следовательно, нужно подсчитать оба давления и сравнить их.

Давление воды на пулю подсчитываем так. Каждые 10 *м* водяного столба оказывают давление в одну техническую атмосферу, т. е. 1 *кг* на 1 *кв. см*. Следовательно, 11 000 *м* водяного столба окажут давление в 1100 *кг* на 1 *кв. см*. Положим, что калибр (диаметр отверстия ствола) пистолета тот же, что и у обычного нагана, т. е. 0,7 *см*. Площадь поперечного сечения канала ствола равна:

$$\frac{1}{4} \cdot 3,14 \cdot 0,7^2 = 0,38 \text{ кв. см.}$$

На эту площадь приходится сила давления воды, равная

$$1100 \cdot 0,38 = 418 \text{ кг.}$$

Подсчитываем теперь, с какой силой давит сжатый воздух. Для этого найдем среднее ускорение пули в стволе (для обычных условий), принимая ее движение за равноускоренное. Фактически движение не будет равноускоренным, но мы вводим это допущение для упрощения задачи.

Находим в табличке в начале второй главы соотношение

$$v^2 = 2aS,$$

где $v$ — скорость пули у дульного обреза, $a$ — искомое ускорение, $S$ — длина пути, пройденного пулей под давлением воздуха, т. е. длина ствола. Подставив $v = 270$ *м/с* $= 27\ 000$ *см/с* и $S = 22$ *см*, получим:

$$27\ 000^2 = 2a \cdot 22,$$

откуда

$$a = 16\ 500\ 000 \text{ см/с}^2.$$

Это огромное ускорение нас не должно удивлять, ведь в обычных условиях пуля проходит по каналу пистолета за очень малое время. Зная ускорение пули и положив ее массу равной 7 *г*, вычислим ту силу, которая это ускорение вызывает, по формуле $F = ma$:

$$F = 7 \cdot 16\,500\,000 = 115\,500\,000 \; дин = 1150 \; H.$$

Сила веса в один килограмм равна примерно 10 $H$, значит, воздух давит на пулю с силой, приблизительно равной весу 115 *кг*.

Итак, в момент выстрела пулю толкает сила в 115 *кг*, противодействует же сила давления воды, равная 418 *кг*. Отсюда видно, что пуля не только не вылетит, а, наоборот, давление воды загонит ее глубже в дуло. Такое давление, конечно, не возникает в духовых пистолетах, но такой пистолет, который «конкурировал» бы с наганом, в условиях современной техники изготовить можно.

## Сдвинуть земной шар

Среди людей, недостаточно изучавших механику, распространено убеждение, что малой силой нельзя сдвинуть свободное тело, если оно обладает весьма большой массой. Это одно из заблуждений «здравого смысла». Механика утверждает совершенно иное: всякая сила, даже самая незначительная, должна сообщить движение каждому телу, даже чудовищно грузному, если тело это *свободно*. Мы не раз пользовались уже формулой, в которой выражена эта мысль:

$$F = ma,$$

откуда

$$a = \frac{F}{m}.$$

Последнее выражение говорит нам, что ускорение может быть равно нулю только в том случае, когда сила $F$ равна нулю. Поэтому *всякая сила должна заставить двигаться любое свободное тело*.

В окружающих нас условиях мы не всегда видим подтверждение этого закона. Причина — трение, вообще сопротивление движению. Другими словами, причина та, что мы очень редко имеем дело со свободным телом; движение почти всех наблюдаемых нами тел не свободно. Чтобы в условиях трения заставить тело двигаться, необходимо приложить силу, которая больше силы трения. Дубовый шкаф на сухом дубовом полу только в том случае придет в движение под напором наших рук, если мы разовьем силу не меньше $^{1}/_{3}$ веса шкафа, потому что сила трения дуба по дубу (насухо) составляет приблизительно 34% веса тела. Но если бы никакого трения не было, то даже ребенок привел бы в движение тяжелый шкаф прикосновением пальца.

К тем немногим телам природы, которые совершенно свободны, т. е. движутся, не испытывая ни трения, ни сопротивления среды, принадлежат небесные тела: Солнце, Луна, планеты, в их числе и наша Земля. Значит ли это, что человек мог бы сдвинуть с места земной шар силой своих мускулов? Безусловно так: двигаясь сами, вы приведете его в движение!

Например, когда мы подпрыгиваем, отталкиваясь ногами от земного шара, мы, сообщая скорость своему телу, вместе с тем приводим в движение в противоположном направлении и земной шар. Но вот вопрос: какова скорость этого движения? По закону равенства действия и противодействия сила, с которой мы давим на Землю, равна силе, которая подбросила вверх наше тело. Поэтому и импульсы этих сил равны, а если так, то равны по величине и количества движения, получаемые нашим телом и земным шаром. Обозначая массу Земли через $M$, приобретенную ею скорость через $w$, массу человека через $m$, а его скорость через $v$, мы можем написать

$$Mw = mv,$$

Откуда

$$w = \frac{m}{M} v.$$

Так как масса Земли неизмеримо больше массы человека, то скорость, которую мы сообщаем Земле, неизмеримо меньше скорости, с которой отделяется от Земли человек. Мы говорим «неизмеримо больше», «неизмеримо меньше», конечно, не в буквальном смысле. Измерить массу земного шара возможно,[1] а следовательно, возможно определить и скорость его в данных условиях.

Масса $M$ Земли равна приблизительно $6 \cdot 10^{27}$ г, массу $m$ человека возьмем равной 60 кг = $6 \cdot 10^4$ г. Тогда отношение $\frac{m}{M}$ равно $\frac{1}{10^{23}}$. Это значит, что скорость земного шара в $10^{23}$ раз

---

[1] См. об этом в «Занимательной астрономии» того же автора статью «Как взвесили Землю».

меньше скорости прыжка человека! Пусть человек подпрыгнул на высоту $h = 1$ м, тогда его начальная скорость может быть определена по формуле

$$v = \sqrt{2gh} ,$$

т. е.

$$v = \sqrt{2 \cdot 981 \cdot 100} \approx 440 \text{ см/с,}$$

и скорость Земли равна:

$$w = \frac{440}{10^{23}} = \frac{4,4}{10^{21}} \text{ см/с.}$$

Это настолько маленькая величина, что невозможно себе ее представить, но все же величина, отличная от нуля. Чтобы получить хотя бы косвенно представление об этой величине, предположим, что Земля, приобретя такую скорость, сохраняет ее в течение очень большого промежутка времени, например одного миллиарда лет. На какое расстояние переместится она за это время? Это расстояние найдем по формуле

$$S = vt.$$

Взяв

$$t = 10^9 \cdot 365 \cdot 24 \cdot 60 \cdot 60 \approx 31 \cdot 10^{14} \text{ с,}$$

получим:

$$S = \frac{4,4}{10^{21}} \cdot 31 \cdot 10^{14} = \frac{14}{10^6} \text{ см.}$$

Выразив это расстояние в микронах (тысячных долях миллиметра), получим:

$$S = \frac{14}{10^2} \text{ микрона.}$$

Итак, найденная нами скорость настолько мала, что, если бы Земля двигалась с этой скоростью равномерно в течение 1 миллиарда лет, она сдвинулась бы меньше чем на одну шестую микрона, т. е. расстояние, неразличимое невооруженным глазом.

На самом же деле скорость, полученная Землей в результате толчка, произведенного ногами человека, не сохраняется. Как только ноги человека отделятся от Земли, движение его начинает замедляться под действием притяжения Земли. Но если Земля притягивает человека с силой в 60 *кг*, то с такой же силой притягивает и человек Землю, а следовательно, одновременно с уменьшением скорости человека убывает и скорость, приобретенная Землей, и обе одновременно обращаются в нуль.

Таким образом, на короткий срок человек может сообщить Земле скорость, хотя и ничтожно малую, но не может вызвать перемещения ее. Человек мог бы сдвинуть земной шар силой своих мускулов, но только в том случае, если бы он мог найти опору, не связанную с Землей, как это показано на фантастическом рисунке на заставке к этой главе. Но при всем богатом воображении художника он, конечно, не мог показать, на что опираются ноги человека.

## Ложный путь изобретательства

В поисках новых технических возможностей изобретатель должен неизменно держать свою мысль под контролем строгих законов механики, если не хочет вступить на путь бесплодного фантазерства. Не следует думать, что единственный общий принцип, которого не должна нарушать изобретательская мысль, есть закон сохранения энергии. Существует и другое важное положение, пренебрежение которым нередко заводит изобретателей в тупик и заставляет их бесплодно растрачивать свои силы. Это — закон движения центра тяжести.

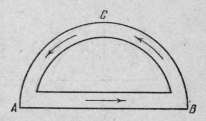

Рис. 13. Проект летательного аппарата нового типа.

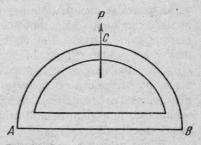

Упомянутый закон утверждает, что движение центра тяжести тела (или системы тел) не может быть изменено действием одних лишь внутренних сил. Если летящая бомба разрывается, то,

Рис. 14. Сила *P* должна увлекать аппарат вверх.

пока образовавшиеся осколки не достигли земли, их общий центр тяжести продолжает двигаться по тому же пути, по какому двигался центр тяжести целой бомбы (если пренебречь сопротивлением воздуха). В частном случае, если центр тяжести тела был первоначально в покое (т. е. если тело было неподвижно), то никакие внутренние силы не могут переместить центра тяжести.

В предыдущей статье мы говорили о том, что человек, находящийся на земной поверхности, не может своими усилиями вызвать хотя бы самое малое перемещение Земли. Это объясняется законом движения центра тяжести. Силы, которыми действует человек на Землю и Земля на человека, суть силы внутренние, а следовательно, они не могут вызвать перемещения общего центра тяжести Земли и человека. Когда человек возвращается к своему прежнему положению на земной поверхности, возвращается к прежнему положению и Земля.

К какого рода заблуждениям приводит изобретателей пренебрежение рассматриваемым законом, показывает следующий поучительный пример — проект летательной машины совершенно нового типа. Представим себе, — говорит изобретатель, — замкнутую трубу (рис. 13), состоящую из двух частей: горизонтальной прямой *AB* и дугообразной части *ACB* — над ней. В трубах находится жидкость, которая непрерывно течет в одном направлении (течение поддерживается вращением винтов, размещенных в трубах). Течение жидкости в дугообразной части *ACB* трубы сопровождается центробежным давлением на наружную стенку. Получается некоторое усилие *P* (рис. 14), направленное вверх, — усилие, которому никакая другая сила не противодействует, так как движение жидкости по прямому пути *AB* не сопровождается центробежным давлением. Изобретатель делает отсюда тот вывод, что при достаточной скорости течения сила *P* должна увлечь весь аппарат вверх.

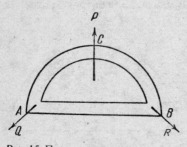

Рис. 15. Почему аппарат не взлетает.

Верна ли мысль изобретателя? Даже не входя в подробности механизма, можно заранее утверждать, что аппарат не сдвинется с места. В самом деле, так как действующие здесь силы — внутренние, то переместить центр тяжести всей системы (т. е. трубы вместе с наполняющей ее водой и механиз-

40

мом, поддерживающим течение) они не могут. Машина, следовательно, не может получить общего поступательного движения. В рассуждении изобретателя кроется какая-то ошибка, какое-то существенное упущение.

Нетрудно указать, в чем именно заключается ошибка. Автор проекта не принял во внимание, что центробежное давление должно возникать не только в кривой части $ACB$ пути жидкости, но и в точках $A$ и $B$ поворота течения (рис. 15). Хотя кривой путь там и не длинен, зато повороты очень круты (радиус кривизны мал). А известно, что чем круче поворот (чем меньше радиус кривизны), тем центробежный эффект сильнее. Вследствие этого на поворотах должны действовать еще две силы $Q$ и $R$, направленные наружу; равнодействующая этих сил направлена *вниз* и уравновешивает силу $P$. Изобретатель проглядел эти силы. Но и не зная о них, он мог бы понять непригодность своего проекта, если бы ему был известен закон движения центра тяжести.

Правильно писал еще четыре столетия назад великий Леонардо да Винчи, что законы механики «держат в узде инженеров и изобретателей для того, чтобы они не обещали себе или другим невозможные вещи».

### Где центр тяжести летящей ракеты?

Может показаться, что молодое и многообещающее детище новейшей техники — ракетный двигатель — нарушает закон движения центра тяжести. Например, ракета долетает до Луны под действием одних только внутренних сил. Но ведь ясно, что ракета унесет с собой на Луну свой центр тяжести. Что же станется в таком случае с нашим законом? Центр тяжести ракеты до ее пуска был на Земле, теперь он очутился на Луне. Более явного нарушения закона и быть не может!

Что можно возразить против такого довода? То, что он основан на недоразумении. Если бы газы, вытекающие из ракеты, не встречали земной поверхности, было бы ясно, что ракета вовсе не уносит с собой на Луну свой центр тяжести. Летит на Луну только *часть* ракеты: остальная же часть — продукты горения — движется в противоположном направлении; поэтому центр инерции [1] всей системы остается там, где он был до вылета ракеты.

---

[1] Если речь идет о системе, состоящей из нескольких тел или многих частиц, то в механике часто говорят не о центре тяжести, а о центре инерции системы. Для систем, небольших по сравнению с Землей, можно считать, что центр инерции совпадает с центром тяжести.

Теперь примем во внимание то обстоятельство, что вытекающие газы движутся не беспрепятственно, а ударяются о Землю. Тем самым в систему ракеты включается весь земной шар, и речь должна идти о сохранении центра инерции огромной системы Земля — ракета. Вследствие удара газовой струи о Землю (или об ее атмосферу) наша планета несколько смещается, центр инерции ее отодвигается в сторону, противоположную движению ракеты. Масса земного шара настолько велика по сравнению с массой ракеты, что самого ничтожного, практически неуловимого его перемещения оказывается достаточно для уравновешения того смещения центра тяжести системы Земля — ракета, которое обусловлено перелетом ракеты на Луну. Передвижение земного шара меньше расстояния до Луны во столько же раз, во сколько раз масса Земли больше массы ракеты (т. е. в сотни триллионов раз!).

Мы видим, что даже и в такой исключительной обстановке закон движения центра инерции не теряет своего смысла.

## Глава третья
## ТЯЖЕСТЬ

### Свидетельства отвеса и маятника

Отвес и маятник — без сомнения простейшие (по крайней мере в идее) из всех приборов, какими пользуется наука. Тем удивительнее, что столь примитивными орудиями добыты поистине сказочные результаты: человеку удалось, благодаря им, проникнуть мысленно в недра Земли, узнать, что делается в десятках километров под нашими ногами. Мы вполне оценим этот подвиг науки, если вспомним, что глубочайшая буровая скважина мира не длиннее $3^1/_4$ *км*, т. е. далеко не достигает тех глубин, о которых дают нам показания находящиеся на поверхности Земли отвес и маятник.

Механический принцип, лежащий в основе такого применения отвеса, нетрудно понять. Если бы земной шар был совершенно однороден, направление отвеса в любом пункте можно было бы определить расчетом. Неравномерное распределение масс близ поверхности или в глубине Земли изменяет это теоретическое направление. Близость горы, например, заставляет отвес несколько отклоняться в ее сторону, — тем значительнее, чем ближе находится гора и чем больше ее масса. Возле обсерватории в Симеизе отвес испытывает заметное отклоняющее действие соседней стены Крымских гор; угол отклонения достигает полминуты. Еще сильнее отклоняют к себе отвес Кавказские горы: в Орджоникидзе на 37", в Батуми на 39". Наоборот, пустота в толще Земли оказывает на отвес как бы отталкивающее действие: он оттягивается в противоположную сторону окружающими массами. (При этом величина кажущегося отталкивания равна тому притяжению, которое должна была бы производить на отвес масса вещества, если бы полость была заполнена им.) Отвес отталкивается не только полостями, но — соответственно слабее — также и скоплениями веществ, менее плотных, чем основная толща Земли. Вот почему в Москве, вдали от всяких гор, отвес все же отклоняется к северу на 10". Как мы видим, отвес может служить инструментом, помогающим судить о строении земных недр.

Еще больше в этом отношении может дать маятник. Этот прибор обладает следующим свойством: если размах его качаний не превышает нескольких градусов, то *продолжительность* одного качания почти не зависит от величины размаха: и большие и малые качания длятся одинаково. Продолжительность качания зависит от других обстоятельств: *от длины маятника и от ускорения силы тяжести* в этом месте земного шара.

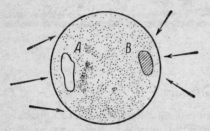

Рис. 16. Пустоты (*A*) и уплотнения (*B*) в толще земного шара отклоняют отвес.

Формула, связывающая продолжительность $T$ одного полного (туда и назад) качания с длиною $l$ маятника и с ускорением $g$ силы тяжести, при малых колебаниях такова:

$$T = 2\pi \sqrt{\frac{l}{g}}.$$

При этом, если длина $l$ маятника берется в метрах, то ускорение $g$ силы тяжести следует брать в метрах в секунду за секунду.

Если для исследования строения толщи Земли пользоваться «секундным» маятником, т. е. делающим одно (в одну сторону) колебание в секунду, то должно быть:

$$\pi \sqrt{\frac{l}{g}} = 1 \quad \text{и} \quad l = \frac{g}{\pi^2}.$$

Ясно, что всякое изменение силы тяжести должно отразиться на длине такого маятника: его придется либо удлинить, либо укоротить, чтобы он в точности отбивал секунды. Таким путем удается улавливать изменения силы тяжести в 0,0001 ее величины.

Не буду описывать техники выполнения подобных исследований с отвесом и маятником (она гораздо сложнее, чем можно думать). Укажу лишь на некоторые, наиболее интересные результаты.

Казалось бы, близ берегов океана отвес должен отклоняться всегда в сторону материка, как отклоняется он по направлению к горным массивам. Опыт не оправдывает этого ожидания. Маятник же свидетельствует, что на океане и на его островах напряжение силы тяжести больше, чем близ берегов, а возле берегов — больше, чем вдали от них, на материке. О чем это говорит? О том, очевидно, что толща Земли под материками составлена из более легких веществ, чем под дном океанов. Из таких физических фактов геологи черпают ценные указания для суждения о породах, слагающих кору нашей планеты.

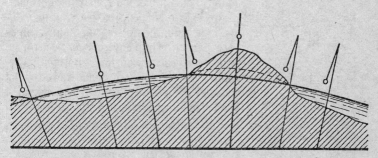

Рис. 17. Схема профиля земной поверхности и направления отвесов.

Незаменимые услуги оказал подобный способ исследования при выявлении причин так называемой «Курской магнитной аномалии». Приведу несколько строк отчета одного из ее исследователей,[1]

---

[1] Исследования в районе Курской аномалии производились не с отвесом, а с особыми крутильными весами (так называемым «вариометром»). Нить прибора закручивается под действием притяжения подземных масс. Точность показаний этого удивительного прибора равна одной триллионной ($10^{-12}$) доле грамма! Притяжение больших гор вариометр «чувствует» на расстоянии 300 *км.* Вот краткое описание прибора (из статьи проф. П. М. Никифорова о Курской аномалии):

«Главную часть прибора составляют крутильные весы, изображенные схематически на рис. 18. Коромысло $M_1E$ из тонкой алюминиевой трубки имеет длину около 40 *см:* к одному концу коромысла прикреплён золотой груз $M_1$ цилиндрической формы весом в 30 г, к другому подвешивается на проволоке $EM_2$ золотой подвесок $M_2$ также весом в 30-*г.* Коромысло подвешено на весьма тонкой платиново-иридиевой нити $AO$ длиной 60—70 *см.* Для защиты от конвекционных токов воздуха крутильные весы окружают-

«...Можно с полной определенностью утверждать о наличии под земною поверхностью значительных притягивающих масс, причем граница этих масс с западной стороны... устанавливается с совершенной отчетливостью. Вместе с тем представляется вероятным, что эти массы простираются преимущественно в восточном направлении, имея восточный скат более пологим, чем западный».

Известно, какое важное промышленное значение придается тем огромным запасам железной руды, которые обнаружены в районе Курской аномалии и которые исчисляются десятками миллиардов тонн, составляя половину мирового запаса. Приведу также некоторые результаты исследования аномалий (отклонений от нормы) силы тяжести на восточных склонах Урала (выполнено в 1930 г. ленинградскими астрономами):

«Около Златоуста мы имеем наибольший максимум в силе тяжести, соответствующий подъему кристаллического массива Уральского хребта.

Второй максимум к востоку от Козырево характеризует приближение к поверхности земли погруженного хребта.

Третий максимум к востоку от Мишкино вновь дает указание о приближении древних пород к земной поверхности.

И, наконец, четвертый максимум к западу от Петропавловска вновь указывает на приближение тяжелых пород».

Перед нами два из многочисленных примеров практического применения физики в других, казалось бы, далеких от нее областях.

В настоящее время наука получила еще один тонкий метод регистрации ано-

Рис. 18. Вверху справа — вариометр. Вверху слева — схема устройства прибора.

ся оболочкой с тройными металлическими стенками. В приборе имеются две пары крутильных весов, повернутых на 180° относительно друг друга. $S$ — плоское зеркало».

малий силы тяжести. На движении искусственных спутников Земли сказывается как отклонение нашей планеты от правильной шарообразной формы, так и наличие неоднородностей в ее строении. Когда искусственный спутник пролетает над горным

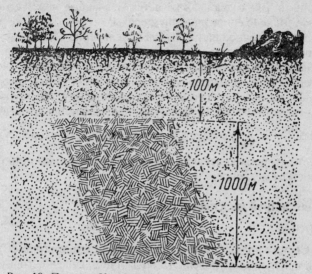

Рис. 19. Причина Курской аномалии: шток железной руды мощностью около тысячи метров на глубине ста метров.

хребтом или над местом, где залегают породы большой плотности, он теоретически должен несколько снизиться и ускорить свое движение под действием местного избытка притягивающей массы. Правда, регистрация этих эффектов возможна практически лишь в том случае, если спутник летит достаточно высоко над земной поверхностью, чтобы сопротивление атмосферы не затушевывало общей картины его движения.

**Маятник в воде**

ЗАДАЧА

Вообразите, что маятник стенных часов качается в воде. Чечевица его имеет «обтекаемую» форму, которая сводит почти к нулю сопротивление воды движению чечевицы. Какова окажется продолжительность качания такого маятника: больше, чем вне воды, или меньше? Проще говоря: будет ли маятник качаться в воде быстрее, чем в воздухе, или медленнее?

## РЕШЕНИЕ

Так как маятник качается в малосопротивляющейся среде, то, казалось бы, нет причины, которая могла бы заметно изменить скорость его качания. Между тем опыт показывает, что маятник в таких условиях качается медленнее, чем это может быть объяснено сопротивлением среды.

Это загадочное на первый взгляд явление объясняется выталкивающим действием воды на погруженные в нее тела. Оно как бы уменьшает вес маятника, не изменяя его массы. Значит, маятник в воде находится совершенно в таких же условиях, как если бы он был перенесен на другую планету, где ускорение силы тяжести слабее. Из формулы, приведенной в предыдущей статье, $T = 2\pi \sqrt{\dfrac{l}{g}}$, следует, что с уменьшением ускорения силы тяжести $g$ время колебания $T$ должно возрасти: маятник будет колебаться медленнее.

### На наклонной плоскости

ЗАДАЧА

Сосуд с водой стоит на наклонной плоскости (рис. 20). Пока он неподвижен, уровень $AB$ воды в нем, конечно, горизонтален. Но вот сосуд начинает скользить по хорошо смазанной плоскости $CD$. Останется ли уровень воды в сосуде горизонтальным, пока сосуд скользит по плоскости?

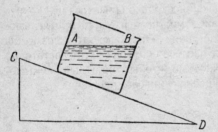

Рис. 20. Сосуд с водой скользит под уклон. Как расположится уровень воды?

РЕШЕНИЕ

Опыт показывает, что в сосуде, движущемся *без трения* по наклонной плоскости, уровень воды устанавливается параллельно этой плоскости. Объясним почему.

Вес $P$ каждой частицы (рис. 21) можно представить себе разложенным на две составляющие силы: $Q$ и $R$. Сила $R$ увлекает частицы воды и сосуда в движение вдоль наклонной плоскости $CD$; при этом частицы воды будут оказывать на стенки сосуда такое же давление, как и в случае покоя (вследствие равенства скоростей дви-

48

жения сосуда и воды). Сила же $Q$ придавливает частицы воды ко дну сосуда. Действие всех отдельных сил $Q$ на воду будет такое же, как и действие силы тяжести на частицы всякой покоящейся жидкости: уровень воды установится перпендикулярно к направлению силы $Q$, т. е. параллельно длине наклонной плоскости.

А как установится уровень воды в баке, который (например, вследствие трения) скользит вниз по уклону *равномерным* движением?

Легко видеть, что в таком баке уровень должен стоять не наклонно, а *горизонтально*. Это следует уже из того, что равномерное движение не может внести в ход механических явлений никаких изменений по сравнению с состоянием покоя (классический принцип относительности).

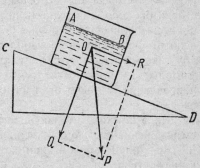

Рис. 21. Решение задачи рис. 20.

Но следует ли это также из приведенного ранее объяснения? Конечно. Ведь в случае *равномерного* движения сосуда по наклонной плоскости частицы стенок сосуда не получают никакого ускорения; частицы же жидкости в сосуде, находясь под действием силы $R$, будут силой $R$ придавливаться к передней стенке сосуда. Следовательно, каждая частица воды будет находиться под действием двух придавливающих сил $R$ и $Q$, равнодействующая которых и есть вес $P$ частицы, направленный вертикально. Вот почему уровень воды должен в этом случае установиться горизонтально. Только в самом начале движения, когда сосуд, до получения постоянной скорости, еще движется *ускоренно*,[1] уровень воды принимает на короткое время наклонное положение.

## Когда «горизонтальная» линия не горизонтальна

Если бы в сосуде или в баке, скользящем вниз *без трения*, находился вместо воды человек с плотничьим уровнем, он

_____

[1] Надо помнить, что тело не может придти в равномерное движение мгновенно: переходя от покоя к равномерному движению, тело не может миновать состояния *ускоренного* движения, хотя бы и весьма кратковременного.

наблюдал бы странные явления. Тело его прижималось бы к наклонному дну сосуда совершенно так же, как в случае покоя прижимается к горизонтальному дну (только с меньшей силой). Значит, для такого человека наклонная плоскость дна сосуда становится словно горизонтальной. Соответственно этому, те направления, которые он до начала движения считал горизонтальными, принимают для него наклонное положение. Перед ним была бы необычайная картина: дома, деревья стояли бы косо, поверхность пруда расстилалась бы наклонно, весь ландшафт повернулся бы «набекрень». Если бы удивленный «пассажир» не поверил своим глазам и приложил ко дну бака уровень, инструмент показал бы ему, что оно горизонтально. Словом, для такого человека «горизонтальное» направление не было бы горизонтально в обычном смысле слова.

Надо заметить, что вообще всякий раз, когда мы не сознаем уклонения нашего собственного тела от отвесного положения, мы приписываем наклон окружающим предметам. Летчику на вираже и человеку, катающемуся на карусели, кажется, что наклоняется вся окрестность.

Горизонтальный пол может утратить для вас свое горизонтальное положение даже и в том случае, когда вы движетесь не по наклонному, а по строго горизонтальному пути. Это бывает, например, при подходе поезда к станции или при отходе от нее, — вообще в таких частях пути, где вагон идет *замедленно* или *ускоренно*.

Когда поезд начинает замедлять свой ход, мы можем сделать удивительное наблюдение: нам кажется, что пол понижается в направлении движения поезда, что идем вниз, когда шагаем вдоль вагона в направлении движения, и всходим вверх, когда идем в обратном направлении. А при отправлении поезда со станции пол как бы наклоняется в сторону, противоположную движению.

Мы можем устроить опыт, выясняющий причину кажущегося отклонения плоскости пола от горизонтального положения. Для этого достаточно иметь в вагоне чашку с вязкой жидкостью, например глицерином: во время ускорений движения поверхность жидкости принимает наклонное положение. Вам не раз случалось, без сомнения, наблюдать нечто подобное на водосточных желобах вагонов: когда поезд в дождь подходит к станции, вода из желобов на вагонных крышах стекает вперед, а при отходе поезда — назад. Происходит это оттого, что поверхность воды поднимается у края, противоположного направлению ускорения поезда.

Разберемся в причине этих любопытных явлений, причем будем рассматривать их не с точки зрения покоящегося наблюдателя, находящегося вне вагона, а с точки зрения такого наблюдателя, который, помещаясь внутри вагона, сам участвует в ускоренном движении и, следовательно, относит все наблюдаемые явления к себе, словно считая себя неподвижным. Когда вагон движется ускоренно, а мы считаем себя покоящимися, то напор задней стенки вагона на наше тело (или увлекающее действие сидения) воспринимается нами так, словно мы сами напираем на стенку (или увлекаем сиденье) с равной силой. Мы как бы подвержены действию двух сил: силы R (рис. 22), *направленной противоположно движению вагона, и силы веса P, прижимающей нас к полу.* Равнодействующая Q изобразит то направление, которое мы в таком состоянии будем считать отвесным. Направление MN, перпендикулярное к новому отвесу, станет для нас горизонтальным. Следовательно, прежнее горизонтальное направление OR будет казаться поднимающимся в сторону движения поезда и имеющим уклон в обратном направлении (рис. 23).

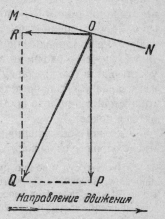

Рис. 22. Какие силы действуют на предметы в вагоне трогающегося поезда?

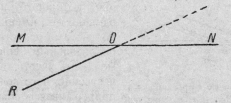

Рис. 23. Почему пол трогающегося вагона кажется наклонным?

Что произойдет при таких условиях с жидкостью в тарелке? Ведь новое «горизонтальное» направление не совпадает с

51

первоначальным уровнем жидкости, а следует (рис. 24, *а*) по линии *MN*. Это наглядно видно на рисунке, где стрелка указывает направление движения вагона. Картину всех явлений, происходящих в вагоне в момент отправления, легко представить себе, если вообразить, что вагон наклонился соответственно новому положению «горизонтальной» линии (рис. 24, *б*). Теперь ясно, почему вода должна вылиться через задний край тарелки (или дождевого желоба). Вы поймете также, почему стоящие в вагоне люди должны при этом упасть назад (см. заставку этой главы). Этот всем известный факт обычно объясняют тем, что ноги увлекаются полом вагона в движение, в то время как туловище и голова еще находятся в покое.

Сходного объяснения придерживался и Галилей, как видно из следующего отрывка:

«Пусть сосуд с водою имеет поступательное, но неравномерное движение, меняющее скорость и то ускоренное, то замедленное. Вот какие будут последствия неравномерности. Вода не вынуждена разделять движения сосуда. При уменьшении скорости сосуда она сохраняет приобретенное стремление и притечет к переднему концу, где и образуется поднятие. Если, напротив того, скорость сосуда увеличивается, вода сохранит более медленное движение, отстанет и при заднем конце заметно поднимется».

Такое объяснение в общем не хуже согласуется с фактами, чем приведенное ранее. Для науки представляет ценность то объяснение, которое не только согласуется с фактами, но и дает возможность учитывать их *количественно*. В данном случае мы должны предпочесть поэтому объяснение, которое было изложено раньше, — именно, что пол под ногами перестает быть горизонтальным. Оно дает возможность учесть явление количественно, чего нельзя сделать, придерживаясь обычной точки зрения. Если, например, ускорение поезда при отходе со станции равно 1 *м/с*$^2$, то угол *QOP* (рис. 22) между новым и старым отвесным направлением легко вычислить из тре-

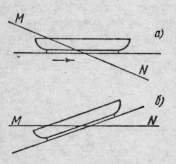

Рис. 24. Почему в трогающемся вагоне жидкость переливается через задний край блюдца?

угольника $QOP$, где $QP : OP = 1 : 9,8 \approx 0,1$ (сила пропорциональна ускорению):

$$\mathrm{tg}\angle QOP = 0,1 \; ; \quad \angle QOP \approx 6°.$$

Значит, отвес, подвешенный в вагоне, должен в момент отхода отклониться на 6°. Пол под ногами словно наклонится на 6°, и, идя вдоль вагона, мы будем испытывать такое же ощущение, как и при ходьбе по дороге с уклоном в 6°. Обычный способ рассмотрения этих явлений не помог бы нам установить такие подробности.

Читатель заметил, без сомнения, что расхождение двух объяснений обусловлено лишь различием точек зрения: обыденное объяснение относит явления к неподвижному наблюдателю вне вагона, второе же объяснение относит те же явления к наблюдателю, участвующему в ускоренном движении.

## Магнитная гора

В Калифорнии есть гора, о которой местные автомобилисты утверждают, что она обладает магнитным и свойствами. Дело в том, что на небольшом участке дороги длиной 60 *м* у подножия этой горы наблюдаются необыкновенные явления. Участок этот идет наклонно. Если у автомобиля, едущего вниз явно по наклону, выключить мотор, то машина катится назад, т. е. вверх по уклону, как бы подчиняясь «магнитному притяжению» горы.

Рис. 25. Мнимая магнитная гора в Калифорнии.

Это поразительное свойство горы считалось установленным настолько достоверно, что в соответствующем месте дороги красуется даже доска с описанием феномена.

Нашлись, однако, люди, которым показалось сомнительным, чтобы гора могла притягивать автомобили. Для проверки произвели нивелировку этого участка дороги. Результат получился неожиданный: то, что все принимали за подъем, оказалось *спуском* с уклоном в 2°. Такой уклон может заставить автомобиль катиться без мотора на очень хорошем шоссе.

В горных местностях подобные обманы зрения довольно обычны и порождают немало легендарных рассказов.

**Реки, текущие в гору**

Иллюзией зрения объясняются также рассказы путешественников о реках, вода которых течет вверх по уклону. Привожу выписку об этом из книги одного физиолога, проф. *Бернштейна* «Внешние чувства»:

«Во многих случаях мы склонны ошибаться при суждении о том, горизонтально ли данное направление, наклонено ли оно вверх, или вниз. Идя, например, по слабо наклоненной дороге и видя в некотором расстоянии другую дорогу, встречающуюся с первой, мы представляем себе подъем второй дороги более крутым, чем на самом деле. С удивлением убеждаемся мы затем, что вторая дорога вовсе не так крута, как мы ожидали».

Рис. 26. Слабо наклонная дорога вдоль ручья.

Объясняется эта иллюзия тем, что мы принимаем дорогу, по которой идем, за основную плоскость, к которой относим наклон других направлений. Мы бессознательно отождествляем ее с горизонтальной плоскостью и тогда естественно представляем себе преувеличенным наклон другого пути.

Этому способствует то, что мышечное наше чувство совсем не улавливает при ходьбе наклонов в 2—3°. На улицах Москвы, Киева и других холмистых городов часто приходится наблюдать иллюзию, о которой говорит ученый-физиолог. Еще любопытнее другой обман зрения, которому случается поддаваться в неровных местностях: ручей кажется нам текущим в гору!

Рис. 27. Пешеходу на дороге кажется, что ручей течет вверх.

«При спуске по слабо наклонной дороге, идущей вдоль ручья (рис. 26), который имеет еще меньшее падение, т. е. течет почти горизонтально, — нам часто кажется, что ручей течет вверх по уклону (рис. 27). В этом случае мы тоже считаем направление дороги горизонтальным, так как привыкли принимать ту плоскость, на которой мы стоим, за основу для суждения о наклоне других плоскостей» (Бернштейн).

### Задача о железном пруте

Железный прут просверлен строго посередине. Через отверстие проходит тонкая прочная спица, вокруг которой, как вокруг горизонтальной оси, прут может вращаться (рис. 28). В каком положении остановится прут, если его завертеть?

Часто отвечают, что прут остановится в горизонтальном положении «единственном, при котором он сохраняет равновесие». С трудом верят, что прут, подпертый в центре тяжести, должен сохранять равновесие в *любом* положении.

Почему же правильное решение столь простой задачи представляется многим невероятным? Потому, что обычно имеют перед глазами опыт с палкой, подвешенной за середину: такая палка устанавливается горизонтально. Отсюда делается поспешный вывод, что подпертый на оси прут тоже должен сохранять равновесие только в горизонтальном положении.

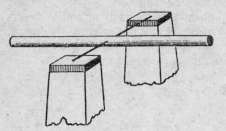

Рис. 28. Прут уравновешен на оси. Если его завертеть, в каком положении он остановится?

Однако подвешенная палка и подпертый прут находятся не в одинаковых условиях. Просверленный прут, опирающийся на ось, подперт строго в центре тяжести, а потому находится в так называемом безразличном равновесии. Палка же, подвешенная на нити, имеет точку привеса не

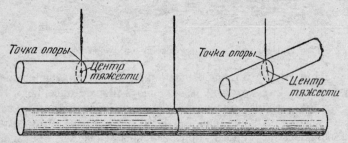

Рис. 29. Почему палка, подвешенная за середину, занимает горизонтальное положение?

в центре тяжести, а *выше* его (рис. 29). Тело, так подвешенное, будет находиться в покое только тогда, когда его центр тяжести лежит на одной отвесной линии с точкой привеса, т. е. при горизонтальном положении палки; при наклонении центр тяжести отходит от отвесной линии (рис. 29). Эта привычная картина и мешает многим согласиться с тем, что прут на горизонтальной оси может удержаться в равновесии в наклонном положении.

*Глава четвертая*

## ПАДЕНИЕ И БРОСАНИЕ

### Семимильные сапоги

Эти сказочные сапоги в свое время реально осуществлялись в своеобразной форме: в виде дорожного чемодана средних размеров, содержащего в себе оболочку маленького аэростата и прибор для добывания водорода. В любой момент спортсмен мог извлечь из небольшого чемодана оболочку, наполнить ее водородом и сделаться обладателем воздушного шара 5 *м* в диаметре. Подвязав себя к этому шару, человек совершал огромные прыжки в высоту и в длину. Опасность быть совсем увлеченным ввысь не угрожала такому аэронавту, потому что подъемная сила шара все же была немного меньше веса человека.

При старте первого советского стратостата «СССР», поставившего мировой рекорд высоты, такие шары («прыгуны») оказали существенную услугу команде: они помогли освободить запутавшиеся веревки стратостата.

Интересно рассчитать, какой высоты прыжки может совершать спортсмен, снабженный подобным шаром-прыгуном.

Пусть вес человека только на 1 *кг* превышает подъемную силу шара. Другими словами, человек, снабженный шаром, словно весит 1 *кг*, — в 60 раз меньше нормального. Сможет ли он делать и прыжки в 60 раз большие?

Посмотрим.

Человек, привязанный к аэростату, увлекается вниз вместе с шаром силой в 1000 *г* или около 10 *Н*. Вес самого шара-прыгуна приблизительно 20 *кг*. Значит, сила в 10 *Н* действует на массу в 20 + 60 = 80 *кг.* Ускорение *a*, приобретаемое массой в 80 *кг* от силы в 10 *Н,* равно:

$$a = \frac{F}{m} = \frac{10}{80} \approx 0,12 \text{ м/с}^2.$$

Человек при нормальных условиях может подпрыгнуть с места на высоту не выше 1 *м.* Соответствующую начальную скорость *v* получаем из формулы $v^2 = 2gh$:

$$v^2 = 2 \cdot 9,80 \text{ м}^2/\text{с}^2,$$

откуда

$$v \approx 4,4 \text{ м/с}.$$

Подвязанный к шару человек при прыжке сообщает своему телу во столько раз меньшую скорость, во сколько раз масса человека вместе с шаром больше массы человека. (Это следует из формулы $Ft = mv$; сила *F* и продолжительность *t* ее действия в обоих случаях одинаковы; значит, одинаковы и *количества движения mv*; отсюда ясно, что скорость изменяется обратно пропорционально массе.) Итак, начальная скорость при прыжке с шаром равна:

$$4,4 \cdot \frac{60}{80} = 3,3 \text{ м/с}.$$

Теперь легко, пользуясь формулой $v^2 = 2ah$, вычислить высоту *h* прыжка:

$$3,3^2 = 2 \cdot 12 \cdot h,$$

Рис. 30. Шар-прыгун.  откуда

$$h \approx 45 \text{ м}.$$

Итак, сделав наибольшее усилие, которое при обычных условиях подняло бы тело спортсмена на 1 *м,* человек с шаром подпрыгнет на высоту 45 *м.*

Интересно вычислить продолжительность подобных прыжков. Прыжок вверх на 45 *м* при ускорении в 0,12 *м/с²* должен длиться (формула $h = \frac{at^2}{2}$)

$$t = \sqrt{\frac{2h}{a}} = \sqrt{\frac{9000}{12}} \approx 27 \text{ с}.$$

Чтобы прыгнуть вверх и вернуться, надо затратить 54 $c$.

Такие медлительные, плавные прыжки обусловлены, конечно, незначительностью ускорения. Подобные ощущения при подпрыгивании мы могли бы без аэростата пережить только на каком-нибудь крошечном астероиде, где ускорение тяжести значительно (в 60 раз) меньше, чем на нашей планете.

При только что проделанных расчетах, так же как и при следующих далее, мы совершенно пренебрегаем сопротивлением воздуха. В теоретической механике выводятся формулы, которые позволяют определить высоту и время наибольшего поднятия с учетом сопротивления воздуха. При движении в воздухе как высота, так и время наибольшего поднятия оказываются значительно меньше, чем при движении в пустоте.

Любопытно выполнить еще один расчет — определить длину наибольшего прыжка. Чтобы сделать прыжок в длину, спортсмен должен дать себе толчок под некоторым углом к горизонту. Пусть он сообщает при этом своему телу скорость $v$ (рис. 31). Разложим ее на две составляющие: вертикальную $v_1$ и горизонтальную $v_2$. Они соответственно равны:

$$v_1 = v \sin \alpha;$$
$$v_2 = v \cos \alpha.$$

Через $t$ секунд движение тела вверх прекратится, и в этот момент

$$v_1 = at,$$

откуда

$$t = \frac{v_1}{a}.$$

Значит, продолжительность подъема тела вместе со спуском равна:

$$2t = \frac{2v \sin \alpha}{a}.$$

Скорость $v_2$ будет относить тело равномерно в горизонтальном направлении в течение всего промежутка времени, пока оно будет двигаться вверх и вниз. За этот промежуток времени тело перенесется на расстояние

$$S = 2v_2 t = 2v \cos \alpha \cdot \frac{v \sin \alpha}{a} = \frac{2v^2}{a} \sin \alpha \cos \alpha = \frac{v^2 \sin 2\alpha}{a}$$

Это и есть длина прыжка.

Наибольшей величины достигнет она при $\sin 2\alpha = 1$, так как синус не может быть больше единицы. Отсюда $2\alpha = 90°$ и $\alpha = 45°$. Значит, при отсутствии сопротивления атмосферы спортсмен сделает самый длинный прыжок тогда, когда оттолкнется от Земли под углом к ней, равным половине прямого. Величину этого наибольшего прыжка узнаем, если в формулу

$$S = \frac{v^2 \sin 2\alpha}{a}$$

подставим $v = 3,3$ *м/с*, $\sin 2\alpha = 1$, $a = 0,12$ *м/с²*.

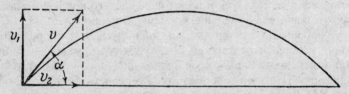

Рис. 31. Как летит тело, брошенное под углом к горизонту.

Получим:

$$S = \frac{330^2}{12} \approx 90 \text{ м.}$$

Прыжки под углом в 45° на расстояние 90 *м* — дают возможность прыгать через многоэтажные дома.[1]

Вы можете проделать в миниатюре подобные опыты, если к детскому воздушному шарику подвяжете бумажного спортсмена, вес которого немного превышает подъемную силу шара. При легком толчке фигурка будет высоко подпрыгивать и затем опускаться вниз. Однако в этом случае сопротивление воздуха, несмотря на малую скорость, будет играть более заметную роль, чем при прыжках настоящего спортсмена.

## Человек-снаряд

«Человек-снаряд» — поучительный номер цирковой программы. Состоит он в том, что артист помещается в канале пушки,

---

[1] Полезно запомнить, что вообще наибольшая дальность падения тела, которая получается при бросании тела под углом в 45° к отвесной линии, равна двойной высоте отвесного подъема при той же начальной скорости. В наших предположениях высота отвесного подъема равнялась 45 *м*.

выбрасывается оттуда выстрелом, описывает высокую дугу в воздухе и падает на сетку в *30 м* от орудия (рис. 32). Аналогичный номер мы все видели в известном кинофильме «Цирк», в котором артистка совершает полет из пушки под купол цирка.

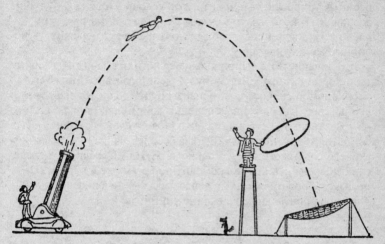

Рис. 32. «Человек-снаряд» в цирке.

Слова: пушка и выстрел — нам следовало бы поставить в кавычках, потому что это не настоящая пушка и не настоящий выстрел. Хотя из жерла орудия и вырывается клуб дыма, но артист выбрасывается не силой порохового взрыва. Дым устраивается лишь для эффекта, чтобы поразить зрителей. На деле же движущей силой является пружина, одновременно со спуском которой появляется бутафорский дым: создается иллюзия, что человек-снаряд выстреливается пороховым зарядом.

На рис. 33 изображена схема описываемого циркового номера. Вот числовые данные о номере, выполняемом искуснейшим из «людей-снарядов», артистом Лейнертом, который выступал в наших цирках:

Наклон пушки . . . . . . . . 70°
Наибольшая высота полета . 19 м
Длина ствола пушки . . . . . 6 м

Представляют большой интерес те совершенно исключительные условия, в оторых оказывается организм артиста при выполнении этого номера. В момент выстрела тело его подвергается давлению, ощущаемому как увеличенная тя-

61

жесть. Затем, во время свободного полета артист как бы ничего не весит.[1] Наконец, в момент падения на сетку артист снова подвергается действию увеличенной тяжести. Названный выше артист переносил все это без вреда для здоровья. Интересно в точности установить эти условия, так как будущие астронавты, которые отважатся отправиться на ракетном корабле в мировое пространство, должны будут переживать подобные же ощущения.

В течение того непродолжительного времени, пока двигатели космического корабля будут действовать, разгоняя его до необходимой скорости, астронавты будут ощущать свой увеличенный вес. После же выключения двигателей («после выхода на траекторию») астронавты окажутся в условиях полной невесомости. Как известно, знаменитая собака Лайка — «пассажир» второго советского искусственного спутника Земли, — перенесла без вреда как кратковременную перегрузку во время разгона ракеты-носителя, так и невесомость в течение нескольких дней при орбитальном движении спутника.

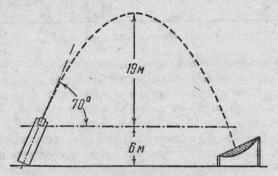

Рис. 33. Схема полета «человека-снаряда».

Но вернемся к нашему цирковому артисту.

В *первой* фазе движения артиста, которая протекает еще внутри пушки, нас интересует величина «искусственной тяжести». Мы узнаем ее, если вычислим *ускорение тела* в канале пушки. Для этого необходимо знать проходимый телом путь, т. е. длину ствола пушки, а также скорость, приобретаемую в конце этого пути. Первый известен — 6 *м*. Скорость же можно

---

[1] См. книги Я. И. Перельмана: «Занимательная физика», кн. 2, и «Межпланетные путешествия», изд. 9, 1934.

вычислить, зная, что это та скорость, с какой надо подбросить свободное тело, чтобы оно взлетело на высоту 19 *м*. В предыдущем разделе мы вывели формулу

$$t = \frac{v \sin \alpha}{a},$$

где $t$ — продолжительность подъема вверх, $v$ — начальная скорость, $\alpha$ — угол, под которым, брошено тело, $a$ — ускорение. Кроме того, известна высота $h$ подъема вверх.

Так как

$$h = \frac{gt^2}{2} = \frac{g}{2} \cdot \frac{v^2 \sin^2 \alpha}{g^2} = \frac{v^2 \sin^2 \alpha}{2g},$$

то можно вычислить скорость $v$:

$$v = \frac{\sqrt{2gh}}{\sin \alpha}.$$

Значение букв, входящих в формулу, нам понятно: $g = 9,8$ *м/с*$^2$, $\alpha = 70°$. Что касается высоты подъема $h$, то, как видно из рис. 32, мы должны принять ее равной $25 - 6 = 19$ *м*. Итак, искомая скорость

$$v = \frac{\sqrt{19,6 \cdot 19}}{0,94} \approx 20,6 \, \text{м/с}.$$

С такой скоростью тело артиста покидает пушку и, следовательно, такую скорость имеет оно у жерла орудия. Пользуясь формулой $v^2 = 2aS$, имеем:

$$a = \frac{v^2}{2S} = \frac{20,6^2}{12} \approx 35 \, \text{м/с}^2.$$

Мы узнали, что ускорение, с каким движется тело артиста в стволе орудия, равно 35 *м/с*$^2$, т. е. приблизительно в $3\frac{1}{2}$ раза больше обычного ускорения силы тяжести. Поэтому артист будет в момент выстрела чувствовать себя в $4\frac{1}{2}$ раза тяжелее обычного: к нормальному его весу прибавился $3\frac{1}{2}$-кратный «искусственный вес».[1]

---

[1] Это не вполне точно, потому что «искусственная тяжесть» действует под углом 20° к отвесу, нормальная же направлена отвесно. Однако разница невелика.

Сколько времени длится ощущение увеличенного веса? Из формулы

$$S = \frac{at^2}{2} = \frac{at \cdot t}{2} = \frac{vt}{2}$$

имеем:

$$6 = \frac{20,6 \cdot t}{2}, \text{ откуда } t = \frac{12}{20,6} \approx 0,6 \ c.$$

Значит, артист более полсекунды будет ощущать, что он весит не 70 *кг,* а примерно 300 *кг.*

Перейдем теперь ко *второй* фазе циркового номера — к свободному полету артиста в воздухе. Здесь нас интересует продолжительность полета; сколько времени артист не ощущает никакого веса?

В предыдущей статье мы установили (см. главу четвертую), что продолжительность подобного полета равна

$$\frac{2v\sin\alpha}{a}.$$

Подставив известные нам значения букв, узнаем, что искомая продолжительность равна

$$\frac{2 \cdot 20,6 \cdot \sin 70°}{9,8} \approx 3,9 \ c.$$

Ощущение полной невесомости длится около 4 секунд.

В *третьей* фазе полета определим, как и в первой, величину «искусственной тяжести» и продолжительность этого состояния. Если бы сетка находилась на уровне жерла пушки, артист достиг бы ее с такой же скоростью, с какой начал свой полет. Но сетка поставлена несколько ниже, и оттого скорость артиста будет больше, однако разница весьма мала, и, чтобы не усложнять расчетов, мы ею пренебрежем. Принимаем, следовательно, что артист достиг сетки со скоростью 20,6 *м/с.* Измерено, что, упав на сетку, артист вдавливает ее на 1,5 *м.* Значит, скорость 20,6 *м/с* превращается в нуль на пути 1,5 *м.* По формуле $v^2 = 2aS$, предполагая постоянной величину ускорения в замедленном движении обусловленной сеткой, имеем:

$$20,6^2 = 2a \cdot 1,5,$$

откуда ускорение *a*

$$a = \frac{20,6^2}{2 \cdot 1,5} \approx 141 \ \textit{м/c}^2.$$

Мы узнали, что, вдавливая сетку, артист двигается с ускорением 141 $м/с^2$ — в 14 раз бо́льшим, чем ускорение тяжести. В течение некоторого времени он чувствовал себя в 15 раз тяжелее нормального своего веса! Это необычайное состояние длилось, однако, всего

$$\frac{2 \cdot 1{,}5}{20{,}6} \approx \frac{1}{7} \, c.$$

Даже привычный организм циркового артиста не мог бы безнаказанно перенести 15-кратное усиление тяжести, если бы это не длилось столь ничтожное время. Ведь человек весом 70 *кг* приобретает вес целой тонны! Длительное действие такой нагрузки должно было бы раздавить человека, во всяком случае лишить его возможности дышать, так как мускулы не смогут «поднять» столь тяжелую грудную клетку.

### Рекорд бросания мяча

ЗАДАЧА

На областной колхозно-совхозной спартакиаде в Харькове в 1934 г. физкультурница Синицкая в бросании мяча двумя руками установила новый всесоюзный рекорд: 73 *м* 92 *см*.

Как далеко должен закинуть мяч физкультурник в Ленинграде, чтобы побить этот рекорд?

## РЕШЕНИЕ

Казалось бы, ответ простой: надо закинуть мяч хотя бы на 1 *см* дальше. Как ни странно это покажется иным спортсменам, такой ответ *неверен*. Если бы кто-нибудь закинул мяч в Ленинграде на дистанцию даже на 5 *см* короче, он — при правильной оценке — должен быть признан побившим рекорд Синицкой.

Наш читатель, вероятно, догадывается, в чем дело. Дальность бросания зависит от ускорения силы тяжести, а тяжесть в Ленинграде больше, чем в Харькове. Сравнивать достижения в обоих пунктах, не учитывая различия в напряжении силы тяжести, неправильно: в Харькове физкультурник поставлен природой в более благоприятные условия, чем в Ленинграде.

Остановимся на теории. Тело, брошенное под углом α к горизонту со скоростью *v,* падает на расстоянии.[1]

---

[1] Для упрощения вычислений мы пренебрегаем сопротивлением воздуха.

$$S = \frac{v^2 \sin 2\alpha}{g}.$$

Величина $g$ ускорения силы тяжести в различных пунктах различна и, в частности, например, равна на широте

| | | |
|---|---|---|
| Архангельска (64°30′) | 982 | $см/с^2$ |
| Ленинграда (60°) | 981,9 | » |
| Харькова (50°) | 981,1 | » |
| Каира (30°) | 979,3 | » |

Из приведенной формулы для дальности бросания видно, что при равных прочих условиях дистанция обратно пропорциональна величине $g$. Несложный расчет показывает, что то усилие, которое человек затрачивает, чтобы забросить мяч в Харькове на 73 *м* 92 *см,* уносит тот же мяч в других местах на следующие расстояния:

| | |
|---|---|
| в Архангельске | 73 *м* 85 *см* |
| в Ленинграде | 73 *м* 86 *см* |
| в Каире | 74 *м*  5 *см* |

Итак, чтобы побить в Ленинграде рекорд харьковской физкультурницы, закинувшей мяч на 73 *м* 92 *см,* достаточно превзойти дистанцию 73 *м* 86 *см.* Каирский спортсмен, повторивший харьковский рекорд, на самом деле отстал бы от него на 12 *см,* а архангельский физкультурник, бросивший мяч на дистанцию, 7 сантиметрами меньшую, нежели Синицкая, в действительности побил бы поставленный ею рекорд.

## По хрупкому мосту

Озадачивающий случай описывает Жюль Верн в романе «В 80 дней вокруг света». Висячий железнодорожный мост в Скалистых горах грозил обрушиться из-за поврежденных ферм. Тем не менее бравый машинист решил вести по нему пассажирский поезд (рис. 34).

«— Но мост может обрушиться!

— Это не имеет значения; пустив поезд на всех парах, мы имеем шанс проехать.

Поезд пошел вперед с невероятной скоростью. Поршни делали 20 ходов в секунду. Оси дымились. Поезд словно не касался рельсов. Вес был уничтожен скоростью... Мост был пройден. Поезд перепрыгнул через него с одного берега на другой. Но едва успел он переехать реку, как мост с грохотом обрушился в воду».

Рис. 34. Эпизод с мостом в романе Жюля Верна.

Правдоподобна ли эта история? Можно ли «уничтожить вес скоростью»? Мы знаем, что железнодорожное полотно при быстром ходе поезда страдает больше, чем при медленном; на слабых участках пути предписывается поэтому идти тихим ходом. В данном же случае спасение было именно в быстром ходе. Возможно ли это?

Оказывается, описанный случай не лишен правдоподобия. При известных условиях поезд мог избегнуть крушения, несмотря на то, что мост под ним разрушается. Все дело в том, что поезд пронесся через мост в чрезвычайно малый промежуток времени. В столь краткий миг мост просто *не успел* обрушиться... Вот примерный расчет. Ведущее колесо пассажирского паровоза имеет диаметр 1,3 *м*. «Двадцать ходов поршня в секунду» дают 10 полных оборотов ведущего колеса, т. е. 10 раз по 3,14 · 1,3. Это составляет 41 *м*; такова секундная скорость. Горный поток был, вероятно, не широк; длина моста могла быть, скажем, метров 10. Значит, при своей чудовищной скорости поезд пронесся по нему в $\frac{1}{4}$ секунды. Если бы даже мост начал разрушаться с первого мгновения, то передняя его часть за $^1/_4$ секунды успела опуститься на

$$\frac{1}{2}gt^2 = \frac{1}{2} \cdot 9{,}8 \cdot \frac{1}{16} \approx 0{,}3 \text{ м,}$$

т. е. на 30 *см*. Мост оборвался не на обоих концах сразу, а сначала на том конце, на который въехал паровоз. Пока эта часть моста начинала свое падение, опускаясь на первые сантиметры, противоположный конец еще сохранял связь с берегом, так что поезд (весьма короткий) мог, пожалуй, успеть проскользнуть на противоположный берег, прежде чем разрушение дошло до этого конца. В таком смысле и надо понимать образное выражение романиста: «вес был уничтожен скоростью».

Неправдоподобие эпизода состоит в другом: в «20 ходах поршня в секунду», порождающих 150-километровую часовую скорость. Такой скорости паровоз того времени развить не мог.

Надо заметить, что нечто сходное с только что описанным проделывают иногда конькобежцы: они рискуют быстро проскальзывать по тонкому льду, который наверное проломился бы под ними при медленном движении.

Следует также иметь в виду, что образное выражение «вес уничтожен скоростью» применимо и в случае движения по выпуклому мосту. В этом случае увеличение скорости приводит к уменьшению давления движущегося тела на мост.

Интересное явление наблюдал во время своего пребывания в Швеции генерал-майор А. А. Игнатьев. Вот что он пишет в своей книге «Пятьдесят лет в строю»:

«Лед, покрывающий море, благодаря своей гладкой поверхности и упругости представляет идеальный грунт для лошадей, подкованных на острые шипы, а с наступлением теплых дней верховые прогулки принимают все более спортивный характер: лед становится так тонок, что иначе как галопом по нему ехать опасно. Скачешь и слышишь за собой треск пробитого копытами тончайшего ледяного покрова, но он разрывается медленнее, чем движение коня».

**Три пути**

ЗАДАЧА

На отвесной стене начерчен круг (рис. 35), диаметр которого равен 1 *м*. От верхней его точки вдоль хорд *AB* и *AC* идут желобки. Из точки *A* одновременно пущены три дробинки: одна свободно падает вниз, две другие скользят без трения по гладким желобкам. Какая из трех дробинок раньше достигнет окружности?

## РЕШЕНИЕ

Так как путь по желобку *AC* самый короткий, то можно подумать, что, скользя по нему, дробинка достигнет окружности раньше других. Второе место в состязании должна, по-видимому, занять дробинка, скользящая вдоль *AB;* и, наконец, последней достигнет окружности дробинка, падающая отвесно.

Опыт обнаруживает ошибочность этих заключений: все дробинки достигают окружности *одновременно*!

Причина в том, что дробинки движутся с различными скоростями: быстрее всех движется свободно падающая, а из двух скользящих по желобам быстрее та, путь которой наклонен круче. По более длинным путям дробинки, как мы видим, движутся быстрее, и можно доказать, что выигрыш от большой скорости как раз покрывает потерю от длинного пути.

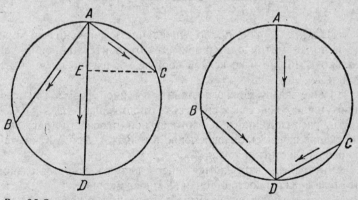

Рис. 35. Задача о трех дробинках.          Рис. 36. Задача Галилея.

В самом деле, продолжительность *t* падения по отвесной линии *AD* (если отвлечься от сопротивления воздуха) определяется по формуле

$$AD = \frac{gt^2}{2}, \text{ с куда } t = \sqrt{\frac{2AD}{g}}.$$

Продолжительность $t_1$, движения по хорде — например по $AC$ — равна:

$$t_1 = \sqrt{\frac{2AC}{a}},$$

где $a$ — ускорение движения по наклонной линии $AC$. Но легко установить, что

$$\frac{a}{g} = \frac{AE}{AC} \text{ и } a = \frac{AE \cdot g}{AC}.$$

Рис. 35 показывает, что

$$\frac{AE}{AC} = \frac{AC}{AD}$$

и, следовательно,

$$a = \frac{AC}{AD} \cdot g.$$

Значит,

$$t_1 = \sqrt{\frac{2 \cdot AC}{a}} = \sqrt{\frac{2 \cdot AC \cdot AD}{AC \cdot g}} = \sqrt{\frac{2AD}{g}} = t$$

Итак, $t = t_1$, т. е. продолжительность движения по хорде и по диаметру одинакова. Это относится, конечно, не только к $AC$, но и ко всякой вообще хорде, проведенной из точки $A$.

Ту же задачу можно поставить и в иной форме. Три тела движутся под действием силы тяжести по хордам $AD$, $BD$ и $CD$ круга, расположенного в вертикальной плоскости (рис. 36). Движение началось одновременно в точках $A$, $B$ и $C$. Какое тело раньше достигнет точки $D$?

Читатель не затруднится теперь доказать самостоятельно, что тела должны достичь точки $D$ одновременно.

Рассмотренная задача была поставлена и разрешена Галилеем в книге «Беседы о двух новых отраслях науки» (есть русский перевод), где впервые изложены открытые им законы падения тел.

Там находим доказательство теоремы, формулированной Галилеем так: «Если из высшей точки круга, построенного над горизонтом, проведены различные наклонные плоскости, доведенные до окружности, то времена падения по ним одинаковы».

### Задача о четырех камнях

С вершины башни брошены с одинаковой скоростью четыре камня: один — отвесно вверх, второй — отвесно вниз, третий — горизонтально вправо, четвертый — горизонтально влево.

Какую форму имеет тот четырехугольник, в вершинах которого будут находиться камни во время падения? Сопротивление воздуха в расчет не принимать.

### РЕШЕНИЕ

Большинство приступает к решению этой задачи с мыслью, что падающие камни должны расположиться в вершинах четырехугольника, форма которого напоминает фигуру бумажного змея. Рассуждают так: камень, брошенный вверх, удаляется от исходной точки медленнее, чем брошенный вниз; брошенные же в стороны летят по кривым линиям с некоторой промежуточной скоростью. Забывают при этом думать о том, с какой скоростью опускается центральная точка искомой фигуры.

Легче получить правильное решение, рассуждая иначе. Именно, сделаем сначала допущение, что тяжести нет вовсе.

В таком случае, конечно, четыре брошенных камня располагались бы в каждый момент на вершинах квадрата.

Но что изменится, если мы введем в действие тяжесть? В несопротивляющейся среде все тела падают с одинаковой скоростью. Поэтому наши четыре камня под действием силы тяжести опустятся на одно и то же расстояние, т. е. квадрат перенесется параллельно самому себе и сохранит фигуру квадрата.

Итак, брошенные камни расположатся в вершинах квадрата.

К сейчас рассмотренной задаче примыкает

### Задача о двух камнях

С вершины башни брошены два камня со скоростью трех метров в секунду: один — отвесно вверх, другой — отвесно вниз.

С какой скоростью они удаляются один от другого?

Сопротивлением воздуха пренебречь.

### РЕШЕНИЕ

Рассуждая, как в предыдущем случае, мы легко придем к правильному выводу: камни удаляются один от другого со скоростью 3 + 3, т. е. 6 *м/с.* Скорость падения здесь, как ни странно, никакого значения не имеет: ответ одинаков для любого небесного тела — для Земли, Луны, Юпитера и т. п.

## Игра в мяч

ЗАДАЧА

Игрок бросает мяч своему партнеру, находясь в 28 *м* от него. Мяч летит четыре секунды. Какой наибольшей высоты достиг мяч?

РЕШЕНИЕ

Мяч двигался 4 секунды, совершая одновременно перемещение в горизонтальном и в отвесном направлениях. Значит, на подъем и обратное падение он употребил 4 секунды, из них 2 секунды на подъем и 2 на падение (в учебниках механики доказывается, что продолжительность подъема равна продолжительности падения). Следовательно, мяч опустился на расстояние

$$s = \frac{gt^2}{2} = \frac{9,8 \cdot 2^2}{2} = 19,6 \, м.$$

Итак, наибольшая высота подъема мяча была около 20 *м.* Расстояние между игроками (28 *м*) — данное, которым нам не пришлось воспользоваться.

При столь умеренных скоростях можно пренебрегать сопротивлением воздуха.

*Глава пятая*
## КРУГОВОЕ ДВИЖЕНИЕ

### Центростремительная сила

Следующий пример поможет нам выяснить некоторые соображения, которые будут необходимы в дальнейшем.

Привяжем шарик, лежащий на гладком столе, достаточно длинной нитью к гвоздю, вбитому посредине стола (рис. 37). Щелчком сообщим ему некоторую скорость $v$. Пока шарик не натянет нити, он будет по инерции лететь прямолинейно. Но как только нить натянется, шарик начнет с постоянной по величине скоростью описывать окружность, центр которой будет у основания гвоздя. Если затем нить пережечь (рис. 38), то шарик, двигаясь по инерции, улетит по касательной к окружности (точно так же, как по касательной к точильному камню летят искры, если к нему прикоснуться куском стали). Таким образом, сила натяжения нити выводит шарик из состояния прямолинейного равномерного движения по инерции. Согласно второму закону механики сила пропорциональна ускорению и направлена в ту же сторону, куда и ускорение. Поэтому сила натяжения нити сообщит шарику ускорение, которое будет направлено в сторону действия силы, т. е. по направлению к гвоздю, который расположен в центре окружности. Шарик по инерции стремится удалиться от центра, а сила натяжения нити устремляет его к центру, поэтому эту силу и называют центростремительной, а ускорение соответственно — центростремительным ускорением.

Если известны скорость $v$ движения по окружности и радиус окружности $R$, то центростремительное ускорение $a$ вычисляется по следующей формуле:

$$a = \frac{v^2}{R}.$$

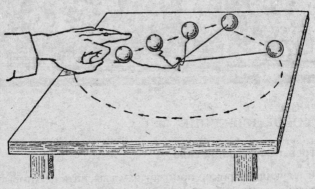

Рис. 37. Натянувшаяся нить заставляет шарик двигаться равномерно по окружности.

Согласно второму закону механики, центростремительная сила равна

$$F = m\frac{v^2}{R}.$$

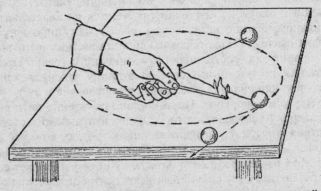

Рис. 38. После пережигания нити шарик улетает по касательной к окружности.

Покажем, как можно вывести формулу для центростремительного ускорения. Пусть шарик в некоторый момент находится в точке $A$ (считаем, что шарик уже начал вращательное движение). Если бы нить пережгли, то шарик, в течение некоторого малого промежутка времени $t$ двигаясь по инерции по касательной к окружности, очутился бы в точке $B$ (рис. 39), пройдя путь $AB = vt$, но центростремительная сила, в данном случае сила натяжения нити, ускоряет шарик в перпендикулярном направлении и шарик оказывается в точке $C$, лежащей на окружности. Если из точки $C$ опустить на $OA$ перпендикуляр $CD$, то отрезок $AD$ будет численно равен пути, который шарик прошел бы, двигаясь только под действием силы, равной центростремительной силе. Этот путь вычисляется по формуле равноускоренного движения без начальной скорости (см. таблицу в начале второй главы)

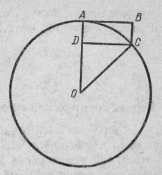

Рис. 39. К выводу формулы для центростремительного ускорения.

$$AD = \frac{at^2}{2},$$

где $a$ — центростремительное ускорение. По теореме Пифагора:

$$OC^2 = OD^2 + DC^2.$$

Далее,

$$CD = AB = vt, \quad OD = OA - AD = R - \frac{at^2}{2}, \quad OC = R.$$

откуда

$$R^2 = \left( R - \frac{at^2}{2} \right)^2 + \left( vt \right)^2$$

или

$$R^2 = R^2 - Rat^2 + \frac{a^2t^4}{4} + v^2t^2.$$

Таким образом,

$$Ra = v^2 + \frac{a^2t^2}{4}.$$

Мы рассматриваем движение шарика в течение очень маленького промежутка времени $t$ (сколь угодно малого, стремящегося к нулю), поэтому член, содержащий $t^2$, т. е. $\dfrac{a^2 t^2}{4}$, очень мал по сравнению с $Ra$ и $v^2$, и им можно пренебречь. Отбрасывая эту малую величину, получим:

$$a = \frac{v^2}{R}.$$

## Первая космическая скорость

Попробуем выяснить, почему искусственный спутник не падает на Землю. Ведь все тела, поднятые над Землей под действием силы притяжения Земли, падают обратно. Причина заключается в той огромной скорости, около 8 *км/с,* которая сообщена спутнику для вывода его на орбиту.

Получив такую скорость, тело уже не может упасть на Землю и превращается в ее искусственный спутник. Сила притяжения Земли лишь искривляет его путь, заставляя его описывать замкнутую эллиптическую траекторию вокруг нашей планеты.

В частном случае орбита спутника может представлять собой окружность, центром которой служит центр Земли. Выведем формулу для скорости движения спутника по такой орбите, т. е. для так называемой круговой скорости.

Спутник удерживается на круговой орбите центростремительной силой, роль которой играет сила притяжения Земли. Если обозначить массу спутника буквой $m$, скорость — буквой $v$, а радиус его орбиты — буквой $R$, то величина $F$ центростремительной силы найдется, как мы уже знаем, по формуле

$$F = m \frac{v^2}{R}.$$

С другой стороны, согласно закону всемирного тяготения, та же сила равна

$$F = \gamma \frac{mM}{R^2},$$

где $M$ — масса Земли, а $\gamma$ — так называемая постоянная тяготения. Таким образом,

$$m \frac{v^2}{R} = \gamma \frac{mM}{R^2}.$$

Отсюда находится величина круговой скорости:

$$v = \sqrt{\frac{\gamma M}{R}}.$$

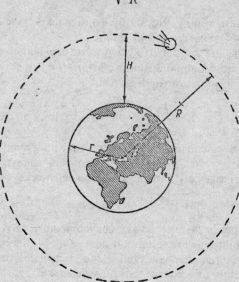

Рис. 40. Круговая орбита искусственного спутника Земли.

Если высота орбиты спутника над поверхностью Земли равна *H*, а радиус Земли равен *r* (рис. 40), то

$$v = \sqrt{\frac{\gamma M}{r + H}}.$$

Для удобства вычислений полученную формулу можно преобразовать. Вспомним, что на поверхности Земли сила притяжения равна *mg*. По закону всемирного тяготения

$$mg = \gamma \frac{mM}{r^2},$$

откуда

$$\gamma M = gr^2.$$

Таким образом, мы получаем следующую формулу для круговой скорости на высоте *H* над земной поверхностью:

$$v = \sqrt{\frac{gr^2}{r + H}}$$

77

или

$$v = r \sqrt{\frac{g}{r + H}} \, .$$

Следует иметь в виду, что в этой формуле $g$ есть ускорение силы тяготения *на поверхности* Земли.

Если высота $H$ орбиты невелика по сравнению с радиусом Земли $r$, то можно приближенно считать $H \approx 0$, и тогда формула для круговой скорости упрощается:

$$v = r \sqrt{\frac{g}{r}} \quad \text{или} \quad v = \sqrt{rg} \, .$$

Если в последнюю формулу мы подставим значения $g = 9{,}81$ м/с$^2$, $r = 6378$ км (экваториальный радиус Земли), то найдем так называемую первую космическую скорость

$$v = \sqrt{9{,}81 \cdot 10^{-3} \, км/с^2 \cdot 6378 \, км} \; = 7{,}9 \, км/с.$$

Такую скорость должен иметь искусственный спутник Земли, обращающийся у самой земной поверхности. Фактически, конечно, вследствие неровностей земной поверхности и, главное, сопротивления атмосферы, спутник не может двигаться по подобной орбите. С увеличением же высоты круговой орбиты величина орбитальной скорости уменьшается.

## Простой способ прибавиться в весе

Мы часто желаем своим больным знакомым «прибавиться в весе». Если бы речь шла только об этом, то добиться увеличения веса можно очень скоро без усиленного питания и заботы о своем здоровье: достаточно только сесть в карусель. Катающиеся на карусели обычно и не подозревают, что, сидя в возке, они буквально прибавляются в весе. Несложный расчет покажет нам величину прибавки.

Пусть (рис. 41) $MN$ — та ось, вокруг которой обращаются возки карусели. Когда карусель вращается, возок, подвешенный к ней стремясь вместе с пассажиром двигаться по инерции в направлении касательной и, следовательно, удалиться от оси, занимает наклонное положение, показанное на рис. 37. Вес $P$ пассажира разлагается при этом на две силы: одна сила $R$ направлена горизонтально в сторону оси и является той центростремительной силой, которая поддерживает круговое движение; другая — $Q$ направлена вдоль веревки и придавливает пассажира к возку: она ощущается пассажиром, как вес. «Новый

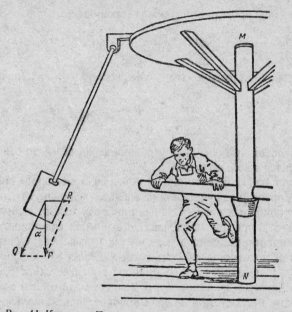

Рис. 41. Карусель. Показаны силы, действующие на возок.

вес», мы видим, больше нормального $P$ и равен $\dfrac{P}{\cos\alpha}$. Чтобы найти величину угла $\alpha$ между $P$ и $Q$, надо знать величину силы $R$. Сила эта центростремительная; следовательно, порождаемое ею ускорение

$$a = \frac{v^2}{r},$$

где $v$ — скорость центра тяжести возка, а $r$ — радиус кругового движения, т. е. расстояние центра тяжести возка от оси $MN$. Пусть это расстояние 6 *м*, а число оборотов карусели — 4 в минуту; значит, в секунду возок описывает $^1/_{15}$ полного круга. Отсюда его окружная скорость:

$$v = {}^1/_{15} \cdot 2 \cdot 3,14 \cdot 6 \approx 2,5 \; \text{м/с}.$$

Теперь находим величину ускорения, порождаемого силой $R$:

$$a = \frac{v^2}{r} = \frac{250^2}{600} \approx 104 \, \text{м/с}^2.$$

Так как силы пропорциональны ускорениям, то

$$\text{tg}\alpha = \frac{104}{980} \approx 0,1; \; \alpha = 7°.$$

Мы установили раньше, что «новый вес» $Q = \dfrac{P}{\cos\alpha}$. Значит,

$$Q = \frac{P}{\cos 7°} = \frac{P}{0,994} = 1,006P.$$

Если человек при обычных условиях весил 60 *кг,* то сейчас он прибавится в весе примерно на 360 *г.*

Если на обыкновенной, сравнительно медленно вращающейся карусели кажущаяся прибавка веса мало ощутительна, то на быстроходных центробежных приборах малого радиуса она доводится в некоторых случаях до огромной величины. Существует прибор подобного рода — так называемая «ультрацентрифуга», вращающаяся часть которой делает 80000 оборотов в минуту. С помощью этого прибора достигается возрастание веса в четверть миллиона раз! Каждая мельчайшая капелька жидкости, исследуемой на этом приборе, при нормальном весе в 1 *мг* как бы превращается в тяжелое тело весом в четверть килограмма.

Большие центробежные машины в настоящее время используются для испытаний выносливости человека на большие перегрузки, что имеет важнейшее значение для осуществления будущих межпланетных экспедиций. Подбирая определенным образом радиус и скорость вращения, можно получить необходимое увеличение веса испытуемого. Как показывают эксперименты, человек, несомненно, в течение нескольких минут сможет без вреда перенести увеличение своего веса в четыре-пять раз, а это обеспечивает его безопасный вылет в космическое пространство.

Теперь вы, вероятно, будете осторожнее и станете высказывать знакомым пожелание прибавиться не в весе, а в массе.

## Небезопасный аттракцион

В одном из парков Москвы предполагалось устроить новый аттракцион. Проектировалось нечто вроде «гигантских шагов», но к концам канатов (или штанг) предполагалось прикрепить модели аэропланов. При быстром вращении канаты должны откинуться и поднять вверх «аэропланы» с сидящими в них пассажирами. Устроители желали придать карусели такое число оборотов, чтобы канаты или штанги протянулись почти горизонтально. Проект не был осуществлен, так как выяснилось, что здоровье пассажиров лишь до тех пор будет в безопасности, пока канат имеет довольно заметный наклон. Величину предельного отклонения каната от вертикали легко вычислить, исходя из того, что организм человека во время пребывания на описанной карусели может переносить безвредно лишь трехкратное увеличение тяжести.

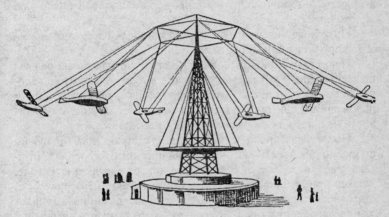

Рис. 42. Карусель с аэропланами.

Здесь нам пригодится рис. 41, которым мы пользовались в предыдущей статье. Мы желаем, чтобы искусственная тяжесть $Q$ превосходила естественный вес $P$ не более чем в 3 раза, т. е. чтобы лишь в предельном случае имело место равенство

$$\frac{Q}{P} = 3,$$

$$\frac{Q}{P} = \frac{1}{\cos\alpha};$$

следовательно,

$$\frac{1}{\cos\alpha} = 3 \text{ и } \cos\alpha = \frac{1}{3} \approx 0{,}33,$$

откуда

$$\alpha \approx 71°.$$

Итак, канат не должен отклоняться от отвесного положения более чем на 71° и, значит, не может приближаться к горизонтальному положению ближе чем на 19°.

Рис. 42 изображает такого типа аттракцион. Вы видите, что наклон канатов далеко не достигает здесь предельного.

## На железнодорожном закруглении

«Сидя в вагоне железной дороги, который двигался по кривой, — рассказывает один физик, — я заметил вдруг, что деревья, дома, фабричные трубы близ дороги приняли наклонное положение».

Подобные явления наблюдаются иногда пассажирами поездов при большой скорости движения.

Нельзя усматривать причину в том, что наружные рельсы на закруглениях укладываются выше внутренних и что, следовательно, вагон идет по дуге закругления в несколько косом положении. Если высунуться из окна и рассматривать окрестности не в наклонной рамке, — иллюзия остается.

После сказанного в предыдущих статьях едва ли нужно подробно объяснять истинную причину этого явления. Читатель уже догадался, вероятно, что отвес, висящий в вагоне, должен принять наклонное положение в тот момент, когда поезд огибает кривую. Эта новая вертикальная линия заменяет для пассажира прежнюю; оттого-то все, что имеет направление прежнего отвеса, становится для него косым.[1]

Новое направление отвесной линии легко определяется из рис. 43. На нем буквой $P$ обозначена сила тяжести, буквой $R$ — сила центростремительная. Составляющая $Q$ будет заменять для пассажира силу тяжести; все тела в вагоне будут падать в этом направлении. Величина угла $\alpha$ отклонения от отвесного направления определяется из уравнения

$$tg\,\alpha = \frac{R}{P}.$$

---

[1] Так как вследствие вращения Земли точки земной поверхности движутся по дугам, то и на «твердой земле» отвес не направлен строго к центру нашей планеты, а отклоняется от этого направления на небольшой угол (на широте Ленинграда — 4', на 45-й параллели — на наибольшую величину, 6'; на полюсе же и на экваторе вовсе не отклоняется).

А так как сила $R$ пропорциональна $\dfrac{v^2}{r}$, где $v$ — скорость поезда, а $r$ — радиус дуги закругления, сила же $P$ пропорциональна ускорению тяжести $g$, то

$$tg\,\alpha = \frac{v^2}{r} : g = \frac{v^2}{rg}\,.$$

Пусть скорость поезда 18 *м/с* (65 *км/час*), а радиус закругления 600 *м*. Тогда

$$tg\,\alpha = \frac{18^2}{600 \cdot 9{,}8} \approx 0{,}055\,,$$

откуда

$$\alpha \approx 3°.$$

Это мнимо-отвесное [1] направление мы неизбежно будем считать за отвесное, действительно же отвесные предметы покажутся нам наклоненными на 3°. При поездке по горной Сен-Готардской дороге с многочисленными кривыми участками пассажиры видят порой окружающие отвесные предметы покосившимися градусов на 10.

Чтобы вагон на закруглении держался устойчиво, наружный рельс на закруглении возвышают над внутренним на величину, соответствующую новому направлению отвесной линии. Например, для сейчас рассмотренного закругления

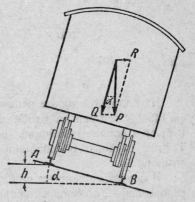

Рис. 43. Вагон идет по закруглению. Какие на него действуют силы? Внизу поперечный наклон полотна дороги.

наружный рельс $A$ (рис. 43) должен быть приподнят на величину $h$, удовлетворяющую уравнению

$$\frac{h}{AB} = \sin\alpha\,,$$

---

[1] Вернее — «временно-отвесное» для данного наблюдателя.

где *AB* есть ширина колеи, равная приблизительно 1,5 *м;* sinα = sin 3° = 0,052. Значит,

$$h = AB \sin\alpha = 1500 \cdot 0,052 \approx 80 \text{ мм}.$$

Наружный рельс должен быть уложен на 80 *мм* выше внутреннего. Легко понять, что это возвышение отвечает лишь определенной скорости, но изменять его соответственно скорости поезда нельзя; при устройстве закруглений имеют поэтому в виду некоторую преобладающую скорость движения.

## Дорога не для пешеходов

Стоя у кривой части железнодорожного пути, мы едва ли заметили бы, что наружный рельс уложен здесь немного выше внутреннего. Другое дело — дорожка для велосипедов на велодроме: закругления в этих случаях имеют гораздо меньший радиус, скорость же довольно велика, так что угол наклона получается весьма значительным. При скорости, например, 72 *км/час* (20 *м/с*) и радиусе 100 *м* угол наклона определяется из уравнения

$$tg\alpha = \frac{v^2}{rg} = \frac{400}{100 \cdot 9,8} \approx 0,4 ,$$

откуда

$$\alpha \approx 22°.$$

На подобной дороге пешеходу, разумеется, не удержаться. Между тем велосипедист только на такой дороге и чувствует себя вполне устойчиво. Любопытный парадокс тяжести! Так же устраиваются специальные дороги для состязания автомобилей.

В цирках приходится видеть нередко трюки еще более парадоксальные, хотя также вполне согласные с законами механики. Велосипедист в цирке кружится в воронке («корзине»), радиус которой 5 и менее метров; при скорости 10 *м/с* наклон стенок воронки должен быть очень крут:

$$tg\alpha = \frac{10^2}{5 \cdot 9,8} \approx 2,04 ,$$

откуда α ≈ 63°.

Зрителям кажется, что только необычайные ловкость и искусство помогают артисту удерживаться в таких явно неестественных условиях, между тем как в действительности при данной скорости это — самое устойчивое положение.[1]

## Наклонная Земля

Кому приходилось видеть, как круто наклоняется набок самолет, описывая горизонтальную петлю (делая «вираж»), у того естественно возникает мысль о серьезных предосторожностях, которые летчик должен принимать, чтобы не выпасть из аппарата. На деле, однако, летчик даже не ощущает, что машина его делает крен, — для него она держится в воздухе горизонтально. Зато он ощущает нечто другое: во-первых, испытывает увеличенную тяжесть, во-вторых, видит, как наклоняется вся обозреваемая местность.

Сделаем примерный расчет того, на какой угол может для летчика при вираже «наклониться» горизонтальная поверхность и какой величины может достигать для него «увеличенная тяжесть».

Возьмем числовые данные из действительности: летчик со скоростью 216 *км/час* (60 *м/с*) описывает винтовую линию диаметром 140 *м* (рис. 44). Угол α наклона находим из уравнения

$$tg\alpha = \frac{v^2}{r} : g = \frac{60^2}{70 \cdot 9{,}8} \approx 5{,}2,$$

откуда α ≈ 79°. Теоретически земля должна для такого летчика стать не только «набекрень», но и почти «дыбом», отклоняясь всего на 11° от вертикали (рис. 45).

На практике вследствие, вероятно, физиологических причин в подобных

Рис. 44. Летчик описывает винтовую линию.

---

[1] О велосипедных трюках см. также «Занимательную физику», кн. 2.

случаях земля кажется наклоненной на угол, несколько меньший найденного выше.

Что касается «увеличенной тяжести», то отношение ее к естественной равно (рис. 43) обратной величине косинуса угла

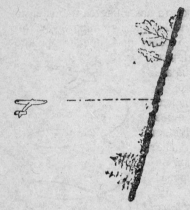

между их направлениями. Тангенс того же угла равен

$$\frac{v^2}{r} : g = 5{,}2 \, .$$

По таблицам находим соответствующий косинус 0,19 и его обратную величину 5,3. Значит, летчик, делая такой вираж, прижимается к сидению раз в 5 сильнее, чем на прямом пути, т. е. чувствует себя примерно в пять раз тяжелее.

На рис. 46 и 47 приведен еще один случай кажущегося летчику отклонения земной поверхности от горизонтального положения.

Рис. 45. Что должно представляться летчику (см. рис. 44).

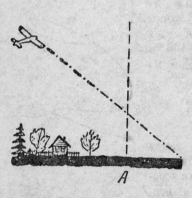

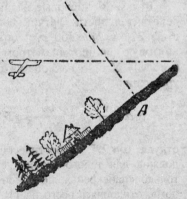

Рис. 46. Летчик летит по кривой большого радиуса (520 м) со скоростью 190 км/час.

Рис. 47. Что представляется летчику (см. рис. 46).

Искусственное увеличение веса может быть роковым для летчика. Известен случай, когда летчик, делая со своим аппаратом так называемый «штопор» (падение по винтовой кривой малого радиуса), не только не мог подняться с места, но бессилен был даже сделать движение рукой. Расчет показывает, что тело его стало тяжелее в 8 раз! Лишь величайшим напряжением сил удалось ему спастись от гибели.

## Почему реки извиваются

Давно известна склонность рек извиваться подобно ползущей змее. Не следует думать, что извивание всегда обусловлено рельефом почвы. Местность может быть совершенно ровная, и все-таки ручей извивается. Это представляется довольно загадочным: казалось бы, в такой местности естественнее ручью избрать прямое направление.

Ближайшее рассмотрение обнаруживает, однако, неожиданную вещь: прямое направление даже для ручья, текущего по ровной местности, есть наименее устойчивое, а потому и наименее вероятное. Сохранить прямолинейность река может только при идеальных условиях, которые в действительности никогда не осуществляются.

Рис. 48. Малейший изгиб ручья неудержимо растет.

Вообразим ручей, протекающий в *приблизительно* однородном грунте строго прямолинейно. Покажем, что такое течение долго сохраняться не будет. От случайных причин, — например, от неоднородности грунта, — течение ручья в каком-нибудь месте чуть искривилось. Что будет дальше? Выровнит ли река свое течение сама? Нет, искривление будет расти. В месте искривления (рис. 48) вода, двигаясь криволинейно, будет вследствие центробежного эффекта напирать на вогнутый берег *A,* подмывать его и в то же время отступать от выпуклого берега *B.* Для выпрямления же ручья нужно как раз обратное: подмывание *выпуклого* берега и отступание от *вогнутого.* Вогнутость станет от подмывания увеличиваться, кривизна излучины — возрастать, а вместе с тем будет увеличиваться и центробежная сила, которая, в свою очередь, уси-

87

лит подмывание вогнутого берега. Достаточно, как видите, образоваться хотя бы самому незначительному изгибу, — и он будет расти неудержимо.

Так как течение у вогнутого берега быстрее, чем у выпуклого, то частицы грунта, которые несет с собой вода, осаждаются у выпуклого берега, а у вогнутого, наоборот, идет усиленное размывание, в результате которого река у этого берега становится глубже.

По этой причине выпуклый берег становится пологим и еще более выпуклым, а вогнутый — крутым.

Так как случайные обстоятельства, вызывающие легкий первоначальный изгиб ручья, почти неизбежны, то неизбежно и образование излучин, непрестанно растущих и придающих реке, спустя достаточный промежуток времени, ее характерную извилистость. Эти извивы носят название «меандров», от реки Меандр (в западной части Малой Азии), змеевидное течение которой поразило древних и сделало название этой реки нарицательным.

Интересно проследить за дальнейшей судьбой речных извивов. Последовательные изменения вида речного русла упрощенно показаны на рис. 49, *а—з*. На рис. 49, *а* перед вами чуть изогнутая речка, на следующем — 49, *б* — течение успело уже подточить вогнутый берег и несколько отступило от покатого выпуклого. На рис. 49, *в* русло реки еще больше расширилось, а на рис. 49, *г* превратилось уже в широкую долину, в которой ложе реки занимает только некоторую часть. На рис. 49, *д, е* и *ж* развитие речной долины пошло еще дальше; на рис. 49, *ж* изгиб речного ложа так велик, что образует почти петлю. Наконец, на рис. 49, *з* вы видите,

Рис. 49. Как постепенно увеличивается само собой искривление речного ложа.

как река пробивает себе путь в месте сближения частей извилистого ложа и меняет там свое русло, оставляя в вогнутой части промытой долины так называемую «старицу», или «староречье» — стоячую воду в покинутой части русла.

Читатель сам догадается, почему река в выработанной ею плоской долине не течет посредине или вдоль одного края, а перекидывается все время с одного края к другому — от вогнутого к ближайшему выпуклому.[1]

Так управляет механика геологическими судьбами рек. Нарисованная нами картина развертывается, конечно, на протяжении огромных промежутков времени, измеряемых тысячелетиями. Однако явление, во многих подробностях сходное с этим, вы можете видеть в миниатюрном масштабе каждую весну, наблюдая за теми крошечными ручейками, которые промывает талая вода в затвердевшем снеге.

---

[1] Мы совершенно не касались здесь действия вращательного движения Земли, сказывающегося в том, что реки северного полушария усиленно размывают свой правый берег, а южного полушария — левый. Об этом см. мою «Занимательную астрономию», гл. I.

*Глава шестая*
## УДАР

### Почему важно изучать явление удара

Тот отдел механики, где говорится об ударе тел, не пользуется обычно любовью учащихся. Он усваивается медленно, а забывается быстро, оставляя по себе недобрую память, как о клубке громоздких формул. А между тем он заслуживает большого внимания. Было время, когда ударом двух тел стремились объяснить все прочие явления природы.

Кювье, знаменитый натуралист XIX века, писал: «Удалившись от удара, мы не можем составить ясной идеи об отношениях между причиной и действием». Явление считалось объясненным лишь тогда, когда удавалось свести его причину к соударению молекул.

Правда, стремление объяснить мир, исходя из этого начала, не увенчалось успехом: очень многие явления — электрические, оптические, тяготение — не поддаются такому объяснению. Тем не менее и теперь еще удар тел играет важную роль в объяснении явлений природы. Вспомним кинетическую теорию газов, рассматривающую обширный круг явлений как беспорядочное движение множества непрестанно соударяющихся молекул. Помимо того мы встречаемся с ударом тел на каждом шагу в повседневной жизни и в технике. Все составные части машин и сооружений, которые подвергаются действию удара, рассчитывают на прочность так, чтобы они могли противостоять ударным нагрузкам. Обойтись без знания этого отдела механики невозможно.

## Механика удара

Знать механику удара тел — значит уметь предвидеть, какова будет скорость соударяющихся тел после их столкновения. Эта окончательная скорость зависит от того, сталкиваются ли тела неупругие (не отскакивающие) или же упругие.

В случае тел *неупругих* оба столкнувшихся тела приобретают после удара одинаковую скорость; величина ее получается из их масс и первоначальных скоростей по правилу смешения.

Когда смешивают 3 *кг* кофе по 8 руб. с 2 *кг* кофе по 10 руб., то цена смеси равна:

$$\frac{3 \cdot 8 + 2 \cdot 10}{3 + 2} = 8,8 \, \text{руб.}$$

Точно так же, когда неупругое тело, обладающее массой 3 кг и скоростью 8 *см/с*, сталкивается с другим неупругим телом массы 2 *кг*, настигающим его со скоростью 10 *см/с*, то окончательная скорость у каждого тела:

$$u = \frac{3 \cdot 8 + 2 \cdot 10}{3 + 2} = 8,8 \, см/с.$$

В общем виде — при соударении неупругих тел, массы которых $m_1$ и $m_2$, скорости $v_1$ и $v_2$, их окончательная скорость после удара равна

$$u = \frac{m_1 v_1 + m_2 v_2}{m_1 + m_2}.$$

Если направление скорости $v_1$ мы считаем положительным, то знак плюс перед скоростью $u$ означает, что тела после удара движутся в направлении скорости $v_1$; знак минус указывает противоположное направление. Вот все, что надо помнить об ударе тел неупругих. Удар *упругих тел* протекает сложнее: такие тела при ударе не только сжимаются в месте соприкосновения (как и тела неупругие), но и расширяются вслед за этим, восстанавливая свою первоначальную форму. И в этой второй фазе тело настигающее теряет из своей скорости еще столько же, сколько потеряло, оно в первую фазу, а тело настигаемое приобретает в скорости еще столько же, сколько приобрело оно в первую фазу. Двойная потеря скорости для более быстрого тела и двойной выигрыш ее для менее быстрого — вот собственно все об *упругом* ударе, что надо держать в памяти. Остальное сводится к чисто математическим выкладкам. Пусть скорость более быстрого тела $v_1$, другого $v_2$, а массы их $m_1$ и $m_2$. Если бы тела были *неупруги*, то после удара каждое из них двигалось бы со скоростью

$$u = \frac{m_1 v_1 + m_2 v_2}{m_1 + m_2}.$$

Потеря скорости для первого тела равна была бы $v_1 - u$; выигрыш скорости для второго $u - v_2$. В случае же тел упругих потеря и выигрыш, мы знаем, удваиваются, т. е. равны $2(v_1 - u)$ и $2(u - v_2)$. Значит, окончательные скорости $u_1$ и $u_2$ после *упругого* удара сейчас было изложено.

$$u_1 = v_1 - 2\,(v_1 - u) = 2u - v_1,$$
$$u_2 = v_2 + 2\,(u - v_2) = 2u - v_2,$$

Остается только подставить в эти выражения вместо $u$ его значение (см. выше).

Мы рассмотрели два крайних случая удара: тел *вполне* неупругих и тел *вполне* упругих. Возможен еще промежуточный случай: когда сталкивающиеся тела *не вполне* упруги, т. е. после первой фазы удара восстанавливают свою форму не полностью. К этому случаю мы еще вернемся; пока достаточно знать то, что сейчас было изложено.

Картину упругого удара мы могли бы охватить следующим кратким правилом: тела расходятся после столкновения с той же скоростью, с какой сближались до удара. Это вытекает из довольно простых соображений. Скорость сближения тел до удара равна $v_1 - v_2$. Скорость их расхождения после удара равна

$$u_2 - u_1.$$

Подставив вместо $u_2$ и $u_1$ их выражения, получаем:

$$u_2 - u_1 = 2u - v_2 - (2u - v_1) = v_1 - v_2.$$

Свойство это важно не только потому, что дает наглядную картину упругого удара, но и в другом отношении. При выводе формулы мы говорили о телах «ударяемом» и «ударяющем», «настигаемом» и «настигающем», относя движение их, конечно, только к некоторому третьему телу, не участвующему в их движениях. Но в первой главе нашей книги (вспомните задачу о двух яйцах) было уже разъяснено, что между телами ударяющим и ударяемым никакой разницы нет: роли их можно обменять, ничего не изменяя в картине явления. Справедливо ли это и в рассматриваемом случае? Не дадут ли полученные ранее формулы иные результаты, если роли тел изменятся?

Легко видеть, что от такой перемены результат вычисления по формулам нисколько не изменится. Ведь при той и другой точках зрения *разность* скоростей тел до удара должна оставаться неизменной. Следовательно, не изменится и скорость расхождения тел после удара ($u_2 - u_1 = v_1 - v_2$). Иными словами, картина окончательного движения тел остается та же.

Вот несколько интересных числовых данных, относящихся к удару абсолютно упругих шаров. Два стальных шара, каждый диаметром около 7,5 *см* (т. е. примерно величиной с бильярдные), сталкиваясь со скоростью 1 *м/с*, сдавливаются с силой 1500 *кг*, а при скорости 2 *м/с* — с силой 3500 *кг*. Радиус того кружка, по которому шары при этом ударе соприкасаются, в первом случае 1,2 *мм*, во втором — 1,6 *мм*. Продолжительность удара в обоих случаях — около $\dfrac{1}{5000}$ секунды. Кратковременностью удара объясняется то, что материал шаров не разрушается при столь значительном давлении (15—20 *т* на *см$^2$*).

Впрочем, так мала продолжительность удара только при небольших размерах шаров. Расчет показывает, что для стальных шаров планетных размеров (радиус = 10 000 *км*), соударяющихся со скоростью 1 *см/с,* время удара должно равняться 40 часам. Круг соприкосновения имеет при этом радиус 12,5 *км,* а сила взаимного давления — около 400 миллионов тонн!

### Изучите свой мяч

Те формулы удара тел, с которыми мы познакомились на предыдущих страницах, непосредственно на практике мало применимы. Число тех, которые с достаточным для целей практики приближением можно причислить к «вполне неупругим» или к «вполне упругим», весьма ограниченно. Преобладающее большинство тел не может быть отнесено ни к тем, ни к другим: они «не вполне упруги». Возьмем мячик. Не страшась насмешки старинного баснописца, спросим себя: мячик вещь какая? Вполне упругая или не вполне упругая с точки зрения механики?

Имеется простой способ испытать мяч на упругость: уронить с некоторой высоты на твердую площадку. Вполне упругий мяч должен был бы подскочить на ту же высоту. Неупругое тело не подскакивает совсем (это ясно из физических соображений).

Как же должен вести себя мяч *не вполне* упругий? Чтобы уяснить это, вникнем в картину упругого удара. Мяч достигает площадки; в точке соприкосновения он вдавливается, и вдавливающая сила уменьшает его скорость. До сих пор мяч ведет себя так, как вело бы себя и неупругое тело; значит, его скорость в этот момент равна $u$, а потеря скорости $v_1 - u$. Но вдавленное место начинает сразу же вновь выпячиваться; при этом мяч, конечно, напирает на площадку, мешающую ему выпячиваться; возникает опять сила, действующая на мяч и уменьшающая его скорость. Если шар при этом вполне восстанавливает свою прежнюю форму, т. е. проходит в обратном порядке те же этапы изменения формы, которые прошел он при сжатии, то новая потеря скорости должна равняться прежней, или $v_1 - u$, а следовательно, в общем скорость вполне упругого мяча должна уменьшиться на $2(v_1 - u)$ и равняться

$$v_1 - 2(v_1 - u) = 2u - v_1.$$

Когда мы говорим, что мяч «не вполне упруг», то мы собственно хотим сказать, что он не вполне восстанавливает свою форму после ее изменения под действием внешней силы. При восстановлении его формы действует сила, меньшая той, которая эту форму изменила, а соответственно этому потеря скорости за период восстановления *меньше* первоначальной; она равна не $v_1 - u$, а составляет некоторую долю ее, которую обозначим правильной дробью $e$ («коэффициент восстановления»). Итак, потеря скорости при упругом ударе в первом периоде равна $v_1 - u$, во втором равна $e(v_1 - u)$. Общая потеря равна $(1 + e)(v_1 - u)$, а скорость $u_1$, остающаяся после удара, равна

$$u_1 = v_1 - (1 + e)(v_1 - u) = (1 + e)u - ev_1.$$

Скорость же $u_2$ ударяемого тела (в данном случае площадки), которое отталкивается мячом по закону противодействия, должна равняться, как легко вычислить,

$$u_2 = (1 + e)u - ev_2.$$

Разность $u_2 - u_1$ обеих скоростей равна $ev_1 - ev_2 = e(v_1 - v_2)$, откуда находим, что «коэффициент восстановления»

$$e = \frac{u_2 - u_1}{v_1 - v_2}.$$

Для мяча, ударяющегося о неподвижную площадку, скорости равны $u_2 = (1 + e)u - ev_2 = 0$, $v_2 = 0$. Следовательно,

$$e = \frac{u_1}{v_1}.$$

Но $u_1$ есть скорость подскакивающего шара, равная $\sqrt{2gh}$, где $h$ — высота, на которую он подскакивает, $v_1 = \sqrt{2gH}$, где $H$ — высота, с которой мяч упал. Значит,

$$e = \sqrt{\frac{2gh}{2gH}} = \sqrt{\frac{h}{H}}.$$

Итак, мы нашли способ определять «коэффициент восстановления» $e$ мяча, характеризующий степень отступления его свойств от вполне упругих: надо измерить высоту, с которой его роняют, и высоту, на которую он подскакивает; квадратный корень из отношения этих величин дает искомый коэффициент.

По спортивным правилам хороший теннисный мяч должен при падении с высоты 250 см подскакивать на высоту 127—152 см (рис. 50). Значит, коэффициент восстановления для теннисного мяча должен заключаться в пределах

$$\text{от } \sqrt{\frac{127}{250}} \text{ до } \sqrt{\frac{152}{250}},$$

т. е. от 0,71 до 0,78.

Остановимся на средней величине 0,75, т. е., выражаясь вольно, возьмем мяч «упругий на 75%» и проделаем некоторые интересные для спортсменов расчеты.

Первая задача: насколько подскочит мяч во второй, в третий и последующие разы, если его уронить с высоты $H$?

В первый раз мяч подскочит, мы знаем, на высоту, определяемую из формулы

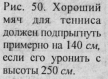

Рис. 50. Хороший мяч для тенниса должен подпрыгнуть примерно на 140 см, если его уронить с высоты 250 см.

$$e = \sqrt{\frac{h}{H}}.$$

Для $e = 0{,}75$ и $H = 250$ *см* имеем:

$$\sqrt{\frac{h}{250}} = 0{,}75 \, ,$$

откуда $h \approx 140$ *см*.

Во второй раз, т. е. после падения с высоты $h = 140$ *см*, мяч подскочит на высоту $h_1$, причем

$$0{,}75 = \sqrt{\frac{h_1}{140}} \, ,$$

откуда $h_1 \approx 79$ *см*.

Высоту $h_2$ третьего подъема мяча найдем из уравнения

$$0{,}75 = \sqrt{\frac{h_2}{79}} \, ,$$

откуда $h_2 \approx 44$ *см*.

Дальнейшие расчеты ведутся таким же путем.

Уроненный с высоты Эйфелевой башни ($H = 300$ *м*), такой мяч подскочил бы в первый раз на 168 *м*, во второй — на 94 *м* и т. д. (рис. 51), если не принимать в расчет сопротивление воздуха, которое в этом случае должно быть велико (из-за значительной скорости).

Вторая задача: сколько всего времени мяч, уроненный с высоты $H$, будет подскакивать?

Мы знаем, что

$$H = \frac{gT^2}{2}; \quad h = \frac{gt^2}{2}; \quad h_1 = \frac{gt_1^2}{2}.$$

Следовательно,

$$T = \sqrt{\frac{2H}{g}}; \quad t = \sqrt{\frac{2h}{g}}; \quad t_1 = \sqrt{\frac{2h_1}{g}}.$$

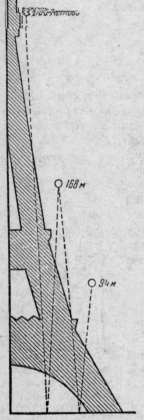

Рис. 51. Как высоко подпрыгнул бы мяч, уроненный с Эйфелевой башни.

Продолжительность подскакивания равна

$$T + 2t + 2t_1 + 2t_2 + \cdots,$$

т. е.

$$\sqrt{\frac{2H}{g}} + 2\sqrt{\frac{2h}{g}} + 2\sqrt{\frac{2h_1}{g}} + \cdots$$

После некоторых преобразований, которые читатель-математик легко проделает самостоятельно, получаем для искомой суммы выражение

$$\sqrt{\frac{2H}{g}}\left(\frac{2}{1-e} - 1\right).$$

Подставляя $H = 2,5$ м, $g = 9,8$ м/с², $e = 0,75$, имеем общую продолжительность подскакивания равной 5 с: мяч будет подскакивать в течение 5 с.

Если бы его уронить с высоты Эйфелевой башни, подскакивание длилось бы (при отсутствии сопротивления атмосферы) около минуты, точнее — 54 с, если только мяч уцелеет при ударе.

При падении мяча с высоты нескольких метров скорости не велики, а потому влияние сопротивления воздуха незначительно. Был сделан такой опыт: мяч, коэффициент восстановления которого 0,76, уронили с высоты 250 см. При отсутствии атмосферы он должен был бы подскочить во второй раз на 84 см; в действительности же он подскочил на 83 см; как видим, сопротивление воздуха почти не сказалось.

## На крокетной площадке

Крокетный шар налетает на неподвижный, нанося ему удар, который в механике называется «прямым» и «центральным». Это такой удар, который происходит в направлении диаметра шара, проходящего через точку приложения ударной силы.

Что произойдет с обоими шарами после удара?

Оба крокетных шара имеют равную массу. Если бы они были *вполне неупруги*, то скорости их после удара были бы одинаковыми; они равнялись бы половине скорости ударяющего шара. Это вытекает из формулы

$$u = \frac{m_1v_1 + m_2v_2}{m_1 + m_2}.$$

в который $m_1 = m_2$ и $v_2 = 0$.

Напротив, если бы шары были вполне упруги, то простое вычисление (выполнение которого предоставляем читателю) показало бы, что они *обменялись бы скоростями*: налетевший шар остановился бы после удара на месте, а шар, прежде неподвижный, двигался бы в направлении удара со скоростью ударившего шара. Так приблизительно и происходит при ударе бильярдных шаров (из слоновой кости), которые обладают большим коэффициентом восстановления (для слоновой кости $e = \dfrac{8}{9}$).

Но крокетные шары имеют значительно меньший коэффициент восстановления ($e = 0,5$). Поэтому результат удара не похож на сейчас указанные. Оба шара продолжают после удара двигаться, но не с одинаковой скоростью: ударивший шар отстает от крокированного. Обратимся за подробностями к формулам удара тел.

Пусть «коэффициент восстановления» (как его определить, читателю известно из предыдущего) равен $e$. В предыдущей статье мы нашли для скоростей $u_1$ и $u_2$ обоих шаров после удара следующие выражения:

$$u_1 = (1 + e)u - ev_1; \quad u_2 = (1 + e)u - ev_2.$$

Здесь, как и в прежних формулах,

$$u = \frac{m_1 v_1 + m_2 v_2}{m_1 + m_2}.$$

В случае крокетных шаров $m_1 = m_2$ и $v_2 = 0$. Подставив, имеем:

$$u = \frac{v_1}{2}; \quad u_1 = \frac{v_1}{2}(1 - e); \quad u_2 = \frac{v_1}{2}(1 + e).$$

Кроме того, легко убедиться, что

$$u_1 + u_2 = v_1; \quad u_2 - u_1 = ev_1.$$

Теперь мы можем в точности предсказать судьбу ударяющихся крокетных шаров: скорость ударившего шара распределяется между обоими шарами так, что крокированный шар движется быстрее ударившего на долю $e$ первоначальной скорости ударившего шара.

Возьмем пример. Пусть $e = 0,5$. В таком случае шар, покоившийся до удара, получит $^3/_4$ первоначальной скорости крокировавшего шара, а этот последний будет двигаться за ним, сохранив только $\frac{1}{4}$ первоначальной скорости.

## «От скорости — сила»

Под таким заглавием в «Первой книге для чтения» Л. Н. Толстого был помещен следующий рассказ:

«Один раз машина (поезд) ехала очень скоро по железной дороге. А на самой дороге, на переезде, стояла лошадь с тяжелым возом. Мужик гнал лошадь через дорогу, лошадь не могла сдвинуть воза, потому что колесо соскочило. Кондуктор закричал машинисту: «Держи» — но машинист не послушался. Он смекнул, что мужик не может ни согнать лошадь с телегой, ни своротить ее, и что машину сразу остановить нельзя. Он не стал останавливать, а самым скорым ходом пустил машину и во весь дух налетел на телегу. Мужик отбежал от телеги, а машина, как щепку, сбросила с дороги телегу и лошадь, а сама не тряхнулась, пробежала дальше. Тогда машинист сказал кондуктору: «Теперь мы только убили одну лошадь и сломали телегу; а если бы я тебя послушал, мы сами бы убились и перебили бы всех пассажиров. На скором ходу мы сбросили телегу и не слыхали толчка, а на тихом ходу нас бы выбросило из рельсов».

Можно ли это происшествие объяснить с точки зрения механики? Мы имеем здесь случай удара не вполне упругих тел, причем тело ударяемое (телега) было до удара неподвижно. Обозначив массу и скорость поезда через $m_1$ и $v_1$, массу и скорость телеги через $m_2$ и $v_2 = 0$, применяем уже известные нам формулы:

$$= (1 + e)u - ev_1\,;\, (1 + e)u - ev_2,$$
$$u = \frac{m_1 v_1 + m_2 v_2}{m_1 + m_2}.$$

Разделив в последнем выражении числитель и знаменатель дроби на $m_1$, получим:

$$u = \frac{v_1 + \dfrac{m_2}{m_1} v_2}{1 + \dfrac{m_2}{m_1}}.$$

Но отношение $\dfrac{m_2}{m_1}$ массы телеги к массе поезда ничтожно; приравнивая его нулю, имеем $u \approx v_1$. Значит, поезд после столкновения будет продолжать путь с прежней скоростью; пассажиры не ощутят никакого толчка (изменения скорости).

А что будет с телегой? Ее скорость после удара, $u_2 = (1 + e)u = (1 + e)v_1$, превышает скорость поезда на $ev_1$. Чем больше была скорость $v_1$ поезда до удара, тем больше внезапно полученная телегой скорость, тем больше сила удара, которая разрушает телегу. Это в данном случае имеет существенное значение; для избежания катастрофы необходимо преодолеть *трение* телеги; при недостаточной энергии удара она могла бы служить серьезной помехой, оставаясь на рельсах.

Итак, разгоняя поезд, машинист поступил правильно: благодаря этому поезд, не претерпев сам сотрясения, устранил телегу со своего пути. Нужно заметить, что рассказ Толстого относился к сравнительно тихоходным поездам его времени.

## Человек-наковальня

Этот цирковой номер производит сильное впечатление даже на подготовленного зрителя. Артист ложится на землю; на грудь его ставят тяжелую наковальню, и двое силачей со всего размаха ударяют по ней увесистыми молотами. Как может живой человек выдерживать без вреда для себя такое сотрясение?

*Законы удара* упругих тел говорят нам, однако, что чем наковальня тяжелее по сравнению с молотом, тем меньшую скорость получает она при ударе, т. е. тем сотрясения менее ощутительны. Вспомним формулу для скорости ударяемого тела при упругом ударе

$$u_2 = 2u - v_2 = \frac{2(m_1 v_1 + m_2 v_2)}{m_1 + m_2} - v_2.$$

Здесь $m_1$ — масса молота, $m_2$ — масса наковальни, $v_1$ и $v_2$ — их скорости до удара. Мы знаем прежде всего, что $v_2 = 0$, так как наковальня до удара была неподвижна. Значит, формула наша получает вид:

$$u_2 = \frac{2m_1 v_2}{m_1 + m_2} = \frac{2v_1 \dfrac{m_1}{m_2}}{\dfrac{m_1}{m_2} + 1}$$

(мы разделили числитель и знаменатель на $m_2$). Если масса $m_2$ наковальни весьма значительна по сравнению с массой $m_1$ молота, то дробь $\dfrac{m_1}{m_2}$ очень мала, и ею можно в знаменателе пренебречь. Тогда скорость наковальни после удара

$$u_2 = 2v_1 \cdot \frac{m_1}{m_2},$$

т. е. составляет ничтожную часть скорости $v_1$ молота.[1]

Для наковальни, которая тяжелее молота, скажем, в 100 раз, скорость в 50 раз меньше скорости молота:

$$u_2 = 2v_1 \cdot \frac{1}{100} = \frac{1}{50}v_1.$$

Кузнецы хорошо знают из практики, что удар легкого молота не передается в глубину. Теперь понятно, почему артисту, лежащему под наковальней, выгоднее, чтобы она была возможно тяжелее. Вся трудность лишь в том, чтобы безнаказанно удерживать на груди такой груз. Это возможно, если основанию наковальни придать такую форму, чтобы оно плотно прилегало к телу на большом пространстве, а не соприкасалось только в нескольких маленьких участках. Тогда вес наковальни распределяется на большую поверхность, и на каждый квадратный сантиметр приходится не столь уж значительная нагрузка. Между основанием наковальни и телом человека помещается мягкая прокладка.

Обманывать публику на весе наковальни артисту нет никакого смысла; но есть расчет обмануть на весе молота; возможно поэтому, что цирковые молоты не так тяжелы, как кажутся. Если молот полый, то сила его удара не становится в глазах зрителя менее сокрушительной, сотрясения же наковальни ослабевают пропорционально уменьшению его массы.

---

[1] Мы приняли и молот и наковальню за тела вполне упругие. Читатель может убедиться подобным же расчетом, что результат мало изменится, если считать оба тела не вполне упругими.

*Глава седьмая*
## КОЕ-ЧТО О ПРОЧНОСТИ

### Об измерении океанских глубин

Средняя глубина океана около 4 *км*, но в отдельных местах дно лежит ниже раза в два и более. Наибольшая глубина, как уже было указано, около 11 *км*. Чтобы измерить подобную глубину, нужно спустить в океан проволоку длиной свыше 10 *км*. Но такая проволока имеет значительный вес; не разорвется ли она от собственного веса?

Вопрос не праздный; расчет подтверждает его уместность. Возьмем медную проволоку в 11 *км* длины; обозначим ее диаметр буквой $D$ (в сантиметрах). Объем такой проволоки равен $^1/_4 \pi D^2 \cdot 1100000$ *см*$^3$. А так как 1 *см*$^3$ меди весит в воде круглым счетом 8 *г*, то наша проволока должна представлять собой в воде груз

$$\frac{1}{4} \pi D^2 \cdot 1100000 \cdot 8 = 6900000 D^2 \text{ } г.$$

При толщине проволоки, например, 3 *мм* ($D = 0{,}3$ *см*) это составит 620000 *г*, т. е. 620 *кг*. Удержит ли такой толщины проволока груз более $^3/_5$ *т*? Здесь мы должны немного отойти в сторону и посвятить страницу вопросу о силах, разрывающих проволоки и стержни.

Отрасль механики, называемая «сопротивлением материалов», устанавливает, что сила, необходимая для разрыва стержня или проволоки, зависит от их материала, от величины поперечного сечения и от способа приложения силы. Зависимость от сечения проста: во сколько раз увеличивается площадь поперечного сечения, во столько раз возрастает необходимая для разрыва сила. Что же касается материала, то опытом найдено, какая сила нужна для разрыва стержня из данного материала, если сечение стержня 1 $мм^2$. В технических справочниках обычно помещается таблица величин этой силы — таблица сопротивления разрыву. Она представлена наглядно на рис. 52. Рассматривая его, вы видите, что, например, для разрыва свинцовой проволоки (в 1 $мм^2$ сечением) нужна сила в 2 *кг*, медной — в 40 *кг*, бронзовой — в 100 *кг* и т. д.

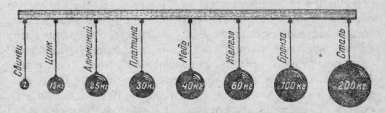

Рис. 52. Какими грузами разрываются проволоки из разных металлов? (сечение равно 1 $мм^2$).

В технике, однако, никогда не допускают, чтобы стержни и тяжи находились под действием таких усилий. Подобная конструкция была бы ненадежна. Достаточно малейшего, незаметного для глаза изъяна в материале, либо же ничтожной перегрузки вследствие сотрясения или изменения температуры, — и стержни лопаются, тяжи разрываются, сооружение рушится. Необходим «запас прочности», т. е. нужно, чтобы действующие силы составляли только некоторую долю разрывающей нагрузки — четвертую, шестую, восьмую, смотря по материалу и условиям его службы.

Вернемся теперь к начатому расчету. Какая сила достаточна для разрыва медной проволоки, диаметр которой $D$ *см*? Площадь ее сечения равна $^1/_4\pi D^2$ *см*$^2$ или $25\pi D^2$ *мм*$^2$. Справившись в нашей иллюстрированной табличке, находим, что при сечении 1 $мм^2$ медная проволока разрывается силой 40 *кг*. Значит, для разрыва нашей проволоки достаточна сила в $40 \times 25\pi D^2 = 1000\pi D^2$ *кг* $= 3140 D^2$ *кг*.

Сама же проволока весит, как мы уже вычислили, $6900 D^2$ *кг* — в $2^1/_2$ раза больше. Вы видите, что медная проволока не годится для измерения океанских глубин, даже если и не брать для нее никакого запаса прочности: при длине 5 *км* она разрывается от собственного веса.

## Самые длинные отвесы

Вообще для всякой проволоки имеется такая предельная длина, при которой она разрывается от собственного веса. Отвес не может быть как угодно длинен: существует длина, которую он не может превосходить. Увеличение толщины проволоки здесь не поможет: с удвоением диаметра проволока может выдержать в 4 раза больший груз, но и вес ее возрастет в 4 раза. Предельная длина зависит не от толщины проволоки (толщина безразлична), а от материала: для железа она одна, для меди другая, для свинца — третья. Вычисление этой предельной длины весьма несложно; после расчета, выполненного в предыдущей статье, читатель поймет его без длинных пояснений. Если площадь поперечного сечения проволоки $s$ $см^2$, длина $L$ км, а вес $1$ $см^2$ вещества $\rho$ г, то вся проволока весит $100\ 000\ sL\rho$ г; выдержать же нагрузку она может в $1000Q \times 100s = 100\ 000Qs$ г, где $Q$ — разрывающая нагрузка на $1$ $мм^2$ (в килограммах). Значит, в предельном случае

$$100\ 000\ Qs = 100\ 000\ sL\rho,$$

откуда предельная длина в километрах

$$L = \frac{Q}{\rho}$$

По этой простой формуле легко вычислить предельную длину для проволоки или нити из любого материала. Для меди мы нашли раньше предельную длину *в воде*; вне воды она еще меньше и равна $\dfrac{Q}{\rho} = \dfrac{40}{9} \approx 4{,}4$ *км*.

А вот предельная длина для проволок из некоторых других материалов:

| | |
|---|---|
| для свинца | 200 *м* |
| для цинка | 2,1 *км* |
| для железа | 7,5 *км* |
| для стали | 25 *км* |

Но практически нельзя пользоваться отвесами такой длины; это значило бы подвергать их недопустимым нагрузкам. Необходимо нагружать их лишь до некоторой части разрывающей нагрузки: для железа и стали, например, до $^1/_4$. Значит, практически можно пользоваться железным отвесом не длиннее 2 км, а стальным — не длиннее $6^1/_4$ км.

В случае погружения отвесов в воду крайняя длина их — для железа и стали — может быть увеличена на $\frac{1}{8}$ долю. Но и этого недостаточно для достижения дна океана в самых глубоких местах. Чтобы делать подобные промеры, приходится пользоваться особо прочными сортами стали.[1]

## Самый крепкий материал

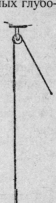

К числу материалов, особенно хорошо выдерживающих растяжение, принадлежит хромоникелевая сталь: чтобы разорвать проволоку из такой стали в 1 $мм^2$ сечением, надо приложить силу в 250 *кг.*

Вы лучше поймете, что это значит, если взглянете на прилагаемый рис. 53; тонкая стальная проволока (ее диаметр чуть больше 1 *мм*) удерживает тяжелого борова. Из такой стали и изготовляется лот-линь океанского глубомера. Так как 1 $мм^3$ стали весит в воде 7 *г*, а допускаемая нагрузка на 1 $мм^2$ составляет в этом случае $\frac{250}{4} = 62$ *кг*, то крайняя длина отвеса из этой стали равна

$$L = \frac{62}{7} = 8{,}8\ км.$$

Но глубочайшее место океана лежит еще ниже. Приходится поэтому брать меньший запас прочности и, следовательно, очень осторожно обращаться с лотлинем, чтобы достичь самых глубоких мест океанского дна.

Те же затруднения возникают и при «зондировании» воздушного океана, при помощи змеев с самопишущими приборами, например, в том случае, если запус-

Рис. 53. Проволока из хромоникелевой стали выдерживает нагрузку 250 *кг* на $мм^2$.

---

[1] В последнее время для измерения морских глубин обходятся совсем без проволочного лота: пользуются отражением звука от дна водоема («эхо-лот»). См. об этом в «Занимательной физике» Я. И. Перельмана, кн. 1, гл. X.

кают змея на 9 *км* и больше, причем проволоке приходится выдерживать натяжение не только от собственного веса, но и от давления ветра на нее и на змей (размеры змея 2×2 *м*).

## Что крепче волоса?

С первого взгляда кажется, что человеческий волос может поспорить в крепости разве лишь с паутинкой. Это не так; волос крепче иного металла! В самом деле, человеческий волос выдерживает груз до 100 *г* при ничтожной толщине в 0,05 *мм*. Рассчитаем, сколько это составляет на 1 *мм*². Кружок, поперечник которого 0,05 *мм,* имеет площадь

$$\frac{1}{4} \cdot 3{,}14 \cdot 0{,}05^2 \approx 0{,}002 \, \text{мм},$$

т. е. $\frac{1}{500}$ *мм*². Значит, груз в 100 *г* приходится на площадь в

$\frac{1}{500}$ *мм*²; на целый *мм*² придется 50000 *г*, или 50 *кг*. Бросив взгляд на нарисованную табличку прочности (рис. 52), вы убедитесь, что человеческий волос по крепости должен быть поставлен между медью и железом...

Рис. 54. Какой груз может выдержать женская коса?

106

Итак, волос крепче свинца, цинка, алюминия, платины, меди и уступает только железу, бронзе и стали!

Недаром, — если верить автору романа «Саламбо», — древние карфагеняне считали женские косы лучшим материалом для тяжей своих метательных машин.

Вас не должен поэтому удивлять рис. 54, изображающий двадцатитонный самосвал, который удерживает женская коса: легко подсчитать, что коса из 200 000 волос может удержать груз в 20 *т*.

## Почему велосипедная рама делается из трубок

Какое преимущество в отношении прочности имеет трубка перед сплошным стержнем, если кольцевое сечение трубки равно по площади сечению стержня? Никакого, пока речь идет о сопротивлении *разрыву* или *сжатию*: трубка и стержень разрываются и раздробляются одинаковой силой. Но в случае сопротивления изгибающим усилиям разница между ними огромная: согнуть стержень значительно легче, чем согнуть трубку с равной площадью кольцевого сечения.

Об этом писал в красноречивых выражениях еще Галилей, основатель науки о прочности. Читатель не упрекнет меня в излишнем пристрастии к замечательному ученому, если я еще раз приведу цитату из его сочинений: «Мне хотелось бы, — писал он в своих «Беседах и математических доказательствах, касающихся двух новых отраслей науки», — прибавить несколько замечаний относительно сопротивления твердых тел, полых или пустых внутри, которыми как мастерство (техника), так и природа пользуются на тысячи ладов. В них без возрастания веса достигается возрастание прочности в весьма большой степени, как легко можно видеть на костях птиц и на тростнике, которые при большой легкости отличаются и большой сопротивляемостью изгибу и излому. Если бы соломинка, несущая колос, превышающий по весу весь стебель, была при том же количестве вещества сплошной и массивной, то она была бы значительно менее прочной на изгиб и на излом. Было замечено на деле и подтверждено опытом, что палка, пустая внутри, а также деревянная и металлическая труба крепче, чем массивное тело той же длины и равного веса, которое неизбежно является более тонким. Мастерство нашло применение этому наблюдению при изготовлении копий, делаемых пустыми внутри для достижения прочности и вместе с тем легкости».

Мы поймем причину этого, если рассмотрим поближе те напряжения, какие возникают в брусе при сгибании. Пусть в середине стержня *AB* (рис. 55), подпертого на концах, действует груз *Q*. Под влиянием груза стержень прогибается вниз. Что при этом происходит? Верхние слои бруса сжимаются, нижние, напротив, растягиваются, а некоторый средний слой («нейтральный») не будет ни сжиматься, ни растягиваться. В растянутой части бруса возникают упругие силы, противодействующие растяжению; в сжатой — силы, сопротивляющиеся сжатию. Те и другие стремятся выпрямить брус, и это сопротивление изгибу растет по мере прогибания бруса (если не превзойден так называемый «предел упругости»), пока не достигнут такого напряжения, которого груз *Q* преодолеть не может: сгибание останавливается.

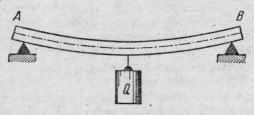

Рис. 55. Прогиб бруса.

Вы видите, что наибольшее противодействие сгибанию оказывают в этом случае самый верхний и самый нижний слои бруса: средние части тем меньше участвуют в этом, чем ближе они к нейтральному слою.

Рис. 56. Двутавровая (слева) и коробчатая балки.

Поэтому целесообразно сечению балки придать такую форму, при которой большая часть материала находится возможно дальше от нейтрального слоя. Такое распределение материала осуществлено, например, в двутавровой и коробчатой балках, изображенных на» рис. 56.

Впрочем, стенка балки не должна быть слишком тонкой: она не должна позволить полкам балок сдвинуться одна относительно другой и обязана обеспечить устойчивость балки.

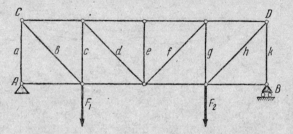

Рис. 57. Ферма заменяет в смысле прочности массивную балку.

Еще более совершенной формой в смысле экономии материала, чем двутавровая балка, является ферма. В ферме (рис. 57) вообще выброшен весь материал, прилежащий к нейтральному слою и потому слабо нагруженный. Взамен этого сплошного материала применены стержни $a$, $b$, ..., $k$, которые связывают пояса $AB$ и $CD$ фермы. Читателю ясно из предыдущего, что под действием нагрузок $F_1$ и $F_2$ верхний пояс фермы будет сжат, а нижний — растянут.

Теперь читателю понятно также и преимущество трубок перед сплошным стержнем. Добавлю числовой пример. Пусть имеются две круглые балки одинаковой длины, сплошная и трубчатая, причем площадь кольцевого сечения трубчатой балки та же, что и у сплошной. Вес обеих балок, конечно, одинаков. Но разница в сопротивлении изгибу огромная: расчет показывает, что трубчатая балка [1] прочнее (на изгиб) на 112%, т. е. более чем вдвое.

### Притча о семи прутьях

> «Товарищи, вспомните веник: раздергай — и весь по прутику ломай, а свяжи, попробуй-ка переломить».
> *Серафимович.* «Среди ночи».

Всем известна старинная притча о семи прутьях. Чтобы убедить сыновей жить дружно, отец предложил им переломить

---

[1] В случаях, когда диаметр просвета равен диаметру сплошной балки.

пучок из семи прутьев. Сыновья пытались это сделать, но безуспешно. Тогда отец, взяв у них пучок, развязал его и легко переломил каждый прут в отдельности.

Интересно рассмотреть притчу с точки зрения механики, именно — с точки зрения учения о прочности.

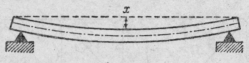

Рис. 58. Стрела прогиба *x*.

Величина *изгиба* стержня измеряется в механике так называемой «стрелой прогиба» *x* (рис. 58). Чем стрела прогиба в данном брусе больше, тем ближе момент излома. Величина же стрелы прогиба выражается следующей формулой:

$$\text{стрела прогиба } x = \frac{1}{12} \cdot \frac{Pl^3}{\pi E r^4},$$

в которой *P* — сила, действующая на стержень; *l* — длина стержня; π = 3,14...; *E* — число, характеризующее упругие свойства материала стержня; *r* — радиус круглого стержня.

Применим формулу к пучку прутьев. Семь его прутьев располагались, вероятнее всего, так, как показано на концовке этой главы, где изображено сечение пучка. Рассматривать подобный пучок как сплошной стержень (для чего он должен быть крепко перевязан) можно только с приближением. Но мы здесь и не ищем строго точного решения. Диаметр связанного пучка, как легко видеть из рисунка, раза в три больше диаметра отдельного прута. Покажем, что согнуть (а значит — и сломать) отдельный прут во много раз легче, чем весь пучок. Если в обоих случаях хотят получить одинаковую стрелу прогиба, то для прута надо затратить силу *p*, а для всего пучка — силу *P*. Соотношение между *p* и *P* вытекает из уравнения

$$\frac{1}{12} \cdot \frac{pl^3}{\pi k r^4} = \frac{1}{12} \cdot \frac{Pl^3}{\pi k (3r)^4},$$

откуда

$$p = \frac{P}{81}.$$

Мы видим, что отцу пришлось прилагать, хотя и семикратно, зато в 80 раз меньшее усилие, чем сыновьям.

*Глава восьмая*

# РАБОТА, МОЩНОСТЬ, ЭНЕРГИЯ

### Чего многие не знают о единице работы

— Что такое килограммометр?

— Работа поднятия одного килограмма на высоту одного метра, — отвечают обычно.

Такое определение единицы работы многие считают исчерпывающим, особенно если прибавить к нему, что поднятие происходит на земной поверхности. Если и вы удовлетворяетесь приведенным определением, то вам полезно будет разобраться в следующей задаче, лет тридцать назад предложенной знаменитым физиком проф. О. Д. Хвольсоном в одном математическом журнале.

«Из вертикально поставленной пушки длиною 1 *м* вылетает ядро весом 1 *кг*. Пороховые газы действуют всего на расстоянии 1 *м*. Так как на всем остальном пути ядра давление газов равно нулю, то они, следовательно, подняли 1 *кг* на высоту одного метра, т. е. совершили работу всего в 1 килограммометр. Неужели их работа столь мала?».

Будь это так, можно было бы обходиться без пороха, метая ядра силой человеческих рук. Очевидно, при подобном расчете делается грубая ошибка.

Какая?

Ошибка та, что, учитывая выполненную работу, мы приняли во внимание лишь небольшую ее долю и пренебрегли самой главной частью. Мы не учли того, что в конце своего пути по каналу пушки снаряд обладает *скоростью*, которой у него не было до выстрела. Работа пороховых газов состояла, значит, не в одном лишь поднятии ядра на высоту 1 *м*, но и в сообщении

111

ему значительной скорости. Эту неучтенную долю работы легко определить, зная скорость ядра. Если она равна 600 *м/с*, т. е. 60 000 *см/с*, то при массе ядра 1 *кг* (1000 *г*) кинетическая его энергия составляет:

$$\frac{mv^2}{2} = \frac{1000 \cdot 60\,000^2}{2} = 18 \cdot 10^{11}\,\text{эргов} = 1,8 \cdot 10^5\,Дж.$$

Это приблизительно равно 18 000 *кгм*. Вот какая значительная часть работы осталась неучтенной только из-за неточности определения килограммометра!

Теперь становится очевидным, как надо это определение пополнить:

*килограммометр есть работа поднятия на земной поверхности первоначально неподвижного груза в 1 кг на высоту 1 м при условии, что в конце поднятия скорость груза равна нулю.*

## Как произвести килограммометр работы

Никаких трудностей, казалось бы, тут нет: взять гирю в 1 *кг* и поднять на 1 *м*. Однако, с какой силой надо поднимать гирю? Силой в 1 *кг* ее не поднять. Нужна сила *больше* килограмма: избыток этой силы над весом гири и явится движущим усилием. Но *непрерывно* действующая сила должна сообщить поднимаемому грузу *ускорение*; поэтому гиря наша к концу поднятия будет обладать некоторой скоростью, не равной нулю, — а это значит, что выполнена работа не в 1 *кгм*, а *больше*.

Как же поступить, чтобы поднятием килограммовой гири на 1 *м* выполнить *ровно* килограммометр работы?

Поднимать гирю можно таким образом. В начале поднятия надо давить на гирю снизу с силой больше 1 *кг*. Сообщив этим гире некоторую скорость по направлению вверх, следует уменьшить или вовсе прекратить давление руки и предоставить гире двигаться замедленно. При этом момент, когда рука прекращает давление на гирю, нужно выбрать так, чтобы, двигаясь далее замедленно, гиря закончила свой путь в 1 *м* в тот момент, когда скорость ее сделается равной нулю. Действуя таким образом, т. е. прилагая к гире не постоянную силу в 1 *кг*, а переменную, меняющуюся от величины, большей 1 *кг*, до величины, меньшей 1 *кг*, мы можем совершить работу ровно в 1 *кгм*.

112

## Как вычислять работу

Сейчас мы видели, как сложно выполнить килограммометр работы поднятием 1 *кг* на 1 *м*. Лучше поэтому вовсе не пользоваться этим обманчиво простым, в действительности же очень запутывающим определением килограммометра.

Гораздо удобнее другое определение, не порождающее никаких недоразумений: *килограммометр есть работа силы в 1 кг на пути в 1 м, если направление силы совпадает с направлением пути.*[1]

Последнее условие — совпадение направлений — совершенно необходимо. Если им пренебречь, расчет работы может привести к чудовищным ошибкам.

Чтобы сравнивать между собой двигатели по их работоспособности, нужно сравнивать работы, произведенные ими за одно и то же время. Удобнее всего за единицу времени принять одну секунду. Таким образом, в механике вводится особая мера работоспособности, называемая мощностью. Под мощностью понимают работу, произведенную двигателем в одну секунду. В технике единицами мощности являются ватт и иногда еще применяется лошадиная сила, равная 735,499 *Вт*.

Решим для примера следующую задачу.

Автомобиль весом 850 *кг* движется со скоростью 72 километра в час по прямой горизонтальной дороге. Определить его мощность, если сопротивление движению составляет 20% его веса.

Определим сначала силу, движущую автомобиль. При равномерном движении она в точности равна сопротивлению, т. е.

$$850 \cdot 0,2 = 170 \text{ кг}.$$

---

[1] Кто-либо из читателей, быть может, возразит, что ведь и в таком случае тело может обладать в конечной точке пути некоторой скоростью, которую надо учесть. Отсюда как будто следует, что сила в 1 *кг* совершает на пути 1 *м* работу, *бо́льшую* чем 1 *кгм*. Совершенно верно, что в конечной точке пути тело будет обладать некоторой скоростью. Но работа силы в том и состоит, что она сообщает телу определенную скорость, дает ему известный запас кинетической энергии, а именно 1 *кгм*. Если бы этого не было, нарушился бы закон сохранения энергии: получилось бы меньше энергии, чем было затрачено. Другое дело — в случае вертикального поднятия тела: при подъеме 1 *кг* на высоту 1 *м* потенциальная энергия возрастает на 1 *кгм* и сверх того тело приобретает еще некоторую кинетическую энергию: получается как бы больше энергии, чем было израсходовано.

Определим теперь путь, проходимый автомобилем в течение одной секунды. Он равен

$$\frac{72 \cdot 1000}{3600} = 20 \text{ м/с.}$$

Так как направление движущей силы совпадает с направлением движения, то, умножив величину движущей силы на путь, проходимый в секунду, получим работу, производимую автомобилем за секунду, т. е. мощность:

$$170 \text{ кг} \cdot 20 \text{ м/с} = 3400 \text{ кгм/с} \approx 34\,000 \text{ Вт.}$$

В лошадиных силах это будет составлять приблизительно

$$34000 : 735 \approx 46 \text{ л. с.}$$

**Тяга трактора**

ЗАДАЧА

Мощность трактора «на крюке» — 10 *л. с.* Вычислить силу его тяги при каждой из скоростей, если

| первая скорость | 2,45 км/час |
| вторая » | 5,52 » |
| третья » | 11,32 » |

РЕШЕНИЕ

Так как мощность (в *Вт*) равна секундной работе, т. е. в данном случае произведению силы тяги (в *Н*) на секундное перемещение (в *м*), то составляем для «первой» скорости уравнение

$$735 \cdot 10 = x \cdot \frac{2,45 \cdot 1000}{3600},$$

где *x* — сила тяги трактора. Решив уравнение, узнаем, что $x \approx$ 10 000 *Н*.

Таким же образом находим, что тяга при «второй» скорости равна 5400 *Н*, при «третьей» 2200 *Н*.

Вопреки механике «здравого смысла» тяга оказывается тем больше, чем скорость движения меньше.

**Живые и механические двигатели**

Может ли человек проявить мощность в целую лошадиную силу? Другими словами, может ли он выполнить в секунду 735 *Дж* работы?

Рис. 59. Когда человек развивает мощность в одну лошадиную силу.

Считается, — и вполне правильно, — что мощность человека при нормальных условиях работы составляет около десятой доли лошадиной силы, т. е. равна 70—89 *Вт.* Однако в исключительных условиях человек на *короткое время* проявляет значительно бо́льшую мощность. Взбегая поспешно по лестнице (рис. 59), мы совершаем работу больше 80 *Дж/с.* Если мы ежесекундно поднимаем свое тело на 6 ступеней, то при весе 70 *кг* и высоте одной ступени 17 *см* мы производим работу

$$70 \cdot 6 \cdot 0{,}17 \cdot 9{,}8 \approx 700 \, Дж,$$

т. е. почти в 1 *л. с.* и, значит, превосходим лошадь по мощности раза в $1\frac{1}{2}$. Но, конечно, так напряженно работать мы можем всего несколько минут, а затем должны отдыхать. Если учесть эти промежутки бездействия, то в среднем мощность наша не будет превосходить 0,1 *л. с.*

Несколько лет назад во время состязаний в беге на короткой дистанции (90 *м*) отмечен случай, когда бегун развил мощность в 5500 *Дж/с,* т. е. в 7,4 *л. с.*

Лошадь также может доводить свою мощность до десятикратной и большей величины. Совершая, например, в 1 секунду прыжок на высоту 1 *м,* лошадь весом 500 кг выполняет работу в 5000 *Дж* (рис. 60), а это отвечает мощности

$$5000 : 735 = 6{,}8 \, л. \, с.$$

115

Напомним, что мощность в одну лошадиную силу в полтора раза больше средней мощности лошади, так что в рассмотренном случае мы имеем более чем 10-кратное возрастание мощности.

Рис. 60. Когда лошадь развивает мощность в 7 лошадиных сил.

Эта способность живых двигателей кратковременно повышать свою мощность в несколько раз дает им большое преимущество перед двигателями механическими. На хорошем, ровном шоссе автомобиль в 10 *л. с.* безусловно предпочтительнее повозки, запряженной двумя лошадьми. Но на песчаной

Рис. 61. Когда живой двигатель имеет преимущество перед машиной.

дороге такой автомобиль будет беспомощно увязать, между тем как пара лошадей, способных при нужде развивать мощность в 15 и более лошадиных сил, благополучно справляется с препятствиями пути (рис. 61). «С некоторых точек зрения, — говорит по этому поводу физик Содди, — лошадь необычайно полезная машина. Каков ее эффект, мы и не представляли себе, пока не явились автомобили, и вместо двух лошадей, обычно запрягаемых в экипаж, оказалось необходимым запрягать не меньше 12 или 15, иначе автомобиль останавливался бы у каждого пригорка».

## Сто зайцев и один слон

Сопоставляя живые и механические двигатели, необходимо, однако, иметь в виду и другое важное обстоятельство. Усилия нескольких лошадей не соединяются вместе по правилам арифметического сложения. Две лошади тянут с силой, которая меньше двойной силы одной лошади, три лошади — с силой, меньшей тройной силы одной лошади, и т. д. Происходит это оттого, что несколько лошадей, запряженных вместе, не согласуют своих усилий и отчасти мешают одна другой. Практика показала, что мощность лошадей при различном числе их в упряжке такова:

| Число лошадей в упряжке | Мощность каждой | Общая мощность |
|---|---|---|
| 1 | 1 | 1 |
| 2 | 0,92 | 1,9 |
| 3 | 0,85 | 2,6 |
| 4 | 0,77 | 3,1 |
| 5 | 0,7 | 3,5 |
| 6 | 0,62 | 3,7 |
| 7 | 0,55 | 3,8 |
| 8 | 0,47 | 3,8 |

Итак, 5 совместно работающих лошадей дают не 5-кратную тягу, а лишь $3\frac{1}{2}$-ную; 8 лошадей развивают усилие, лишь в 3,8 раза превышающее усилие одной лошади, а дальнейшее увеличение числа совместно работающих лошадей дает еще худшие результаты.

Отсюда следует, что тягу, например, трактора в 10 *л. с.* практически нельзя заменить тягой 15 рабочих лошадей.

Никакое вообще число лошадей не может заменить одного трактора, даже сравнительно малосильного.

У французов есть поговорка: «сто зайцев не делают одного слона». С не меньшим правом можем мы сказать, что «сто лошадей не заменят одного трактора».

## Машинные рабы человечества

Окруженные со всех сторон механическими двигателями, мы не всегда отдаем себе ясный отчет в могуществе этих наших «машинных рабов», как метко назвал их В. И. Ленин. Что всего более отличает механический двигатель от живого — это сосредоточенность огромной мощности в небольшом объеме. Самая мощная «машина», какую знал древний мир, — сильная лошадь или слон. Увеличение мощности достигалось в те времена лишь увеличением числа животных. Но соединить работоспособность многих лошадей в одном двигателе — задача, разрешенная лишь техникой нового времени.

Сто лет назад самой мощной машиной был паровой двигатель в 20 лошадиных сил, весивший 2 тонны. На одну лошадиную силу приходилось 100 *кг* веса машины. Отождествим для простоты мощность в одну лошадиную силу с мощностью одной лошади. Тогда будем иметь в лошади одну лошадиную силу на 500 *кг* веса (средний вес лошади), в механическом же двигателе — одну лошадиную силу на 100 *кг* веса. Паровая машина словно соединила мощность пяти лошадей в одном организме.

Рис. 62. Зачерненная часть контура лошади наглядно показывает, на какую долю веса приходится одна лошадиная сила в разных механических двигателях.

118

Лучшее соотношение мощности и веса мы имеем в современном 2000-сильном паровозе, весящем 100 *т*. А в электровозе мощностью 4500 *л. с.*, при весе 120 *т*, мы имеем уже одну лошадиную силу на 27 *кг* веса.

Огромный прогресс в этом отношении представляют авиационные двигатели. Двигатель в 550 *л. с.* весит всего 500 *кг*: здесь одна лошадиная сила приходится круглым счетом на 1 *кг* веса.[1] На рис. 62 эти соотношения представлены наглядным образом: зачерненная часть контура лошади показывает, на какой вес приходится одна лошадиная сила в соответствующем механическом двигателе.

Рис. 63. Соотношение веса авиамотора и лошади при равных мощностях.

Еще красноречивее рис. 63: здесь маленькая и большая лошади изображают, какой ничтожный вес стальных мускулов соперничает с огромной массой мышц животных.

Наконец, рис. 64 дает наглядное представление об относительной мощности небольшого авиационного двигателя: 162 лошадиных силы при объеме цилиндра всего 2 *л*.

Последнее слово в этом состязании еще не сказано современной техникой.[2] Мы не извлекаем из топлива всей той энергии, которая в нем содержится. Уясним себе, какой запас работы скрывает в себе одна калория теплоты, — количество, затрачиваемое для нагревания литра воды на 1°. Превращенная в

---

[1] В некоторых современных авиамоторах вес спускается до 1/2 *кг* на одну лошадиную силу и даже еще ниже.

[2] В данный момент первенство должно быть признано за ракетным двигателем, который, правда, в течение небольшого промежутка времени, может развить мощность в сотни тысяч и даже миллионы лошадиных сил.

механическую энергию полностью — на 100% — она доставила бы нам 4186 *Дж* работы, т. е. могла бы, например, поднять груз в 427 *кг* на высоту одного метра (рис. 65). Полезное же действие современных тепловых двигателей исчисляется только 10—30%: из каждой калории, получающейся в топке, они извлекают около тысячи джоулей вместо теоретических 4186.

Рис. 64. Авиамотор с цилиндром емкостью 2 литра обладает мощностью в 162 лошадиные силы.

Какой же из всех источников механической энергии, созданных человеческой изобретательностью, является особенно мощным? Огнестрельное оружие.

Современное ружье при весе около 4 *кг* (из которых на действующие части оружия приходится примерно лишь половина) развивает при выстреле 4000 *Дж* работы. Это кажется не особенно значительным, но не забудем, что пуля находится под действием пороховых газов только тот ничтожный промежуток времени, пока она скользит по каналу ружья, т. е. примерно 800-ю долю секунды. Так как мощность двигателей измеряется количеством работы, выполняемой в 1 *с,* то, отнеся работу пороховых газов к полной секунде, получим для мощности ружейного выстрела огромное число 4000 · 800 = 3 200 000 *Дж/с,* или 4300 *л. с.* Наконец, разделив эту мощность

Рис. 65. Калория, превращенная в механическую работу, может поднять 427 *кг* на 1 *м*.

на вес действующих частей ружейной конструкции (2 *кг*), узнаем, что одна лошадиная сила, приходится здесь на ничтожный вес механизма — в полграмма! Представьте себе миниатюрную лошадь в полграмма весом: этот пигмей размером с жука соперничает в мощности с настоящей лошадью!

Рис. 66. Энергия снаряда крепостного орудия достаточна для поднятия 75 тонн на верхушку самой высокой пирамиды.

Если же брать не относительные числа, а поставить вопрос об абсолютной мощности, то все рекорды побивает артиллерийское орудие. Пушка бросает ядра в 900 *кг со* скоростью 500 *м/с* (и это не является последним словом техники), развивая в сотую долю секунды около 110 миллионов джоулей работы. Рис. 66 дает наглядное представление об этой чудовищной работе: она равнозначаща работе поднятия груза в 75 *т* (75-тонного парохода) на вершину пирамиды Хеопса (150 *м*). Работа эта развивается в 0,01 долю секунды; следовательно, мы имеем здесь дело с мощностью в 11 000 миллионов *Вт* или с 15 миллионами лошадиных сил.

Рис. 67. Теплота, соответствующая кинетической энергии снаряда крупного морского орудия, достаточна для растопления 36 тонн льда.

121

Показателен также и рис. 67, иллюстрирующий энергию крупного морского орудия.

## Отвешивание с «походом»

Иногда недобросовестные продавцы отвешивают товар так: последнюю порцию, необходимую для равновесия, не кладут на чашку, а роняют с некоторой высоты. Коромысло весов резко склоняется в сторону товара, вводя в заблуждение доверчивого покупателя.

Если бы покупатель дождался, пока весы успокоятся, то убедился бы в том, что товара не хватает для равновесия.

Причина та, что падающее тело оказывает на опору давление, превосходящее его вес. Это ясно из следующего расчета. Пусть 10 *кг* падают на чашку весов с высоты 10 *см*. Они достигнут чашки с запасом энергии, равным произведению их веса на высоту падения:

$$0,01 \, кг \cdot 0,1 \, м = 0,001 \, кгм \approx 0,01 \, Дж.$$

Накопленный запас энергии расходуется на то, чтобы опустить чашку, скажем, на 2 *см*. Обозначим действующую при этом на чашку силу через $F$. Из уравнения

$$F \cdot 0,02 = 0,001$$

имеем:

$$F = 0,05 \, кг = 50 \, г.$$

Итак, порция товара весом всего 10 *г*, падая на чашку, дает, кроме своего веса, добавочное давление в 50 *г*. Покупатель обвешен на 50 *г*, хотя покидает прилавок в уверенности, что товар отпущен правильным весом.

## Задача Аристотеля

За два тысячелетия до того, как Галилей (в 1630 г.) заложил основы механики, Аристотель написал свои «Механические проблемы». В числе 36 вопросов, рассмотренных в этом сочинении, имеется следующий:

«Почему, если к дереву приложить топор, обремененный тяжелым грузом, то дерево будет повреждено весьма незначительно; но если поднять топор без груза и ударить по дереву, то оно расколется? Между тем падающий груз в этом случае гораздо меньше давящего».

Задачи этой Аристотель, при смутных механических представлениях его времени, разрешить не мог. Не справятся с ней, пожалуй, и иные из читателей. Рассмотрим поэтому поближе задачу греческого мыслителя.

Какой кинетической энергией обладает топор в момент удара в дерево? Во-первых, той, которая была накоплена им при подъеме, когда человек взмахивал топором; и, во-вторых — той энергией, которую топор приобрел при нисходящем движении. Пусть он весит 2 *кг* и поднят на высоту 2 *м;* при подъеме в нем накоплено 2 · 2 = 4 *кгм* энергии. Нисходящее движение происходит под действием двух сил: тяжести и мускульного усилия рук. Если бы топор опускался только под действием своего веса, он обладал бы к концу падения кинетической энергией, равной накопленному при подъеме запасу, т. е. 4 *кгм*. Сила рук ускоряет движение топора вниз и сообщает ему добавочную кинетическую энергию; если усилие рук при движении вверх и вниз оставалось одинаковым, то добавочная энергия при опускании равна накопленной при подъеме, т. е. 4 *кгм*. Итак, в момент удара о дерево топор обладает 8 *кгм* энергии.

Далее, достигнув дерева, топор в него вонзается. Как глубоко? Допустим, на 1 *см*. На коротком пути в 0,01-й скорость топора сводится к нулю, и, следовательно, весь запас его кинетической энергии расходуется полностью. Зная это, нетрудно вычислить силу давления топора на дерево. Обозначив ее через $F$, имеем уравнение

$$F \cdot 0,01 = 8,$$

откуда сила $F = 800$ *кг*.

Это значит, что топор вдвигается в дерево с силой веса 800 *кг*. Что же удивительного, что столь внушительный, хотя и невидимый груз раскалывает дерево?

Так решается задача Аристотеля. Но она ставит нам новую задачу: человек не может расколоть дерево непосредственной силой своих мышц; как же может он сообщить топору силу, которой не обладает сам? Причина в том, что энергия, накопленная на пути в 4 *м*, расходуется на протяжении 1 *см*. Топор представляет собой «машину» даже и в том случае, когда им не пользуются как клином (кузнечный молот).

Рассмотренные соотношения делают понятным, почему для замены действия молота требуются столь сильные прессы; например, молоту в 150 *т* соответствует пресс в 5000 *т*, молоту в 20 *т* — пресс в 600 *т* и т. п.

Действие сабли объясняется теми же причинами. Конечно, большое значение имеет то, что действие силы сосредоточивается на лезвии, имеющем ничтожную поверхность; давление на квадратный сантиметр получается огромное (сотни атмосфер). Но важен и размах: прежде чем ударить, конец сабли описывает путь метра в полтора, а в теле жертвы проходит всего около десятка сантиметров. Энергия, накопленная на пути в $1\frac{1}{2}$ м, расходуется на пути в 10—15 раз меньшем. Действие руки бойца усиливается от этой причины соответственно в 10—15 раз. Имеет, впрочем, значение и как действовать: боец не только ударяет, но и притягивает в момент удара саблю к себе. Вследствие этого он режет, а не только рубит. Попробуйте разломить хлеб на две части ударом, и вы убедитесь, насколько это труднее, чем разрезать его.

**Упаковка хрупких вещей**

При упаковке хрупких вещей прокладывают их соломой, стружками, бумагой и т. п. материалами (рис. 68). Для чего это делается, понятно: чтобы предохранить от поломки. Но *почему* солома и стружки оберегают вещи от поломок? Ответ, что они «смягчают» удары при сотрясениях, есть лишь пересказ того, что спрашивается. Надо найти причины этого смягчающего действия.

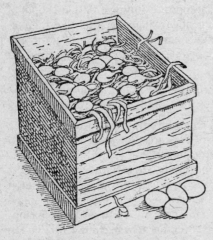

Рис. 68. Для чего яйца при упаковке перекладывают стружкой?

Их две. Первая та, что прокладка увеличивает площадь взаимного соприкосновения хрупких вещей: острое ребро или угол одной вещи напирает через упаковку на другую уже не по линии, не в точке, а по целой полоске или площадке. Действие силы распространяется на большую площадь, и оттого давление соответственно уменьшается.

124

Действие второй причины проявляется только при сотрясениях. Когда ящик с посудой испытывает толчок, каждая вещь приходит в движение, которое тотчас же прекращается, так как соседние вещи ему мешают. Энергия движения затрачивается тогда на прогибание сталкивающихся предметов, которое зачастую оканчивается их разрушением. Так как путь, на котором расходуется при этом энергия, очень мал, то надавливающая сила должна быть весьма велика, чтобы произведение ее на путь ($FS$) составило величину расходуемой энергии.

Теперь понятно действие мягкой прокладки: она удлиняет путь ($S$) действия силы и, следовательно, уменьшает величину надавливающей силы ($F$). Без прокладки путь этот очень короток: стекло или яичная скорлупа могут вдавливаться, не разрушаясь, лишь на ничтожную величину, измеряемую десятыми долями миллиметра. Слой соломы, стружек или бумаги между примыкающими друг к другу частями упакованных предметов удлиняет путь действия силы в десятки раз, во столько же раз уменьшая ее величину.

В этом — вторая и главная причина предохраняющего действия мягкой прокладки между хрупкими предметами.

### Чья энергия?

Западни, изображенные на рис. 69 и 70, устраиваются жителями Восточной Африки. Задевая протянутую у земли бечевку, слон обрушивает на свою спину тяжелый обрубок дерева с острым гарпуном. Больше изобретательности вложено в западню, изображенную на рис. 70: животное, задевшее шнур, спускает стрелу, которая вонзается в жертву.

Откуда берется здесь энергия, поражающая животное, понятно: это — преобразованная энергия того человека, который поставил западни. Падающий с высоты обрубок возвращает работу, которая была затрачена человеком при поднятии этого груза на высоту. Стреляющий лук второй западни также возвращает энергию, израсходованную охотником, который натянул тетиву. В обоих случаях животное только освобождает накопленный запас потенциальной энергии. Чтобы действовать в другой раз, западни нуждаются в новом заряжании.

Иначе обстоит дело в той западне, о которой говорит общеизвестный рассказ про медведя и бревно. Взбираясь по стволу дерева, чтобы добраться до улья, медведь натолкнулся на подвешенное бревно, мешающее карабкаться дальше (рис. 71).

Он оттолкнул препятствие; бревно откачнулось, но вернулось на прежнее место, слегка ударив животное. Медведь оттолкнул бревно сильнее; оно возвратилось и ударило крепче. С возрастающей яростью стал отбрасывать медведь бревно, — но, возвращаясь, оно наносило животному все более и более чувствительные удары. Обессиленный борьбой медведь упал, наконец, вниз, на вбитые под деревом острые колья.

Рис. 69. Слоновая западня в африканском лесу.

Эта остроумная западня не требует зарядки. Свалив первого медведя, она может вслед затем покончить со вторым, третьим и т. д., без всякого участия человека.

Рис. 70. Западня-самострел (Африка).

Откуда же берется здесь энергия ударов, сваливших медведя с дерева?

В этом случае работа производится уже за счет энергии самого животного. Медведь сам свалил себя с дерева и напоролся на колья. Отбрасывая подвешенное бревно, он превращал энергию своих мускулов в потенциальную энергию поднятого бревна, которая затем преобразовывалась в кинетическую энергию бревна падающего. Точно так же, взбираясь на дерево, медведь преобразовал часть мускульной энергии в потенциальную энергию своего поднятого тела, которая затем проявилась в энергии удара его туши о колья. Словом, медведь сам избивает себя, сам сваливает себя вниз и сам пробивает себя кольями. Чем сильнее животное, тем серьезнее должно оно пострадать от такой потасовки.

Рис. 71. Медведь в борьбе с подвешенным бревном.

## Самозаводящиеся механизмы

Знаком ли вам небольшой прибор, называемый *шагомером*? Он имеет величину и форму карманных часов, предназначен для ношения в кармане и служит для автоматического подсчета шагов. На рис. 72 изображены его циферблат и внутреннее устройство. Главную часть механизма составляет грузик *B,* прикрепленный к концу рычага *AB,* который может вращаться около точки *A.* Обычно грузик находится в положении, изображенном на рисунке; слабая пружинка удерживает его в верхней части прибора. При каждом шаге туловище пешехода, а с ним и шагомер немного приподнимаются и затем опускаются. Но грузик *B* вследствие инерции не сразу следует за поднимающимся приборчиком и, преодолевая упругость пружины, оказывается внизу. При опускании же шагомера грузик по той же причине перемещается вверх. От этого рычаг *AB* при каждом шаге совершает двойное колебание, которое при помощи зубчатки двигает стрелку на циферблате и регистрирует шаги пешехода.

Если вас спросят, что является источником энергии, движущей механизм шагомера, вы, конечно, безошибочно укажете на мускульную работу человека. Но было бы заблуждением думать, что шагомер не требует от пешехода дополнительного расхода энергии: пешеход-де «все равно ходит» и не делает будто бы ради шагомера никаких лишних усилий. Он безусловно развивает добавочное усилие, поднимая шагомер на некоторую высоту и преодолевая силу тяжести, а также силу упругости пружины, удерживающей грузик $B$.

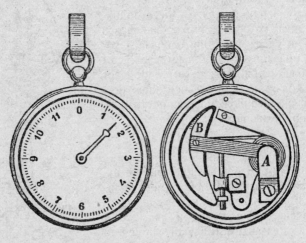

Рис. 72. Шагомер и его механизм.

Шагомер наводит на мысль устроить карманные часы, которые приводились бы в действие повседневными движениями человека. Такие часы существуют. Их носят на руке, беспрестанные движения которой и заводят их пружину без всяких забот обладателя. Достаточно носить эти часы на руке несколько часов, чтобы они оказались заведенными более чем на сутки. Часы очень удобны: они всегда заведены, поддерживая пружину постоянно в одинаковом напряжении, чем обеспечивается правильность хода; в их корпусе нет сквозных отверстий, обусловливающих засорение механизма пылью и его увлажнение; главное же — не приходится заботиться о периодическом заводе часов. Казалось бы, что такие часы годны для слесарей, портных, пианистов и особенно для машинисток, а не для работников умственного труда. Но, рассуждая так, мы упускаем из виду одно свойство хорошо слаженных часовых ходов: чтобы заставить такой ход идти, нужен самый незначительный импульс. Оказывается, что два-три движения заставляют тяжелый молоток слегка завести пружину, и завода хватает на 3—4 часа.

Можно ли считать такие часы не нуждающимися в энергии их владельца для поддержания их хода? Нет, они потребляют ровно столько же мускульной энергии, сколько расходуется и на завод обыкновенных часов. Движение руки, отягченной такими часами, требует избыточной затраты энергии по сравнению с рукой, несущей часы обыкновенного устройства: часть энергии расходуется, как и в шагомере, на преодоление упругости пружины.

Рассказывают, что владелец одного магазина в Америке «догадался» использовать движение дверей своего магазина, чтобы заводить пружину механизма, выполняющего полезную хозяйственную работу. Изобретатель полагал, что нашел даровой источник энергии, так как покупатели «все равно открывают двери». В действительности же посетитель, открывая двери, делал лишнее усилие на преодоление упругости заводимой пружины. Попросту говоря, владелец магазина заставлял каждого своего покупателя немного поработать и в его хозяйстве.

В обоих указанных случаях мы имеем, строго говоря, не самозаводящиеся механизмы, а лишь такие, которые заводятся мускульной энергией человека без его ведома.

## Добывание огня трением

Если судить по книжным описаниям, добывание огня трением — дело легкое. Однако осуществить его на деле не так-то просто. Вот как рассказывает Марк Твен о своих попытках применить на практике подобные книжные указания:

«Каждый из нас взял по две палочки и принялся тереть их одну о другую. Через два часа мы совершенно заледенели; палочки также (дело происходило зимою). Мы горько проклинали индейцев, охотников и книги, которые подвели нас своими советами».

О подобной же неудаче сообщает и другой писатель — Джек Лондон (в «Морском волке»):

«Я читал много воспоминаний, написанных потерпевшими крушение: все они пробовали этот способ безуспешно. Припоминаю газетного корреспондента, путешествовавшего по Аляске и Сибири. Я однажды встретил его у знакомых, где он рассказывал, как пытался добыть огонь именно трением палки о палку. Он забавно и неподражаемо рассказывал об этом неудачном опыте. В заключение он сказал: «Островитянин южных морей быть может сумеет это сделать; может быть добьется успеха и малаец. Но это безусловно превышает способности белого человека».

Жюль Верн в «Таинственном острове» высказывает совершенно такое же суждение. Вот разговор бывалого моряка Пенкрофа с юношей Гербертом:

«— Мы могли бы добыть огонь, как первобытные люди, трением одного куска дерева о другой.

— Что же, мой мальчик, попробуй; посмотрим, добьешься ли ты чего-нибудь таким способом, кроме того, что разотрешь себе руки в кровь.

— Однако же, этот простой способ весьма распространен на островах Тихого океана...

— Не спорю, — возразил моряк, — но думаю, что у дикарей есть особая к этому сноровка. Я не раз безуспешно пытался добыть огонь таким способом и решительно предпочитаю спички.

Пенкроф, — рассказывает далее Жюль Верн, — попробовал все-таки добыть огонь трением двух сухих кусков дерева. Если бы затраченная им и Набом энергия была превращена в тепловую, ее хватило бы, чтобы довести до кипения котлы трансатлантического парохода. Но результат получился отрицательный: куски дерева едва нагрелись, — меньше, чем сами исполнители опыта.

После часа работы Пенкроф обливался потом. Он с досадой бросил куски дерева.

— Скорее среди зимы наступит жара, чем я поверю, что дикари этим способом добывают огонь, — сказал он. — Легче, пожалуй, зажечь собственные ладони, потирая их одну о другую».

Причина неудач в том, что принимались за дело не так, как следует. Большая часть первобытных народов добывает огонь не простым трением одной палки, а сверлением дощечки заостренной палочкой.

Разница между этими способами выясняется при ближайшем рассмотрении.

Пусть палочка $CD$ (рис. 73) движется туда и назад поперек палочки $AB$, делая в секунду два хода с размахом 25 *см.* Силу рук, прижимающих палочки, оценим в 2 *кг* (числа берутся произвольные, но правдоподобные). Так как сила трения дерева о дерево составляет около 40% силы, придавливающей трущиеся куски, действующая сила равна в этом случае $2 \cdot 0,4 \cdot 9,8 \approx 8$ *Н,* а работа ее на пути 50 *см* составляет $0,8 \cdot 0,5 = 4$ *Дж.* Если эта механическая работа полностью превратилась в теплоту, то какому объему древесины сообщилась эта теплота? Дерево — плохой проводник теплоты; поэтому теплота, возникающая при трении, проникает в дерево очень неглубоко. Пусть толщина прогреваемого слоя всего лишь 0,5 *мм.*[1] Величина трущейся поверхности 50 *см,* умноженным на ширину соприкасающейся поверхности, которую примем равной 1 *см.* Значит, возникающей при трении теплотой прогревается объем дерева в

$$50 \cdot 1 \cdot 0,05 = 2,5 \ см^3.$$

Вес такого объема дерева около 1,25 *г.* При теплоемкости дерева 2,4 объем этот должен нагреться на

$$\frac{4}{1,25 \cdot 2,4} = \text{около } 1°.$$

Если бы, значит, не было потери тепла вследствие остывания, то трущаяся палочка ежесекундно нагревалась бы примерно на 1°. Но так как вся палочка доступна охлаждающему действию воздуха, то остывание должно быть значительно. Вполне правдоподобно поэтому утверждение Марка Твена, что палочки при трении не только не нагрелись, но даже обледенели.

Рис. 73. Книжный способ добывания огня трением.

---

[1] Читатель увидит из дальнейшего, что результат мало меняется, если взять толщину слоя несколько большую.

Другое дело — сверление (рис. 74). Пусть поперечник конца вращающейся палочки 1 *см* и конец этот входит в дерево на 1 *см*. Размах смычка (2 хода в секунду) 25 *см*, а сила, приводящая его во вращение, пусть равна 2 *кг*. Секундная работа равна

Рис. 74. Как в действительности добывают огонь трением.

в этом случае тоже $8 \cdot 0,5 = 4$ *Дж,* и количество возникающей теплоты равно тому же. Но нагреваемый объём дерева заметно меньше, чем в первом случае: $3,14 \cdot 0,05 = 0,15$ *см³*, а вес его — 0,075 *г.* Значит, теоретически температура в гнезде палочки должна подняться в секунду на

$$\frac{4}{0,075 \cdot 2,4} = 22°.$$

Такое повышение температуры (или близкое к нему) будет действительно достигаться, так как при сверлении нагреваемая часть дерева хорошо защищена от охлаждения. Температура воспламенения дерева равна 250°, и чтобы довести палочку до горения, достаточно при таком способе

$$250° : 22° = 11 \ c.$$

Правдоподобие нашего подсчета подтверждается тем, что, по свидетельству этнологов, опытные «сверлильщики огня» среди африканских негров добывают огонь в несколько секунд.[1] Впрочем, всем известно, как часто загораются оси плохо смазанных телег: причина в этом случае та же.

### Энергия растворенной пружины

Вы согнули стальную пружину. Затраченная вами работа превратилась в потенциальную энергию напряженной пружины. Вы можете вновь получить израсходованную энергию, если заставите распрямляющуюся пружину поднимать грузик, вращать колесо и т. п.; часть энергии возвратится в форме полезной работы, часть же уйдет на преодоление вредных сопротивлений (трения). Ни один эрг не пропадет бесследно.

Но вы поступаете с согнутой пружиной иначе: опускаете в серную кислоту, и стальная полоска растворяется. Должник исчез: не с кого взыскать энергию, затраченную на сгибание пружины. Закон сохранения энергии как будто нарушен.

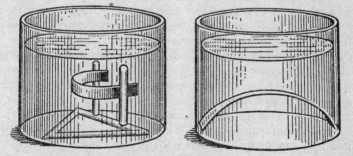

Рис. 75. Опыт с растворением напряженной пружины.

Так ли? Почему собственно мы должны думать, что энергия в этом случае исчезла бесследно? Она могла проявиться в форме кинетической энергии в тот момент, когда пружина,

---

[1] Кроме сверления, у первобытных народов практикуются и иные способы добывания огня трением — с помощью «огневого плуга», а также «огневой пилы». В обоих случаях нагревающимся частям древесины — древесной муке — обеспечивается защита от охлаждения.

разъеденная кислотой, лопнула, сообщив движение своим частям и окружающей жидкости. Могла она преобразоваться и в теплоту, подняв температуру жидкости. Но ожидать сколько-нибудь заметного повышения температуры не приходится. В самом деле, пусть края согнутой пружины сближены по сравнению с распрямленной на 10 см (0,1 м). Напряжение пружины примем равным 2 кг; значит, *средняя* величина силы, сгибавшей пружину, равнялась 1 кг. Отсюда потенциальная энергия пружины равна $1 \cdot 9,8 \cdot 0,1 = 1$ *Дж*. Такое незначительное (1 *Дж*) количество тепла может поднять температуру всего раствора лишь на ничтожную долю градуса, практически неуловимую.

Допустима, однако, возможность перехода энергии согнутой пружины также в электрическую или химическую; в последнем случае это могло бы сказаться либо ускорением разъедания пружины (если возникшая химическая энергия способствует растворению стали), либо замедлением этого процесса (в обратном случае).

Какая из перечисленных возможностей имеет место на самом деле, может обнаружить только опыт.

Подобный опыт и был произведен.

Стальная полоска в согнутом положении была зажата между двумя стеклянными палочками, установленными на дне стеклянного сосуда в полусантиметре одна от другой (рис. 75 слева). В другом опыте пружина упиралась прямо в стенки сосуда (рис. 75 справа). В сосуд налили серную кислоту. Полоска вскоре лопнула и обе части были оставлены в кислоте до полного растворения. Продолжительность опыта — от погружения в кислоту пружины до растворения ее частей — была тщательно измерена. Затем опыт растворения был повторен с такой же полоской в *несогнутом* состоянии при вполне одинаковых прочих условиях. Оказалось, что растворение ненапряженной полоски потребовало *меньше* времени.

Это показывает, что напряженная пружина стойче сопротивляется растворению, чем ненапряженная. Значит, несомненно, что энергия, затраченная на сгибание пружины, частью переходит в химическую, частью же — в механическую энергию движущихся частей пружины. Бесследного исчезновения энергии не происходит.

В связи с рассмотренной сейчас задачей можно поставить такой вопрос:

«Вязанка дров доставлена на 4-й этаж, отчего запас ее потенциальной энергии увеличился. Куда девается этот избыток потенциальной энергии, когда дрова сгорают?».

Разгадку нетрудно найти, если вспомнить, что после сгорания дров вещество их переходит в продукты горения, которые, образовавшись на известной высоте над землей, обладают большей потенциальной энергией, нежели в том случае, когда они возникают на уровне земной поверхности.

## Глава девятая
## ТРЕНИЕ И СОПРОТИВЛЕНИЕ СРЕДЫ

### С ледяной горы

ЗАДАЧА

С ледяной дорожки, наклон которой 30°, а длина 12 *м*, скатываются санки и мчатся далее по горизонтальной поверхности. На каком расстоянии они остановятся?

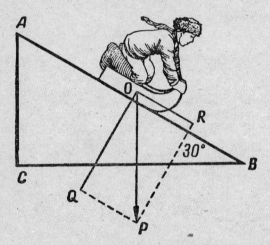

Рис. 76. Как далеко прокатятся санки?

РЕШЕНИЕ

Если бы санки скользили по льду без трения, они бы никогда не остановились. Но сани движутся с трением, хотя и небольшим: коэффициент трения железных полозьев о лед равен 0,02. Поэтому они будут двигаться лишь до тех пор, пока энергия, накопленная при скатывании с горы, не израсходуется полностью на преодоление трения.

Чтобы вычислить длину этого пути, определим, сколько энергии накопляют санки, скатившись с горы. Высота $AC$ (рис. 76), с которой санки спускаются, равна половине $AB$ (катет против 30° составляет половину гипотенузы). Значит, $AC = 6$ м. Если вес саней $P$, то кинетическая энергия, приобретаемая у основания горки, равна $6P$ кгм при условии отсутствия трения. Разложим вес $P$ на две составляющие: нормальную $Q$ и касательную $R$. Трение составляет 0,02 силы $Q$, равной $P\cos 30°$, т. е. $0{,}87P$. Следовательно, преодоление трения поглощает

$$0{,}02 \cdot 0{,}87P \cdot 12 = 0{,}21P \text{ кгм};$$

накопленная кинетическая энергия составляет

$$6P - 0{,}21P = 5{,}79P \text{ кгм}.$$

При дальнейшем пробеге саней по горизонтальному пути, длину которого обозначим через $x$, работа трения равна $0{,}02Px$ кгм. Из уравнения

$$0{,}02Px = 5{,}79P$$

имеем $x = 290$ м; сани, соскользнув с ледяной горы, пройдут по горизонтальному пути около 300 м.

## С выключенным мотором

### ЗАДАЧА

Шофер автомобиля, мчавшегося по горизонтальному шоссе со скоростью 72 км/час, выключит мотор. Какое расстояние проедет после этого автомобиль, если сопротивление движению составляет 2%?

### РЕШЕНИЕ

Задача эта сходна с предыдущей, но накопленный запас энергии вычисляется здесь по другим данным. Энергия движения автомобиля (его «живая сила») равна $\dfrac{mv^2}{2}$, где $m$ — масса автомобиля, а $v$ — его скорость. Этот запас работы расходуется на пути $x$, причем сила, действующая на автомобиль при его движении по пути $x$, составляет 2% его веса $P$. Имеем уравнение

$$\frac{mv^2}{2} = 0{,}02Px.$$

Так как вес $P$ автомобиля равен $mg$, где $g$ - ускорение силы тяжести, то уравнение принимает вид:

$$\frac{mv^2}{2} = 0{,}02mgx,$$

откуда искомое расстояние

$$x = \frac{25v^2}{g}.$$

В окончательный результат не входит масса автомобиля; значит, путь, проходимый автомобилем после выключения мотора, не зависит от его массы. Подставив $v = 20$ м/с, $g = 9{,}8$ м/с$^2$, получаем, что искомое расстояние равно приблизительно 1000 м; автомобиль проедет по ровной дороге целый километр. Такое большое расстояние получилось потому, что при расчете мы не приняли во внимание сопротивление воздуха, которое быстро возрастает вместе со скоростью.

### Тележные колеса

Почему у большинства повозок передние колеса делаются меньшего размера, чем задние — даже и тогда, когда передок не поворотный и передние колеса не должны подходить под кузов?

Чтобы найти правильный ответ, надо вопрос поставить иначе: спрашивать не о том, почему передние колеса меньше, а о том, почему задние *больше*. Дело в том, что целесообразность малого размера передних колес понятна сама собой; низкое положение оси этих колес придает оглоблям и постромкам наклон, облегчающий лошади вытаскивание телеги из выбоин дороги. Рис. 77 поясняет, почему при наклонном положении оглобли $AO$ тяга $OP$ лошади, разлагаясь на составляющие $OQ$ и $OR$, дают силу ($OR$), направленную вверх и облегчающую вытаскивание воза из выбоины. При горизонтальном же положении оглобель (рис. 77, правая часть) не получается силы, направленной вверх; вытащить воз из выбоины тогда трудно. На хорошо содержимых дорогах, где таких неровностей пути не бывает, излишне и низкое положение оси передних колес. Что касается автомобилей и двухколесных велосипедов, то у них и прежде колеса делались одинаковыми.

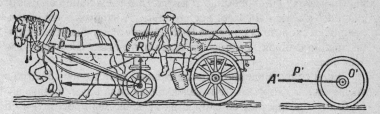

Рис. 77. Почему передние колеса выгодно делать маленькими?

Перейдем теперь к вопросу задачи: почему задние колеса не делаются одного диаметра с передними? Причина та, что большие колеса выгоднее малых, так как испытывают меньшее трение. Сила трения катящегося тела обратно пропорциональна радиусу. Отсюда ясна целесообразность большого диаметра задних колес.

## На что расходуется энергия паровозов и пароходов?

Согласно механике «здравого смысла» паровозы и пароходы расходуют свою энергию на собственное передвижение. Между тем только в первую четверть минуты энергия паровоза затрачивается на приведение его и поезда в движение. Остальное же время (на горизонтальном пути) энергия расходуется только на то, чтобы преодолевать трение и сопротивление воздуха. Можно сказать, что энергия трамвайной электростанции целиком расходуется на то, чтобы согревать воздух города, — работа трения превращается в теплоту. Не будь вредных сопротивлений, поезд, разгнавшись в течение первых 10—20 *с*, двигался бы по инерции на горизонтальном пути неопределенно долго, не затрачивая энергии.

Мы уже говорили ранее, что движение равномерное совершается без участия силы и, следовательно, без расхода энергии. Если же при равномерном движении происходит трата энергии, то расходуется она на преодоление помех равномерному движению. Мощные машины пароходов нужны также лишь для того, чтобы преодолевать сопротивление воды. Оно весьма значительно по сравнению с сопротивлением при сухопутном транспорте и, кроме того, быстро растет с увеличением скорости (пропорционально второй ее степени). В этом кроется, между прочим, причина того, почему на воде недостижимы столь значительные скорости, как на суше.[1] Гребец легко может двигать лодку со скоростью 6 *км/час;* но увеличение скорости еще на 1 *км/час* напрягает все его силы. А чтобы легкая гоночная лодка скользила со скоростью 20 *км/час,* нужна уже отлично тренированная команда из восьми человек, гребущих изо всех сил.

Если сопротивление воды движению растет очень быстро с увеличением скорости, то и увлекающая сила воды чрезвычайно быстро возрастает со скоростью. Сейчас мы побеседуем об этом подробнее.

### Камни, увлекаемые водой

Подмывая и разрушая берег, река сама переносит обломки от места их падения в другие части своего ложа. Вода перекатывает по дну камни, нередко довольно крупные, — способность, приводящая многих в изумление. Удивляются, как может вода увлекать камни. Правда, это делает не всякая река. Равнинная, медленно текущая река увлекает течением только мелкие песчинки. Но достаточно небольшого увеличения скорости, чтобы весьма заметно усилить увлекающую мощь водяного потока. При удвоенной скорости река не только уносит песчинки, но перекатывает уже крупную гальку. А горный поток, текущий еще вдвое быстрее, увлекает булыжники в килограмм и более весом (рис. 78). Чем объяснить эти явления?

Мы имеем здесь любопытное следствие закона механики, известного в гидрологии под названием «закона Эри». Закон утверждает, что увеличение скорости течения в $n$ раз сообщает потоку способность увлекать предметы в $n^6$ раз более тяжелые

Покажем, почему существует здесь такая — весьма редкая в природе — пропорциональность 6-й степени.

Для простоты вообразим каменный кубик с реором $a$ (рис. 79), лежащий на дне реки. На боковую его грань $S$ действует сила $F$ — напор текущей воды. Она стремится повернуть кубик вокруг ребра $AB$. Этому противодействует сила $P$ — вес кубика в воде, препятствующая повороту кубика вокруг этого ребра. Чтобы камень остался в равновесии, необходимо — по

---

[1] Сказанное не относится к тем судам (так называемым *глиссерам*), которые *скользят по воде,* почти не погружаясь в нее; встречая поэтому со стороны воды лишь незначительное сопротивление, глиссеры способны развивать сравнительно большие скорости.

правилам механики — равенство «моментов» обеих сил $F$ и $P$ относительно оси $AB$. Моментом силы относительно оси называется произведение величины этой силы на ее расстояние от оси. Для силы $F$ момент равен $Fb$, для силы $P$ он равен $Pc$ (рис. 79). Но $b = c = \dfrac{a}{2}$. Следовательно, камень останется в покое лишь тогда, когда

$$F \cdot \frac{a}{2} \le P \cdot \frac{a}{2}, \text{ т. е. } F \le P.$$

Далее применим формулу

$$Ft = mv,$$

где $t$ означает продолжительность действия силы, $m$ — масса воды, участвующая в напоре за $t$ секунд, $v$ — скорость течения.

Рис. 78. Горный поток перекатывает камни.

В гидродинамике доказывается, что полное давление струи воды на пластинку, перпендикулярную к направлению движения воды, пропорционально площади пластинки и квадрату скорости течения воды. Значит,

$$F = ka^2 v^2.$$

141

Вес $P$ куба в воде равен объему $a^3$, умноженному на удельный вес $d$ его материала, минус вес такого же объема воды (закон Архимеда):

$$P = a^3 d - a^3 = a^3 (d-1).$$

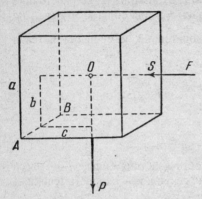

Условие равновесия $F \leq P$ принимает вид:

$$ka^2 v^2 \leq a^3 (d-1),$$

откуда

$$a \geq \frac{v^2}{k(d-1)}.$$

Ребро $a$ куба, могущего противостоять потоку, скорость которого $v$, пропорционально второй степени скорости. Вес же куба, мы

Рис. 79. Силы, действующие на камень в текущей воде.

знаем, пропорционален третьей степени его ребра $a^3$. Следовательно, вес увлекаемых водой каменных кубов возрастает с 6-й степенью скорости течения, так как $(v^2)^3 = v^6$.

В этом и состоит «закон Эри». Мы вывели его для камней кубической формы, но нетрудно получить вывод для тел любой формы. Наш вывод приближенный и имеет значение только для ориентировки. Современная гидродинамика дает более обоснованное решение.

Как иллюстрацию этого закона представьте себе три реки; скорость второй вдвое больше скорости первой, а третьей — еще вдвое больше. Иначе говоря, скорости их относятся как $1 : 2 : 4$. По закону Эри, вес камней, увлекаемых этими потоками, будет относиться, как $1 : 2^6 : 4^6 = 1 : 64 : 4096$. Вот почему, если спокойная река увлекает только песчинки в $^1/_4$ г весом, то вдвое более быстрая река может увлекать камешки до 16 г, а еще вдвое более быстрая горная река способна уже перекатывать камни весом во много килограммов.

## Скорость дождевых капель

Косые линии дождевых струй на оконных стеклах движущегося вагона (рис. 80) свидетельствуют о замечательном явлении. Здесь происходит сложение двух движений по правилу параллелограмма, так как капли дождя, падая вниз, участвуют одновременно и в движении поезда. Заметьте, что результирующее движение получается здесь *прямолинейное*. Но одно из слагающих движений (движение поезда) — равномерное. Механика учит, что в таком случае и другое составляющее движение, т. е. падение капель, должно быть тоже *равномерным*. Вывод неожиданный: падающее тело, движущееся равномерно! Это звучит парадоксально. Между тем, таков неизбежный вывод из прямолинейности косых линий на оконном стекле вагона; если бы капли дождя падали ускоренно, линии эти были бы кривыми (дугами парабол при равноускоренном падении).

Рис. 80. Косые струи дождя в окне вагона.

Итак, дождевые капли падают не с ускорением, как уроненный камень, а равномерно. Причина та, что сопротивление воздуха нацело уравновешивает вес капли, порождающий ускорение. Если бы этого не было, если бы воздух не задерживал падения дождевых капель, последствия были бы для нас довольно плачевны. Дождевые облака парят нередко на высоте 1—2 *км;* падая с высоты 2000 *м* в несопротивляющейся среде, капли достигли бы земной поверхности со скоростью

$$v = \sqrt{2gh} = \sqrt{2 \cdot 9{,}8 \cdot 2000} \approx 200 \text{ м/c.}$$

Это скорость револьверной пули. И хотя пули здесь не свинцовые, а только водяные, несущие с собой в 10 раз меньше кинетической энергии, все же не думаю, чтобы подобный обстрел был приятен.

С какой же скоростью дождевые капли в действительности достигают земли? Мы займемся этим, но прежде объясним, почему капли дождя движутся равномерно.

Сопротивление, испытываемое падающим телом со стороны воздуха, не остается во все время падения одинаковым. Оно растет по мере увеличения быстроты падения. В первые мгновения, пока скорость падения ничтожна,[1] можно вовсе пренебречь сопротивлением воздуха. В дальнейшем скорость падения возрастает, а вместе с тем растет и сопротивление, задерживающее рост скорости.[2] Падение остается ускоренным, но величина ускорения меньше, чем при свободном падении. Потом ускорение продолжает уменьшаться и практически становится равным нулю: с этого момента тело движется без ускорения, т. е. равно-

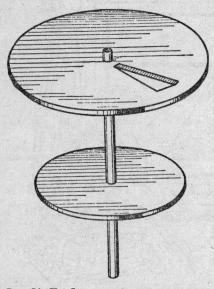

Рис. 81. Прибор для измерения скорости дождя.

мерно. И так как скорость не возрастает больше, то не растет и сопротивление: равномерное движение не нарушается, не переходит ни в ускоренное, ни в замедленное.

---

[1] В первую 10-ю долю секунды, например, свободно падающее тело проходит всего 5 *см.*

[2] При скорости от нескольких метров в секунду примерно до 200 *м/c* сопротивление воздуха растет пропорционально *квадрату* скорости.

Значит, тело, падающее в воздухе, должно с некоторого момента двигаться равномерно. Для капель воды момент этот наступает очень рано. Измерения окончательной скорости дождевых капель показали, что она весьма невелика, в особенности для капель мелких. Для капелек в 0,03 *мг* она равна 1,7 *м/с*, для 20 *мг* — 7 *м/с*, а для самых крупных, весом 200 *мг*, скорость достигает 8 *м/с;* большей скорости не, наблюдалось.

Очень остроумен способ измерения скорости дождевых капель. Прибор (рис. 81) состоит из двух дисков, наглухо насаженных на общую вертикальную ось. Верхний диск имеет прорез в форме узкого сектора. Прибор выносят под зонтом на дождь, приводят в быстрое вращение и убирают зонт. Капли дождя, проходя через прорез, падают на нижний круг, устланный пропускной бумагой. За время, в течение которого капля движется между дисками, диски успевают повернуться на некоторый угол, и следы капель, упавших на нижний круг, окажутся не прямо под прорезом, а несколько позади. Пусть, например, след капли оказался позади на 20-ю долю окружности, круги же делают 20 оборотов в минуту; расстояние между кругами пусть равняется 40 *см*. Нетрудно определить по этим данным скорость падения капель. Капля пробегает расстояние между кругами (0,4 *м*) в тот промежуток времени, в течение которого диск, делающий 20 оборотов в минуту, успевает повернуться на 20-ю долю оборота. Этот промежуток времени равен

$$\frac{1}{20} : \frac{20}{60} = 0,15 \ c.$$

В 0,15 *с* капля прошла 0,4 *м;* значит, скорость падения капли равна

$$0,4 : 0,15 = 2,6 \ м/с.$$

(Совершенно подобным же способом может быть измерена скорость полета пули.)

Что касается *веса* капель, то он вычисляется по размеру влажных пятен, получающихся при падении капель на пропускную бумагу. Сколько миллиграммов воды всасывает 1 *см$^2$* бумаги, определяют предварительно.

Интересно посмотреть, как скорость капли меняется в зависимости от веса.

| Вес капли в *мг* | 0,03 | 0,05 | 0,07 | 0,1 | 0,25 | 3 | 12,4 | 20 |
|---|---|---|---|---|---|---|---|---|
| Радиус в *мм* | 0,2 | 0,23 | 0,26 | 0,29 | 0,39 | 0,9 | 1,4 | 1,7 |
| Скорость в *м* | 1,7 | 2 | 2,3 | 2,6 | 3,3 | 5,6 | 6,9 | 7,1 |

Градины падают с большей скоростью, чем дождевые капли. Это объясняется не тем, конечно, что градины плотнее воды (наоборот, вода плотнее), а тем, что они достигают большей величины. Но и они падают близ земли с постоянной скоростью.

Даже брошенные с аэроплана шрапнельные пули (свинцовые шарики, около 1,5 *см* в диаметре) достигают земли с постоянной и довольно умеренной скоростью; поэтому они почти безвредны — неспособны пробить даже мягкую шляпу. Зато уроненные с такой же высоты железные «стрелки» представляют грозное оружие, пробивающее продольно туловище человека навылет. Объясняется это тем, что на 1 $см^2$ поперечного сечения стрелки приходится гораздо большая масса, нежели в круглой пуле; как выражаются артиллеристы, «поперечная нагрузка» стрелки значительнее, чем пули, благодаря чему стрелка успешнее преодолевает сопротивление воздуха.

### Загадка падения тел

Такое общеизвестное явление, как падение тел, дает нам поучительный пример резкого расхождения обыденных и научных представлений. Люди, не знакомые с механикой, убеждены в том, что тела тяжелые падают быстрее, чем легкие. Взгляд этот, восходящий к Аристотелю и всеми разделявшийся в течение длинного ряда веков, был опровергнут лишь в XVII веке Галилеем, основателем современной физики. Остроумен ход мыслей великого натуралиста, бывшего также и популяризатором: «Без опытов, путем краткого, но убедительного рассуждения мы можем ясно показать неправильность утверждения, будто тела более тяжелые движутся быстрее, нежели более легкие, подразумевая тела из одного и того же вещества... Если мы имеем два падающих тела, естественные скорости которых различны, и соединим движущееся быстрее с движущимся медленнее, то ясно, что движение тела, падающего быстрее, несколько задержится, а движение другого несколько ускорится. Но если это так, и если вместе с тем верно, что больший камень движется, скажем, со скоростью в восемь «градусов» (условная единица), тогда как другой, меньший — со скоростью в четыре «градуса», то, соединяя их вместе, мы должны получить скорость меньшую восьми «градусов»; однако, два камня, соединенные вместе, составляют тело, большее первоначального, которое имело скорость в восемь градусов; следовательно, выходит, что более тяжелое тело движется с меньшей скоростью, чем более легкое; а это противно нашему предположению. Вы видите, что из положения, что более тяжелые тела движутся с большей скоростью, чем легкие, я мог вывести заключение, что более тяжелые тела движутся менее быстро».

Теперь мы твердо знаем, что в пустоте все тела падают с одинаковой скоростью и что причина, обусловливающая различную скорость падения тел в воздухе, есть его сопротивление. Здесь, однако, возникает недоумение такого рода: сопротивление воздуха движению зависит только от размеров и от формы тела; казалось бы, поэтому, что два тела, одинаковые по величине и по форме, но разного веса, должны падать с одинаковой скоростью: их скорости, равные в пустоте, должны одинаково уменьшиться под действием воздушного сопротивления. Железный и деревянный шары одинакового диаметра должны падать одинаково быстро, — вывод, явно не отвечающий фактам.

Как выпутаться из этого конфликта теории и практики?

Воспользуемся мысленно услугами аэродинамической трубы (глава 1), поставив ее *отвесно*. Железный и деревянный шары одного размера подвешены в ней и подвержены действию идущего снизу воздушного потока. Иначе говоря, мы «обратили» падение тел в воздухе. Какой же из двух шаров будет быстрее увлекаться вверх воздушным потоком? Ясно, что хотя на оба шара действуют равные силы, шары получат неодинаковые ускорения: легкий шар приобретет большее ускорение (согласно формуле $F = ma$). Применяя это к первоначальному, не обращенному явлению, мы видим, что легкий шар при падении должен *отставать* от тяжелого. Другими словами, шар железный должен падать в воздухе быстрее, чем равный ему по объему деревянный. Сказанное объясняет, между прочим, и то, почему артиллеристы придают столь большое значение «поперечной нагрузке» снаряда, т. е. той доле его массы, которая приходится на каждый $см^2$, подверженный сопротивлению воздуха (см. конец предыдущего раздела).

Приведем еще такой пример. Приходилось ли вам, стоя на горе, развлекаться тем, что вы бросали камни под гору? В таком случае вы не могли не заметить, что крупные камни, как правило, проходили до остановки больший путь, чем малые. Объяснение простое: и большой и малый камень встречают одинаковые препятствия на пути, но большой камень, имея большой запас энергии, легче преодолевает такие препятствия, которые задерживают малый камень.

Величину поперечной нагрузки важно учитывать при расчете продолжительности жизни искусственных спутников Земли. Чем большая масса приходится на квадратный сантиметр поперечного сечения спутника, тем дольше — при прочих равных условиях — продержится спутник на орбите вокруг Земли, так как на его движении в меньшей степени будет сказываться сопротивление воздуха. Поэтому, например, третий советский спутник гораздо дольше двигался вокруг Земли, чем второй спутник, хотя его орбита сравнительно мало отличалась от орбиты второго спутника.

Если искусственный спутник Земли после выведения его на орбиту отделяется от последней ступени ракеты-носителя, то, как известно, эта ступень движется вокруг Земли в качестве самостоятельного искусственного спутника. Интересно, что отделившийся от ракеты-носителя контейнер с приборами всегда дольше движется вокруг Земли, чем последняя ступень ракеты-носителя, хотя первоначальные орбиты обоих тел почти не отличаются друг от друга. Это происходит оттого, что поперечная нагрузка пустой ступени (ее топливо выгорело при выведении спутника на орбиту) всегда меньше поперечной нагрузки спутника, плотно заполненного разнообразной научной аппаратурой.

Во время полета спутника его поперечная нагрузка не остается постоянной, так как вследствие беспорядочного «кувыркания» спутника площадь его поперечного сечения, перпендикулярного направлению движения, беспрерывно изменяется. Только у спутника, имеющего форму шара, поперечная нагрузка остается все время неизменной. Поэтому наблюдение движения таких спутников особенно удобно для изучения плотности атмосферы на больших высотах. Шарообразную форму, как известно, имел первый советский искусственный спутник Земли.

**Вниз по течению**

Для многих, я уверен, будет совершенно новым и неожиданным, что плавание тел по течению реки имеет близкое сходство с падением в воздухе. Принято думать, что лодка, пущенная на реку без весел и парусов, плывет по ней со скоростью течения. Такое представление, однако, ошибочно: лодка движется *быстрее течения* и притом тем быстрее, чем она тяжелее. Факт этот хорошо известен опытным плотовщикам, но совершенно неизвестен многим физикам. Должен сознаться, что и я лишь недавно узнал про него.

Разберемся подробнее в этом парадоксальном явлении. С первого взгляда представляется непонятным, как может плывущая по течению лодка обогнать несущую ее воду. Но надо иметь в виду, что река несет лодку не так, как лента конвейера переносит лежащие на ней детали. Вода в реке представляет собой наклонную плоскость, по которой тела самостоятельно скользят *ускоренным* движением; вода же вследствие трения о русло обладает установившимся *равномерным* движением. Ясно, что неизбежно должен наступить момент, когда плывущая с возрастающей скоростью лодка *перегонит* течение. С этого момента вода будет уже *тормозить* движение лодки, как воздух замедляет падение в нем тел. В итоге — по тем же причинам, как и в воздухе, — движущееся тело приобретает некоторую окончательную скорость, которая более уже не возрастает. Чем легче плывущее в воде тело, тем раньше достигается эта постоянная скорость и тем она меньше по величине; напротив, тело тяжелое, пущенное по течению, приобретает большую окончательную скорость.

Отсюда следует, что, например, весло, упущенное с лодки, должно *отстать* от лодки, так как оно значительно легче ее. И лодка, и весло будут нестись по реке быстрее течения, но тяжелая лодка опережает легкое весло. Так и наблюдается в действительности; особенно заметно это на быстро текущих реках.

Чтобы наглядно иллюстрировать все сейчас изложенное, приведем интересный рассказ одного путешественника:

«Я участвовал в экскурсии по Алтаю, и там мне пришлось спуститься по реке Бие — от ее истока из Телецкого озера до города Бийска — спуск занял 5 суток. Перед отправлением кто-то из экскурсантов заметил плотовщику, что нас на плоту довольно много.

— Ничего, — возразил наш дедка, — зато быстрей поедем.

— Как? Разве мы поплывем не со скоростью течения? — удивились мы.

— Нет, *мы поплывем быстрее течения*; чем тяжелее плот, тем он быстрее плывет.

Мы не поверили. Дед предложил нам, когда поплывем, бросить щепки с плота. Такой опыт мы проделали, — и действительно оказалось, что щепки очень быстро от нас отстают.

Правота деда выявилась во время сплава и более эффектно.

В одном месте мы попали в водоворот. Очень долго описывали мы круги, прежде чем удалось нам из него вырваться. В самом начале нашего кружения упал с плота в воду деревянный молоток и быстро уплыл (по свободной от водоворота поверхности реки. — *Я. П.*).

— Ничего, — сказал дед, — мы его догоним, мы тяжелее.

И хотя мы надолго застряли в водовороте, предсказание это сбылось.

В другом месте мы заметили впереди нас плот; он был легче нашего (без пассажиров), и мы его быстро догнали и перегнали».

## Как руль управляет судном

Всем известно, что маленький руль направляет движение большого корабля. Как это происходит?

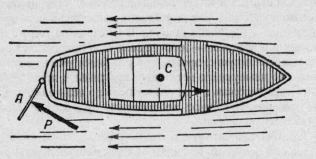

Рис. 82. При движении корабля под действием двигателя руль прикрепляется на корме.

Пусть корабль (рис. 82) движется под действием какого-либо двигателя в направлении, указанном стрелкой. Вместо того, чтобы рассматривать движение корабля относительно воды, можно считать корабль неподвижным, а воду текущей в направлении, противоположном движению корабля. Вода давит на руль *A* с силой *P,* которая поворачивает корабль вокруг его центра тяжести *C*. Чем больше скорость корабля по отношению к воде, тем лучше он слушается руля. Если корабль не движется относительно воды, то рулем его нельзя повернуть.

Расскажем об одном замечательном способе, к которому когда-то прибегали на Волге для управления большими белянами, плывшими по течению без тяги. Руль *A* устраивали на носу (рис. 83), а с кормы в тех случаях, когда нужно поворачивать беляну, выбрасывали на канате груз *В,* который волочился

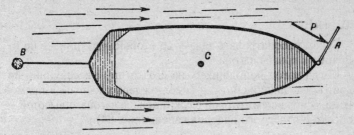

Рис. 83. При движении, более медленном чем течение, руль нужно прикрепить на носу.

по дну. Наличие этого груза и делало громадное судно управляемым. Почему? А потому, что беляна с лесом двигается медленнее воды; относительное движение воды происходит в сторону движения беляны, и вода оказывает давление на руль только в сторону, противоположную по сравнению со случаем, когда судно при наличии двигателя движется быстрее воды. Автор замечательной выдумки — народ.

**Когда дождь промочит сильнее?**

ЗАДАЧА

В этой главе нам пришлось много беседовать о падении дождевых капель. Позволю себе, поэтому в заключение предложить читателю задачу, хотя и не относящуюся прямо к теме главы, но тесно связанную с механикой падения дождя.

Практической задачей, на вид очень простой, но довольно поучительной, мы закончим эту главу.

В каком случае во время отвесного дождя вы больше промочите вашу шляпу: оставаясь неподвижно на месте или двигаясь под дождем столько же времени?

Задачу легче решить, если предложить ее в иной форме:

Дождь падает отвесно. В каком случае на крышу вагона попадет ежесекундно больше дождевой воды — когда вагон стоит или когда он движется?

Я предлагал эту задачу — в той и другой форме — разным лицам, занимающимся механикой, и получал разноречивые ответы. Одни для сбережения шляпы советовали спокойно стоять под дождем, другие, напротив, рекомендовали бежать возможно быстрее.

Какой же ответ правилен?

## РЕШЕНИЕ

Будем рассматривать задачу во второй редакции — по отношению к крыше вагона.

Когда вагон неподвижен, на его крышу ежесекундно попадает вода, заключенная, в виде дождевых капель, в прямой призме, основанием которой служит крыша вагона, а высотой — скорость $V$ отвесного падения капель (рис. 84).

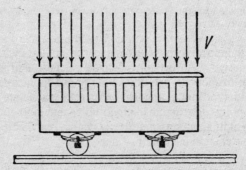

Рис. 84. Дождь, падающий отвесно на неподвижный вагон.

Труднее учесть количество дождевой воды, выпадающей на крышу *движущегося* вагона. Поступим следующим образом. Вообразим, что и вагон, движущийся со скоростью $C$, и вся

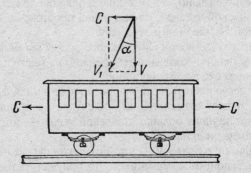

Рис. 85. То же в случае движущегося вагона.

совокупность падающих дождевых капель получили такое движение относительно земли, которое равно и противоположно действительному движению вагона. Тогда вагон сделается относительно земли неподвижным, капли же дождя будут совершать относительно этого неподвижного вагона двоякое движение: отвесное падение со скоростью $V$ и горизонтальное перемещение навстречу вагону со скоростью С. Результирующая скорость $V_1$ будет наклонена к крыше вагона; иными словами, вагон словно окажется под косым дождем (рис. 85).

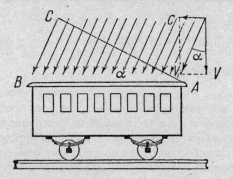

Рис. 86. Дождь, падающий на крышу движущегося вагона.

Теперь ясно, что совокупность капель, ежесекундно попадающих на крышу движущегося вагона, целиком заключается в пределах наклонной призмы, основанием которой по-прежнему служит крыша вагона (рис. 86), а боковые ребра наклонены под углом $\alpha$ к вертикали и равны $V_1$. Высота этой призмы равна

$$V_1 \cos \alpha = V.$$

Итак, обе призмы, о которых была речь: прямая (в случае вертикально падающего дождя) и наклонная (в случае косого дождя) имеют общее основание (крыша вагона) и равные высоты, а потому равновелики. В обоих случаях выпадает дождевой воды одинаковое количество! Ваша шляпа, следовательно, промокнет одинаково, простоите ли вы на дожде неподвижно полчаса или будете полчаса бежать под дождем.

*Глава десятая*
## МЕХАНИКА В ЖИВОЙ ПРИРОДЕ

### Гулливер и великаны

Когда вы читаете в «Путешествии Гулливера» о великанах в 12 раз выше нормального роста, вы, конечно, представляете себе их по крайней мере во столько же раз более могучими. Да и сам автор «Путешествия» наделил своих «бробдиньягов» чудовищной силой. Однако это совершенно ошибочно и противоречит законам механики. Легко убедиться, что великаны не только не могли быть в 12 раз могущественнее нормального человека, но, напротив, должны были быть относительно во столько же раз *слабее*.

Пусть рядом стоят Гулливер и великан. Оба поднимают вверх правую руку. Вес руки Гулливера $p$, а великана $P$. Первый поднимает центр тяжести своей руки на высоту $h$, второй — на $H$, Значит, Гулливер совершает работу $ph$, а великан $PH$. Найдем соотношение между этими величинами. Вес $P$ руки великана больше веса $p$ руки Гулливера во столько раз, во сколько больше ее объем, т. е. в $12^3$ раз. Высота $H$ больше $h$ в 12 раз. Итак,

$$P = 12^3 \cdot p,$$
$$H = 12 \cdot h.$$

Отсюда $PH = 12^4 pH,$ т. е. для поднятия руки великан должен выполнить работу в $12^4$ раз большую, нежели человек нормальных размеров. Наделен ли великан соответственно большей работоспособностью? Для этого обратимся к сравнению мускульной силы обоих существ и прежде всего прочтем относящееся сюда место из курса физиологии:[1]

---

[1] «Учсбник физиологии» Фостера.

«В мышце с параллельными волокнами высота, до которой поднимается тяжесть, зависит от *длины* волокна, вес же поднимаемого при этом груза зависит от *числа* волокон, так как тяжесть распределяется между ними. Поэтому из двух мышц одинаковой длины и качества большую работу производит та, которая обладает большей *площадью сечения*, а из двух мышц с одинаковой площадью сечения — та, которая *длиннее*. Если же для сравнения взяты две мышцы различной длины и площади сечения, то производимая ими работа больше для той из них, которая обладает большим *объемом*, т. е. содержит больше кубических единиц».

Прилагая сказанное к нашему случаю, заключаем, что способность производить работу у великана должна быть больше, чем у Гулливера, в $12^3$ раз (отношение *объемов* мышц). Обозначив работоспособность Гулливера через *w*, а великана через *W*, имеем соотношение

$$W = 12^3 w.$$

Значит, великан, поднимая свою руку, должен выполнить работу в $12^4$ раз большую, чем Гулливер, а работоспособность его мускулов превышает гулливерову только в $12^3$ раз. Ясно, что ему в 12 раз труднее выполнить это движение, чем Гулливеру. Другими словами, великан *относительно* в 12 раз слабее Гулливера; для одоления одного великана понадобилась бы армия не из 1728 (т. е. $12^3$) нормальных людей, а только из 144.

Если Свифт желал, чтобы его великаны были столь же свободны в своих движениях, как и люди нормального роста, он должен был наделить «бробдиньягов» мускулами, объем которых в 12 раз больше, чем требует пропорциональность. Для этого они должны иметь поперечник в $\sqrt{12}$, т. е. примерно в $3\frac{1}{2}$ раза больше, чем в теле пропорционально сложенного человека. К тому же и кости, несущие такие утолщенные мышцы, должны быть соответственно массивнее. Думал ли Свифт, что созданные его воображением великаны по тяжеловесности и неуклюжести должны походить на бегемотов?

## Почему бегемот неуклюж

Бегемот не случайно пришел мне на ум. Массивность и громоздкость этого животного легко объяснить сказанным в предыдущей статье. В природе не может быть существа, которое при крупных размерах отличалось бы грациозностью. Сравним бегемота (4 *м* длины) с мелким грызуном леммингом (15 *см* длины). Наружные формы их тела приблизительно подобны, но мы уже убедились, что животные, геометрически подобные, но имеющие разные размеры, не могут обладать одинаковой свободой движений.

Если бы мускулы бегемота были геометрически подобны мускулам лемминга, бегемот был бы относительно слабее лемминга в

$$\frac{400}{15} \approx 27 \text{ раз.}$$

Чтобы сравниться с леммингом в подвижности, мускулы бегемота должны быть в 27 раз объемистее сверх того, что требует пропорциональность, а значит, поперечник их — в $\sqrt{27}$, т. е. в 5 раз больше. Соответственно толще должны быть и кости, служащие опорой таким мускулам. Теперь понятно, почему бегемот так неуклюже толстомяс и обладает таким массивным скелетом. Рис. 87, на котором представлены в одинаковых размерах скелет и наружные очертания обоих животных, наглядно убеждает в сказанном. Следующая таблица подтверждает, что в животном мире наблюдается общий закон, в силу которого чем крупнее животное, тем больший процент его веса составляет скелет.

| Млекопитающие | Вес скелета в % | Птицы | Вес скелета в % |
|---|---|---|---|
| Землеройка | 8 | Королек | 7 |
| Домашняя мышь | 8,5 | Домашняя курица | 12 |
| Кролик | 9 | Гусь | 13,5 |
| Кошка | 11,5 | | |
| Собака (средн. разм.) | 14 | | |
| Человек | 18 | | |

**Строение наземных животных**

Многие особенности строения наземных животных находят себе естественное объяснение в том простом механическом законе, что работоспособность конечностей пропорциональна 3-й степени их длины, а работа, необходимая для управления ими, — 4-й степени. Поэтому, чем крупнее животное, тем короче его конечности — ноги, крылья, щупальцы. Длинные конечности мы видим только у самых мелких из наземных животных. Всем известный паук-сенокосец может служить примером таких длинноногих существ. Законы механики не препятствуют появлению подобных форм, пока размеры их весьма невелики. Но существование подобного животного при величине, скажем, с лисицу было бы невозможно: ноги не выдержали бы груза туловища и лишены были бы подвижности. Только в океане, где вес животного уравновешивается выталкивающим действием воды, могут существовать подобные животные формы; например, глубоководный краб *макрохейра* при поперечнике тела в полметра обладает ногами в 3 *м* длины.

Рис. 87. Скелет бегемота (направо), сопоставленный со скелетом лемминга, причем кости бегемота по длине уменьшены до размеров костей этого грызуна. Бросается в глаза непропорциональная массивность костей бегемота.

Действие того же закона сказывается и при развитии отдельных животных. Конечности взрослой особи всегда короче, чем у зародыша; рост туловища обгоняет рост конечностей, благодаря чему устанавливается надлежащее соотношение между мускулатурой и работой, необходимой для перемещения.

Этими интересными вопросами первый занимался Галилей. В своей книге «Беседы о двух новых отраслях науки», где заложены были основы механики, он уделяет место таким темам, как животные и растения чрезмерной величины, «кости великана и морских животных», возможная величина водяных животных и т. п. Мы еще вернемся к этому в конце главы.

## Судьба вымерших чудовищ

Итак, законы механики ставят некоторый предел размерам животных. Увеличивая абсолютную силу животного, крупный рост либо уменьшает его подвижность, либо же обусловливает несоразмерную массивность его мышц и скелета. То и другое ставит животное в невыгодные условия по отношению к добыванию пищи. Потребность в пище растет с увеличением размеров животного, возможность же ее добывания при этом уменьшается (пониженная подвижность). Начиная с некоторой величины животного, потребность его в пище, наконец, превышает

Рис. 88. Исполин древних геологических эпох, перенесенный на улицу современного города.

способность к ее добыванию. Такой вид обрекается на вымирание. И мы видим, как исполинские животные древних геологических эпох (рис. 88) действительно одно за другим сходят с арены жизни. Из всего разнообразия форм, созданных природой в крупном масштабе, лишь немногие дожили до наших дней. Наиболее крупные — например исполинские пресмыкающиеся — оказались нежизнеспособными. В числе причин, обусловивших вымирание исполинов древней истории Земли, указанный закон занимал одно из самых видных мест. Кит не может идти в счет: он живет в воде, вес его уравновешивается давлением воды на его тело, и все сейчас сказанное к нему не относится (см. заставку к этой главе).

Можно поставить вопрос: если большие размеры так невыгодны для жизни организма, то почему эволюция не шла в направлении измельчения животных форм? Причина та, что крупные формы все же *абсолютно* сильнее мелких, хотя и слабее их относительно. Обращаясь снова к образам из «Путешествия Гулливера», мы видим, что хотя великану в 12 раз труднее поднять свою руку, чем Гулливеру, груз, поднимаемый исполином, в 1728 раз больше; уменьшив этот груз в 12 раз, т. е. сделав его посильным для мускулов великана, мы будем все же иметь груз в 144 раза больший, чем посильный Гулливеру. Теперь понятно, что в борьбе крупных животных форм с мелкими у первых имеется заметное преимущество. Но выгодный при схватках с врагами большой рост ставит животное в неблагоприятные условия в других отношениях (добывание пищи).

## Кто лучше прыгает?

Многих изумляет высота прыжка блохи (до 40 *см*), более чем в сотню раз превосходящая ее рост; нередко высказывают мнение, что человек мог бы состязаться с блохой лишь в том случае, если бы способен был подпрыгивать на высоту $1,7 \, м \cdot 100 = 170 \, м$ (рис. 89).

Механический расчет восстанавливает репутацию человека. Для простоты будем считать тело блохи геометрически подобным телу человека. Если блоха весит $p$ *кг* и подпрыгивает на $h$ *м*, то она совершает при каждом прыжке $ph$ *кгм* работы. Человек же совершает при прыжке $PH$ *кгм*, если $P$ — вес его тела, а $H$ — высота его прыжка (вернее — высота подъема его центра тяжести). Так как человек примерно раз в 300 выше блохи, то вес его тела можно принять равным $300^3 \, p$, и, следовательно, работа прыжка человека равна $300^3 \, pH$. Это больше работы блохи в

$$300^3 \, \frac{H}{h} \text{ раз.}$$

Способность производить работу мы должны считать у человека в $300^3$ больше, чем у блохи (см. стр. 171). Поэтому мы в праве требовать у него затраты энергии лишь в $300^3$ большей. Но если

$$\frac{\text{работа человека}}{\text{работа блохи}} = 300^3,$$

159

то должно существовать равенство

$$300^3 \cdot \frac{H}{h} = 300^3, \text{ откуда } H = h.$$

Следовательно, человек сравнится с блохой в искусстве прыгать даже в том случае, если поднимет центр тяжести своего тела на одинаковую с ней высоту, т. е. сантиметров на 40. Подобные прыжки мы делаем без напряжения и, следовательно, нисколько не уступаем блохе в искусстве прыгать.

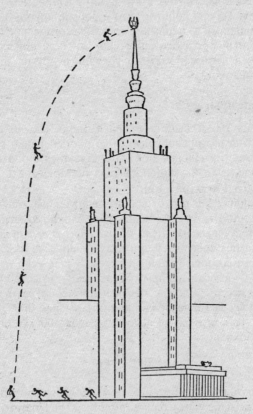

Рис. 89. Если бы человек прыгал, как блоха ...

Если этот расчет покажется вам недостаточно убедительным, вспомните, что, подпрыгивая на 40 *см*, блоха поднимает только свой ничтожный вес. Человек же поднимает груз в $300^3$, т. е. в 27000000 раз больший. Двадцать семь миллионов блох, прыгающих одновременно, подняли бы совместно груз, равный весу человеческого тела. Только такой прыжок — армии из 27 000 000 блох — и надо сравнивать с прыжком одного человека. И тогда сравнение окажется несомненно в пользу человека, так как он может прыгнуть выше 40 *см*.

Становится понятным теперь, почему с уменьшением размеров животного растет относительная величина его прыжков. Если прыжки животных, одинаково приспособленных (по устройству задних конечностей) к прыганью, сопоставим с размерами их тела, то получим такие цифры:

Кузнечик прыгает на     30  
Тушканчик прыгает на   15     } -кратную длину тела  
Кенгуру прыгает на       5

## Кто лучше летает?

Если мы желаем правильно сравнивать способность различных животных к летанию, мы должны помнить, что действие удара крыла обусловлено сопротивлением воздуха; последнее же, при равных скоростях движения крыла, зависит от величины его поверхности. Эта поверхность при увеличении размера животного растет пропорционально *второй* степени линейного увеличения, поднимаемый же груз (вес тела) возрастает пропорционально *третьей* степени линейного увеличения. Нагрузка на 1 $см^2$ крыла поэтому повышается с увеличением размеров летуна. Орлы страны великанов (в «Путешествии Гулливера») должны были нести на 1 $см^2$ своих крыльев 12-кратный груз по сравнению с обыкновенными орлами и были, конечно, гораздо худшими летунами, нежели миниатюрные орлы страны лилипутов, несшие нагрузку в 12 раз меньше нормальной.

Переходя от воображаемых животных к реальным, приведем следующие числовые данные о нагрузке, приходящейся на 1 $см^2$ крыльев (в скобках — вес животного):

*Насекомые*

Стрекоза (0,9 *г*) . . . . . . . . 0,04 *г*  
Бабочка-шелкопряд (2 *г*) . . . 0,1 *г*

Береговая ласточка (20 *г*) . . . 0,14 *г*
Сокол (260 *г*) . . . . . . . . . 0,38 *г*
Орел (5000 *г*) . . . . . . . . . 0,63 *г*

Мы видим, что чем крупнее летающее животное, тем большая нагрузка приходится на 1 *см*$^2$ его крыльев. Ясно, что для увеличения тела птицы должен существовать предел, превзойдя который птица не может уже поддерживать себя крыльями в воздухе. И не случайность, что самые крупные птицы лишены способности летать. Такие исполины пернатого мира, как казуар, достигающий человеческого роста, страус (2,5 *м*) или еще более крупная вымершая мадагаскарская птица *эпиорнис* [1] (5 *м*) не способны летать (рис. 90); летали лишь их отдаленные менее крупные предки,

Рис. 90. Страус рядом со скелетом вымершей мадагаскарской птицы — эпиорниса. Слева для сравнения — курица.

впоследствии из-за недостатка упражнения утратившие эту способность и вместе с тем получившие возможность увеличить свой рост.

## Безвредное падение

Насекомые безнаказанно падают с такой высоты, с какой мы не решились бы спрыгнуть. Спасаясь от преследования, иные из этих животных сбрасывают себя с веток высокого дерева и падают на землю совершенно невредимо. Чем это объяснить?

Когда ударяется о препятствие тело небольшого объема, то прекращают свое движение почти сразу все его частицы; одни

---

[1] По новейшим исследованиям этот вид еще жил на Земле в начале XVII века.

части тела поэтому при ударе не давят на другие. Другое дело — падение крупного тела: когда нижние его части прекращают при ударе свое движение, верхние еще продолжают двигаться и оказывают на нижние сильное давление. Это и есть то «сотрясение», которое гибельно для организма крупных животных. 1728 лилипутов, упав с дерева рассыпным дождем, пострадали бы мало; но если бы те же лилипуты упали плотным комом, то расположенные выше раздавили бы нижних. Человек нормального роста представляет собой словно ком из 1728 лилипутов. Вторая причина безвредности падения мелких существ кроется в большей гибкости их частей. Чем стержень или пластинка тоньше, тем больше сгибаются они под действием силы. Насекомые по линейным размерам в сотни раз меньше крупного млекопитающего; поэтому — как показывают формулы учения об упругости — части их тела во столько же раз больше сгибаются при ударе. А мы уже знаем, что если удар поглощается на пути в сотни раз более длинном, то и разрушительное его действие во столько же раз ослабляется.

### Почему деревья не растут до неба

«Природа позаботилась о том, чтобы деревья не росли до неба», — говорит немецкая пословица. Рассмотрим, как осуществляется эта «забота».

Вообразим древесный ствол, прочно выдерживающий собственный вес, и пусть линейные его размеры увеличились в 100 раз. Объем, а следовательно, и вес ствола возрастут при этом в $100^3$, т. е. в 1 000000 раз. Сопротивление же ствола раздроблению, зависящее от площади его сечения, увеличится только в $100^2$, т. е. в 10000 раз. На каждый $см^2$ сечения ствола придется тогда 100-кратная нагрузка. Ясно, что при известном увеличении роста дерево — если только оно остается геометрически подобным самому себе — должно собственным весом раздробить свое основание.[1] Чтобы уцелеть, высокое дерево должно быть непропорционально толще низкого. Но увеличение толщины увеличивает, конечно, вес дерева, т. е., в свою очередь, увеличивает нагрузку на основание. Значит, должна существовать для дерева такая предельная высота, при которой дальнейшее увеличение ее становится невозможным, — дерево ломается. Вот почему деревья «не растут до неба».

---

[1] Кроме случая, когда ствол, утоньшаясь кверху, имеет форму так называемого «бруса равного сопротивления».

Нас поражает необыкновенная прочность соломины, достигающей, например, у ржи $1^1/_2$ м высоты при ничтожной толщине 3 *мм*. Самое стройное сооружение строительного искусства — труба, достигающая 140 *м* высоты при среднем поперечнике 5,5 *м*. Ее высота всего в 26 раз превышает толщину, между тем как для стебля ржи это отношение равно 500. Здесь нельзя, однако, видеть доказательство того, что произведения природы неизмеримо совершеннее произведений человеческого искусства. Расчет показывает (мы не приводим его здесь ввиду сложности), что если бы природе понадобилось создать ствол в 140 *м* высоты по типу ржаной соломины, то поперечник его должен был бы быть около 3 *м*: только тогда ствол обладал бы прочностью стебля ржи. Это мало отличается от того, что достигнуто человеческой техникой.

Непропорциональное утолщение растительных форм с увеличением их высоты легко проследить на ряде примеров.

Если длина стебля ржи ($1^1/_2$ *м*) превышает его толщину в 500 раз, то у бамбука (30 *м*) это отношение равно 130, у сосны (40 *м*) — 42, у эвкалипта (130 *м*) — 28 (см. также рис. 91).

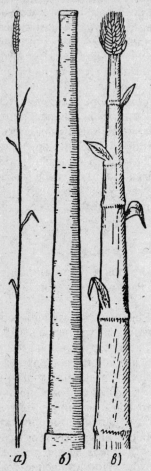

Рис. 91. Стебель ржи (*а*), заводская труба (*б*) и воображаемый стебель 140 *м* высоты (*в*).

### Из книги Галилея

Закончим эту часть книги отрывком из сочинения основателя механики Галилея «Беседы о двух новых отраслях науки».

«*Сальвиати*. Мы ясно видим невозможность не только для искусства, но и для самой природы беспредельно увеличивать размеры своих творений. Так, невозможна постройка судов, дворцов и храмов огромнейшей величины, коих весла, мачты, балки, железные скрепы, словом все части, держались бы прочно. С другой стороны, и природа не может произвести деревьев несоразмерной величины, так как ветви их, отягченные собственным чрезвычайным весом, в конце концов, сломались бы. Равным образом невозможно представить себе костях человека, лошади или другого живого существа слишком большой величины, который держался бы и соответствовал своему назначению; достигнуть чрезвычайной величины животные могли бы только в том случае, если бы вещество их костей было значительно прочнее и крепче, нежели обычное, или же если бы кости их изменились, соразмерно увеличившись в толщину, отчего животные по строению и виду производили бы впечатление чрезвычайной толщины. Это уже было подмечено проницательным поэтом (Ариосто в «Неистовом Роланде»), который, описывая великана, говорит:

> Огромный рост его так члены утолщает,
> Что вид чудовища они ему дают.

В качестве примера только что сказанного я покажу вам сейчас рисунок кости, удлиненной только в три раза, но увеличенной в толщину в такой мере, чтобы она могла служить для большего животного с той же надежностью, как меньшая кость служит для животного малого размера. Вы видите, какой несообразно толстой выглядит такая увеличенная кость (рис. 92). Отсюда ясно, что тот, кто желал бы сохранить в огромном великане .пропорцию членов обыкновенного человеческого тела, должен был бы найти для построения костей какое-либо иное, более удобное и прочное вещество или же должен был бы примириться с тем, чтобы большое тело обладало крепостью сравнительно меньшей, чем тело человека обычной величины; увеличение размеров до чрезвычайной величины имело бы следствием то, что тело было бы раздавлено и сломано тяжестью своего собственного веса. Обратно, мы видим, что, уменьшая размеры тел, мы не умень-

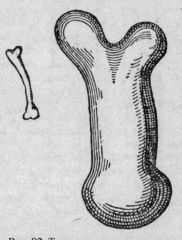

Рис. 92. Так должна увеличиться в толщину кость животного, чтобы она могла служить ему с такой же надежностью, с какой тонкая кость служит животному, в три раза меньшему.

шаем в той же пропорции их прочности; в телах меньших замечается даже относительное увеличение ее; так, я думаю, что небольшая собака может нести на себе двух или даже трех таких же собак, а в то время как лошадь едва ли может нести на спине одну только другую лошадь, равную ей по величине.

*Симпличио.* У меня есть достаточный повод сомневаться в справедливости сказанного вами, а именно, огромная величина тела, встречаемая у рыб, так, например, кит [1] равен по величине, если я не ошибаюсь, десяти слонам, и однако же тело его все же держится.

*Сальвиати.* Ваше сомнение, синьор Симпличио, заставляет меня припомнить еще одно упущенное мной сначала из виду условие, при котором великаны и прочие огромные существа могут жить и двигаться не хуже малых животных. Вместо того, чтобы увеличивать толщину и прочность костей и других частей, предназначенных для поддержания собственного веса и веса прилегающих частей тела, можно, оставив строение и пропорцию костей прежними, уменьшать в значительной мере вес материи как самих костей, так и частей тела, к ним прилегающих и ими поддерживаемых. По этому второму пути и пошла природа в творении рыб, сделав кости и части тела не только легкими, но и вовсе лишенными веса.

*Симпличио.* Хорошо вижу, к чему клонится ваша речь, синьор Сальвиати. Вы хотите сказать, что так как местопребыванием рыб является вода, которая в силу своей тяжести отнимает вес у погруженных в нее тел, то материя, из коей состоят рыбы, теряя в воде вес, может держаться, не обременяя костей. Однако этого для меня недостаточно, ибо хотя и можно предположить, что *кости рыб не отягощаются* телом, но материя этих костей, конечно, имеет вес. Кто же может утверждать, что ребро кита, величиною с добрую балку, не имеет достаточного веса и не пойдет ко дну в воде? По вашей теории тела такого большого размера, как у кита, не должно было бы существовать.

*Сальвиати.* Чтобы лучше возразить на ваши доводы, я сначала предложу вам вопрос: видели ли вы когда-нибудь рыб в спокойной и неподвижной воде не опускающимися ко дну, не поднимающимися на поверхность и не делающими никаких движений?

*Симпличио.* Это всем известное явление.

*Сальвиати.* Но если рыбы могут пребывать в воде без всякого движения, то это является неоспоримым доказательством того, что вся совокупность объема их тела равна по удельному весу воде; а так как в их теле существуют части более тяжелые, нежели вода, то необходимо прийти к заключению, что есть и другие части, которые легче воды и создают равновесие. Так как кости являются более тяжелыми, то мясо или другие какие-либо органы должны быть легче воды, и они-то своей легкостью отнимают вес у костей. Таким образом в воде имеет место совершенно обратное тому, что мы видим у

---

[1] В эпоху Галилея кита причисляли к рыбам. В действительности кит — млекопитающее, дышащее легкими; тем поучительнее тот факт, что кит — животное водное.

наземных животных: в то время как у последних кости должны нести свой вес и вес мяса, у водяных животных мясо поддерживает не только свой вес, но и вес костей. Таким образом, нет ничего чудесного в том, что огромнейшие животные могут существовать в воде, но не на земле, т. е. в воздухе.

*Сагредо.* Мне очень понравились рассуждения синьора Симпличио, вопрос, им возбужденный, и разрешение последнего. Я заключаю из них, что если вытащить на берег одну из таких огромных рыб, то она не сможет долгое время держаться, так как связь между костями ее должна скоро порваться, и тело разрушится».[1]

---

[1] См. об этом в книге Я. И. Перельмана «Физика на каждому шагу» статью «Почему киты живут в море?».

# ЗНАЕТЕ ЛИ ВЫ ФИЗИКУ

## Физическая викторина для юношества

# ИЗ ПРЕДИСЛОВИЯ АВТОРА КО ВТОРОМУ ИЗДАНИЮ

Настоящая книга, почти не выходящая из рамок элементарной физики, предназначается для читателя, прошедшего физику в полной средней школе и убежденного поэтому, что начала этой науки ему хорошо известны и переизвестны.

Долголетний опыт научил меня однако тому, что подлинное знание элементарной физики — явление довольно редкое. Внимание большинства интересующихся физикой преждевременно обращается к новейшим ее успехам; в ту же сторону, к последним страницам физической науки, направляют интерес читателей и наши популярно-научные журналы. О пополнении пробелов первоначальной подготовки заботятся мало; считается, что здесь все благополучно. Возвращаться к элементарной физике не принято, и она живет в памяти многих такою, какою была воспринята некогда умом школьника-подростка.

В итоге физику плохо знают не только те, кто не проходил ее систематически, но зачастую и те, кто обучался ей в школе. Элементы физической науки, фундамент естествознания и техники, оказываются заложенными довольно шатко. Сила рутины здесь так велика, что некоторые физические предрассудки и заблуждения случалось обнаруживать даже у специалистов-физиков, не исключая и весьма крупных.

Насколько я мог убедиться, сходное положение вещей наблюдается и за рубежом. По-видимому, корень дела кроется в обширности самого предмета элементарной физики, которым трудно вполне овладеть в несколько лет. К чести нашей читательской массы надо признать, что она добросовестно стремится изжить этот недостаток и гораздо серьезнее заботится о пополнении пробелов своего образования, чем читатель за рубежом. Не только среди учащихся, но еще больше среди рабочей молодежи идет интенсивная самообразовательная работа, неизменно растущая и приносящая заметные плоды. В этом убеждают меня многочисленные письма читателей и в особенности — беседы с читательским активом библиотек ряда крупных заводов, ленинградских и московских. У нас охотно читаются такие книги, которые в глазах среднего зарубежного читателя являются слишком трудными.

Возвращаясь к настоящей книге, отмечу, что она представляет собою как бы пространную физическую «викторину», которая должна помочь вдумчивому читателю установить, насколько в действительности овладел он основами физики. Однако это никак не вопросник для экзамена: большая часть вопросов принадлежит к таким, какие едва ли когда-нибудь предлагались на экзаменах. Напротив, книга рассматривает материал, обычно проскальзывающий мимо сетей традиционной экзаменационной проверки, хотя вопросы нашей «викторины» тесно связаны с элементарным курсом физики. При кажущейся простоте, они кроют в себе зачастую неожиданность для читателя. Иные вопросы представляются до того простыми, что у каждого готов на них ответ, который оказывается однако ошибочным.

Конечная цель книги — убедить читателя, что область элементарной физики гораздо богаче содержанием, чем думают многие, а попутно — обратить внимание на ошибочность ряда ходячих физических представлений. То и другое должно побудить читателей критически пересмотреть и тщательно проверить багаж своих физических знаний.

Для подлинного проникновения духом физической науки, как и для дальнейшего прогресса самой физики, чрезвычайно важно отрешиться от ложного убеждения, будто науке в области элементарных явлений нечего уже больше делать, будто все здесь исследовано до конца и не может быть интереса останавливаться на рассмотрении подобных азбучных положений. «Если вы хотите дать нечто действительно большое в науке, — говорил своим ученикам знаменитый французский физик Ле-Шателье, — если хотите создать нечто фундаментальное, беритесь за детальное обследование самых, казалось бы, до конца обследованных вопросов. Эти-то на первый взгляд простые и не таящие в себе ничего нового объекты и являются тем источником, откуда вы при умении сможете почерпнуть наиболее ценные и порой совершенно неожиданные данные».

Подбирая материал для этой книги, я избегал повторения того, что рассмотрено мною в ряде других моих сочинений. Читатель, который даст себе труд просмотреть мои «Занимательную физику» (две части), «Занимательную механику», «Занимательную астрономию», «Межпланетные путешествия» и «Физику на каждом шагу», найдет там немало страниц, отвечающих целям настоящей книги.

Для второго издания книга подверглась значительной переработке. Возможностью внести в текст много исправлений и улучшений я в значительной степени обязан благожелательному вниманию ряда сведущих читателей и критиков. Выражая им за оказанную помощь глубокую признательность, позволяю себе надеяться, что они и в дальнейшем не откажутся содействовать своими указаниями очищению текста моей книги от промахов и недомолвок.

172

# ВОПРОСЫ

## I. МЕХАНИКА

### 1.

Какие у нас узаконены метрические меры крупнее метра?

### 2.

Что больше: литр или кубический дециметр?

### 3.

Назовите самую маленькую единицу длины.

### 4.

Назовите самую большую единицу длины.

### 5.

Существуют ли металлы легче воды? Назовите самый легкий металл.

### 6.

Как велика плотность самого плотного вещества в мире?

### 7.

Вот один из вопросов знаменитой Эдисоновой викторины:[1]
«Если бы вас высадили на один из тропических островов Тихого океана без всяких орудий, как сдвинули бы вы там с

---

[1] За два года до смерти американский изобретатель пожелал поощрить стипендией наиболее сметливого юношу Соединенных Штатов. С разных концов республики направлены были к нему одареннейшие школьники, по одному из каждого штата, и Эдисон, во главе особой учрежденной им комиссии, подверг молодых людей испытанию, предложив ответить письменно на 57 вопросов из физики, химии, математики и общего характера. Победителем в состязании оказался 16-летний Вильбер Хастон из Детройта. Правда, выдающимся изобретателем этот юноша так и не стал.

места трехтонный груз — скалу, имеющую 100 футов в горизонтальном протяжении и 15 футов в вертикальном?»

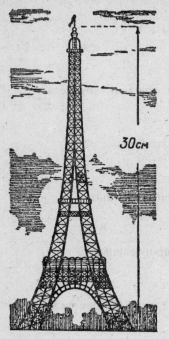

**30см**

Рис. 1. Сколько весит такая модель башни Эйфеля?

### 8.

Сколько примерно должна была бы весить паутинная нить длиною от Земли до Луны? Можно ли такой груз удержать в руках? А увезти на телеге?

Нить паутины имеет в диаметре 200-ю долю миллиметра; удельный вес ее вещества около 1.

### 9.

Железная Эйфелева башня высотою 300 *м* (1000 футов) весит 9000 т. Сколько должна весить точная железная модель этой башни высотою 30 *см* (один фут)? (рис. 1).

### 10.

Можете ли вы одним пальцем произвести давление в 1000 *ат*?

### 11.

Может ли насекомое производить давление в 100 000 *ат*?

### 12.

По реке плывет весельная лодка и рядом с ней — щепка. Что легче для гребца: перегнать щепку на 10 *м* или на столько же отстать от нее?

### 13.

Аэростат несется ветром в северном направлении. В какую сторону протягиваются при этом флаги на его гондоле?

### 14.

Камень, брошенный в стоячую воду, порождает волны, разбегающиеся кругами. Какой формы получаются волны от камня, брошенного в текущую воду реки? (рис. 2).

## 15.

а) Два парохода идут по реке в одну сторону с различными скоростями. В тот момент, когда они поравнялись, с каждого парохода брошена была в воду бутылка. Спустя четверть часа пароходы повернули обратно и с прежними скоростями направились к покинутым бутылкам.

Который из пароходов дойдет до бутылки раньше — быстрый или медленный?

б) Ту же задачу решить при условии, что пароходы шли первоначально навстречу один другому.

Рис. 2. Какой формы в текущей воде волны, разбегающиеся от брошенного тела?

## 16.

Подчиняются ли живые существа закону инерции?

## 17.

Может ли тело придти в движение под действием одних только внутренних сил?

## 18.

Почему трение всегда называют *силой*, несмотря на то, что трение само по себе не может породить движения (оно всегда направлено *против* движения)?

## 19.

Какую роль играет трение в процессе движения живых существ?

**20.**

Следующая задача взята из учебника механики А. В. Цингера:

«Чтобы разорвать веревку, человек тянет ее руками за концы в разные стороны, причем каждая рука тянет с силою 10 *кг*. Не разорвав таким образом веревки, человек привязывает один ее конец к гвоздю, вбитому в стену, а за другой тянет обеими руками с силою в 20 *кг*.

«Сильнее ли натягивается веревка во втором случае?»

**21.**

В знаменитых своих опытах с «магдебургскими полушариями» Отто Герике впрягал с каждой стороны по 8 лошадей.

Не лучше ли было прикрепить одно полушарие к стене, а к другому припрячь 16 лошадей? Получилась ли бы в этом случае более сильная тяга?

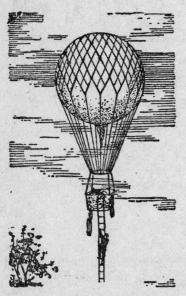

Рис. 3. Куда подвинется аэростат?

**22.**

Взрослый может вытянуть на безмене 10 *кг*, ребенок — 3 *кг*. Сколько покажет указатель безмена, если оба станут растягивать безмен одновременно в противоположные стороны?

**23.**

Стоя на платформе уравновешенных десятичных весов, человек присел. Куда качнулась платформа в момент приседания — вниз или вверх?

**24.**

С воздушного шара, неподвижно держащегося в воздухе, свободно свешивается лестница (рис. 3). По ней начал взбираться человек.

Куда при этом подвинется шар: вверх или вниз?

## 25.

На внутренней стенке закрытой банки, уравновешенной на чувствительных весах, сидит муха (рис. 4).

Что произойдет с весами, если, покинув свое место, муха станет летать внутри банки?

## 26.

В последнее время большую популярность на Западе, особенно в Америке, приобрела занимательная игрушка, называемая там «йо-йо». Это — катушка, которая спускается на разматывающейся ленте и сама затем поднимается. Игрушка — не новость: ею развлекались еще солдаты наполеоновских армий и даже, по розысканиям сведущих людей, герои Гомера.

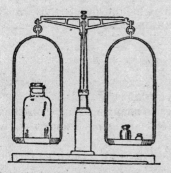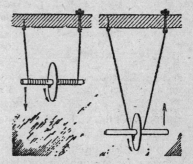

Рис. 4. Задача о мухе, летающей внутри банки.

Рис. 5. Маятник Максвелла

С точки зрения механики, «йо-йо» не что иное, как видоизменение общеизвестного маятника Максвелла (рис. 5): небольшой маховичок падает, разматывая навитые на его ось нити, и приобретает постепенно столь значительную энергию вращения, что, развернув нити до конца, продолжает вращаться, вновь наматывая их и, следовательно, поднимаясь вверх. При подъеме, вследствие превращения кинетической энергии в потенциальную, маховик замедляет вращение, наконец останавливается и опять начинает падение с вращением. Опускание и подъем маховичка повторяются много раз, пока первоначальный запас энергии не рассеется в виде теплоты, возникающей при трении.

Прибор Максвелла описан здесь для того, чтобы предложить следующий вопрос:

Нити маятника Максвелла прикреплены к пружинному безмену (рис. 6). Что должно происходить с указателем безмена в то время, когда маховичок исполняет свой танец вверх и вниз? Останется ли указатель в покое? Если будет двигаться, то в какую сторону?

### 27.

Можно ли в движущемся поезде пользоваться плотничьим уровнем (с пузырьком) для определения наклона пути?

### 28.

Рис. 6. Что показывает пружинный безмен?

a) Перенося в комнате с места на место горящую свечу, мы замечаем, что пламя в начале движения отклоняется назад. Куда отклонится оно, если переносить свечу в закрытом фонаре?

b) Куда отклонится пламя свечи в фонаре, если равномерно кружить фонарь около себя вытянутой рукой?

### 29.

Однородный стержень уравновешен, подпертый в середине (рис. 7). Какая часть стержня перетянет, если правую его половину согнуть вдвое (рис. 8)?

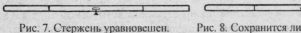

Рис. 7. Стержень уравновешен.     Рис. 8. Сохранится ли равновесие?

### 30.

Который из двух изображенных здесь (рис. 9) пружинных безменов, поддерживающих стержень *CD* в наклонном положении, показывает бо́льшую нагрузку?

178

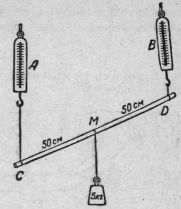

Рис. 9. Который из безменов сильнее нагружен?

## 31.

Невесомый рычаг *ABC* изогнут, как показано на рис. 10. Точка его опоры в *B*. Желательно поднять груз *A* наименьшей силой. В каком направлении нужно ее приложить к концу *C* рычага?

Рис. 10. Задача о кривом рычаге.

Рис. 11. С какой силой человек должен тянуть, чтобы удержать платформу от падения?

## 32.

Человек весом 60 *кг* стоит на платформе, вес которой 30 *кг*. Платформа подвешена на веревках, перекинутых через блоки,

179

как показано на рис. 11. С какою силою должен человек тянуть за конец веревки *a*, чтобы удержать платформу от падения?

### 33.

С какой силой надо натягивать веревку, чтобы она не провисала (рис. 12)?

Рис. 12. Можно ли натянуть веревку так, чтобы она не провисала?

### 34.

Чтобы вытащить увязший в выбоине автомобиль, прибегают к следующему приему. Привязывают его длинной прочной веревкой крепко к дереву или к пню близ дороги так, чтобы веревка была натянута возможно туже. Затем тянут за веревку под прямым углом к ее направлению. Благодаря этому усилию, автомобиль сдвигается с места.

На чем основан описанный прием?

### 35.

Известно, что смазка ослабляет трение. Во сколько, приблизительно, раз?

### 36.

Каким способом можно закинуть льдинку дальше: бросив в воздух или пустив скользить по льду (рис. 13)?

### 37.

Насколько, приблизительно, успевает опуститься первоначально неподвижное свободно падающее тело, пока звучит одно «тик-так» карманных часов?

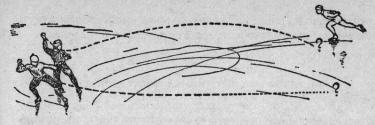

Рис. 13. Задача о брошенной и скользящей льдинках.

## 38.

Я получил ряд писем с выражением недоумения по поводу затяжного прыжка мастера парашютного спорта Евдокимова, поставившего мировой рекорд 1934 г. Евдокимов падал в течение 142 секунд с нераскрытым парашютом и, лишь пролетев 7900 *м,* дернул за его кольцо. Это никак не согласуется с законами свободного падения тел. Легко убедиться, что если парашютист свободно падал на пути 7900 *м,* то должен был употребить не 142 секунды, а только 40. Если же он свободно падал 142 секунды, то должен был пролететь путь не в 7,9 *км,* а около 100 *км.* Как разрешается это противоречие?

## 39.

В какую сторону надо из движущегося вагона выбросить бутылку, чтобы опасность разбить ее при ударе о землю была наименьшая?

## 40.

В каком случае выброшенная из вагона вещь долетит до земли раньше: когда вагон в покое или когда он движется?

## 41.

Три снаряда пущены из одной точки с одинаковыми скоростями под различными углами к горизонту: в 30°, 45° и 60°. Пути их (в несопротивляющейся среде) показаны на черт. 14.

Правилен ли чертеж?

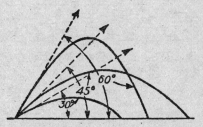

Рис. 14. Правилен ли чертеж?

181

## 42.

Какую кривую описывало бы тело, брошенное под углом к горизонту, при отсутствии сопротивления воздуха?

## 43.

Артиллеристы утверждают, что пушечный снаряд приобретает наибольшую скорость не в стволе орудия, а вне его, покинув канал.

Возможно ли это?

## 44.

В чем главная причина того, что прыжки в воду с большой высоты опасны для здоровья (рис. 15)?

## 45.

Шар положен на край стола, плоскость которого строго перпендикулярна к отвесу, проходящему через середину стола (рис. 16). Останется ли шар в покое при отсутствии трения?

Рис. 15. В чем главная опасность такого прыжка?

Рис. 16. Останется ли шар в покое?

## 46.

Брусок (рис. 17) в положении *B* скользит по наклонной плоскости *MN*, преодолевая трение. Можно ли быть уверенным, что он будет скользить и в положении *A* (если при этом не опрокидывается)?

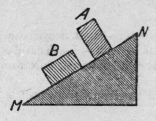

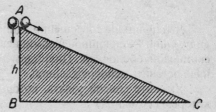

Рис. 17. Задача о скользящем бруске.

Рис. 18. Задача о двух шарах.

## 47.

1) Из точки *A* (рис. 18), находящейся на высоте *h* над горизонтальной плоскостью, движутся два шара: один скатывается по наклону *AC*, другой падает свободно по отвесной линии *AB*.

Который из шаров в конце пути будет обладать большей поступательной скоростью?

2) Из двух одинаковых шаров один катится по наклонной плоскости, другой — по краям двух параллельных треугольных досок (рис. 19). Угол наклона, а также высота, с какой началось движение, в обоих случаях одинаковы.

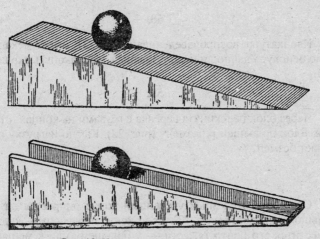

Рис. 19. Который шар быстрее скатится?

Который из шаров раньше достигнет конца наклонного пути?

## 48.

Два цилиндра совершенно одинаковы по весу и наружному виду. Один — сплошной алюминиевый, другой — пробковый с свинцовой оболочкой. Цилиндры оклеены бумагой, которую надо оставить неповрежденной.

Укажите способ узнать, который цилиндр однородный и который составной?

## 49.

Рис. 20. Песочные часы на весах.

Песочные часы с 5-минутным «заводом» поставлены в бездействующем состоянии на чашку чувствительных весов и уравновешены гирями (рис. 20).

Часы перевернули. Что произойдет с весами в течение ближайших пяти минут?

## 50.

Карикатура, воспроизведенная на рис. 21, имеет механическую основу. Удачно ли использованы в ней законы механики?

## 51.

Через блок перекинута веревка с грузами на концах в 1 *кг* и 2 *кг*. Блок подвешен к безмену (рис. 22). Какую нагрузку показывает безмен?

## 52.

Сплошной железный усеченный конус опирается на свое большое основание (рис. 23). Если конус перевернуть, куда переместится его центр тяжести — к большему или к меньшему основанию?

Рис. 21. Английские министры взбираются вверх, а фунт идет вниз. (Карикатура.)

Рис. 22. Что показывает безмен?

**53.**

Вы стоите на платформе весов в кабине лифта (рис. 24). Внезапно тросы оборвались, и кабина начала опускаться со скоростью свободно падающего тела.

Рис. 23. Задача о конусе.

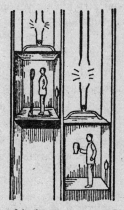

Рис. 24. Физические опыты в сорвавшемся подъемнике.

a) Что покажут весы во время этого падения?

b) Выльется ли во время падения вода из открытого перевернутого кувшина?

## 54.

Вообразите, что на доске *A* (рис. 25), могущей скользить отвесно вниз в прорезях двух стоек, имеются:

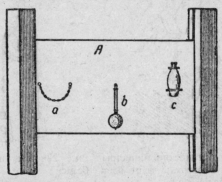

Рис. 25. Опыт со сверхускоренным падением.

1) цепь (*a*), прикрепленная концами к доске;

2) маятник (*b*), отведенный в сторону от положения равновесия;

3) открытый флакон (*c*) с водою, прикрепленный к доске.

Что произойдет с этими предметами, если доска *A* станет скользить вниз с ускорением $g_1$, бо́льшим ускорения $g$ свободного падения?

## 55.

Помешав ложечкой в чашке чая, выньте ее: чаинки на дне, разбежавшиеся к краям, соберутся к середине. Почему?

## 56.

Верно ли, что, стоя на качели, можно определенными движениями своего тела увеличить размах качаний (рис. 26)?

## 57.

Небесные тела по массе больше земных во много раз. Но их взаимное удаление превышает расстояние между земными предметами тоже в огромное число раз. А так как притяжение прямо пропорционально первой степени произведения масс, но обратно пропорционально *квадрату* расстояния, то странно, почему мы не замечаем притяжения между земными предметами и почему оно так явно господствует во Вселенной?

Объясните это.

Рис. 26. Механика на качелях.

## 58.

На тему предыдущей задачи мною составлена была для немецкого журнала статья. Прежде чем ее напечатать, редакция обратилась ко мне со следующей просьбой:

«Нам кажется, что в ваших расчетах не все правильно. Притяжение двух тел равно

$$\frac{\text{масса} \times \text{массу} \times \text{постоянную тяготения,}}{\text{деленным на квадрат расстояния.}}$$

Вы, однако, оперируете всюду с *весом*, а не с массами. Вес равен $mg$, откуда масса равна весу, деленному на 9,81. Это в ваших расчетах не было принято в соображение. Не будете ли вы любезны пересмотреть расчеты?».

Правильно ли замечание редакции? Нужно ли при вычислении силы притяжения умножать килограммы на килограммы, или необходимо предварительно делить число килограммов на $g$?

## 59

Принято считать, что все отвесы близ земной поверхности направлены к центру Земли (если пренебречь незначительным отклонением, обусловленным вращением земного шара). Известно, однако, что земные тела притягиваются не только Землей, но и Луной. Поэтому тела должны бы, казалось, падать по

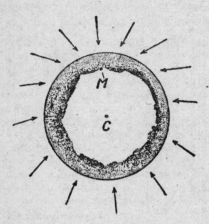

Рис. 27. К какой точке должны падать земные тела: к центру С земного шара или к общему центру масс (М) Земли и Луны?

направлению не к центру Земли, а к общему центру масс Земли и Луны. Этот общий центр масс далеко не совпадает с геометрическим центром земного шара, а отстоит от него, как легко вычислить, на 4800 *км.* (Действительно, Луна обладает массой, в 80 раз меньшей, чем Земля; следовательно, общий центр их масс в 80 раз ближе к центру Земли, чем к центру Луны. Расстояние между центрами обоих тел 60 земных радиусов; поэтому общий центр масс отстоит от центра Земли на три четверти земного радиуса.)

Если так, то направление отвесов на земном шаре должно значительно отличаться от направления к центру Земли (рис. 27).

Почему же подобные отклонения нигде в действительности не наблюдаются?

## II. СВОЙСТВА ЖИДКОСТЕЙ

### 60.

Что тяжелее: атмосфера земного шара или вся его вода? Во сколько раз?

# 61.

Назовите самую легкую жидкость.

# 62.

Легендарный рассказ о задаче Архимеда с золотой короной передается в различных вариантах. Древнеримский архитектор Витрувий (I век нашей эры) сообщает об этом следующее:

«Когда Гиерон,[1] достигши царской власти, пожелал в благодарность за счастливые деяния пожертвовать в какой-либо из храмов золотую корону, он повелел изготовить ее и передал мастеру необходимый материал. В назначенный срок тот принес изготовленную корону. Гиерон был доволен; вес короны соответствовал количеству материала. Но позже стали доходить слухи, что мастер похитил некоторое количество золота, подменив его серебром. Гиерон, рассерженный обманом, просил Архимеда придумать способ обнаружить подмену.

Занятый этим вопросом, Архимед пришел случайно в баню и, войдя в ванну, заметил, что вода вылилась через край из ванны в количестве, отвечающем глубине погружения тела. Сообразив причину явления, он не остался в ванне, а радостно выскочил и нагой побежал домой, крича на бегу по-гречески: «эврика, эврика» (нашел).

Затем, исходя из своего открытия, он взял два куска того же веса, как корона, один из золота, другой из серебра. Наполнив глубокий сосуд доверху водой, он погрузил в него серебряный кусок. Вода вытекла в количестве, отвечающем объему куска. Вынув кусок, он дополнил сосуд тем количеством воды, какое из него вылилось, измеряя приливаемую воду, пока сосуд вновь наполнился до краев. Отсюда он нашел, какой вес серебра соответствовал определенному объему воды. После того он опустил подобным же образом в наполненный сосуд кусок золота, и когда пополнил вытекшую воду, нашел измерением, что вытекло ее меньше — настолько, насколько кусок золота имеет меньший объем, чем кусок серебра того же веса. Когда затем он еще раз наполнил сосуд и погрузил в него корону, он нашел, что вытекло воды более, чем при погружении куска золота, и с помощью этого избытка вычислил примесь серебра к золоту, обнаружив таким образом обман мастера».

Можно ли было по описанному здесь методу Архимеда вычислить количество золота, подмененное в короне серебром?

# 63.

Что больше сжимается под сильным давлением — вода или свинец?

---

[1] Сиракузский правитель, по преданию — родственник Архимеда. (Не смешивать с ученым-механиком древности Героном.)

## 64.

В открытый ящик из переклейки с парафинированными стенками, 20 *см* длины и 10 *см* ширины, налита вода до высоты 10 *см* (рис. 28). В ящик стреляют из ружья — и он разносится в щепки, а вода превращается в облако мелкой пыли.

Чем объяснить подобное действие выстрела?

Рис. 28. Стрельба по ящику с водой.

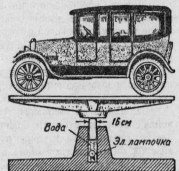

Рис. 29. Уцелеет ли лампочка под таким давлением?

## 65.

Может ли электрическая лампочка выдержать в воде давление груза в полтонны в условиях, показанных на рис. 29? Диаметр поршня 16 *см*.

## 66.

Два сплошных цилиндра одинакового веса и диаметра, алюминиевый и свинцовый, стоймя плавают в ртути. Который сидит глубже?

## 67.

Применим ли закон Архимеда к телам сыпучим?

Как глубоко может погрузиться в сухой песок деревянный шар, положенный на его поверхность?

Может ли человек утонуть с головой в сыпучем песке?

## 68.

Какое имеется лучшее доказательство того, что жидкость, свободная от действия внешних сил, принимает строго шарообразную форму?

## 69.

В каком случае из крана самовара падают более тяжелые капли: когда вода горяча или когда она остыла?

## 70.

a) Как высоко должна подняться вода в стеклянной трубке с просветом в один микрон?

b) Какая жидкость поднялась бы в такой трубке всего выше?

c) Какая вода поднимается в капиллярных трубках выше — холодная или горячая?

Рис. 30. В которой из трубочек вода поднимается выше?

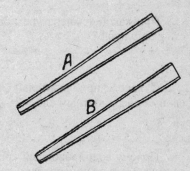

Рис. 31. Задача о двух тонких конических трубках.

## 71.

В отвесной капиллярной трубке жидкость поднимается на 10 *мм* над уровнем в сосуде. Как высоко поднимается она, если трубку наклонить под углом в 30° к поверхности жидкости (рис. 30)?

## 72.

Имеются две тонкие стеклянные трубки, расширяющиеся к одному концу (рис. 31). В первую трубку у точки *A* введена капля ртути, во вторую у *B* — капля воды. При этом наблюдается, что капли не остаются в покое, а движутся вдоль трубок.

Почему?

Куда капли подвигаются: к широкому или к узкому концу трубок?

### 73.

Если на дно стеклянного сосуда с *водой* положить плотную *деревянную* пластинку, она всплывет. Если на дно такого же сосуда с *ртутью* положить *стеклянную* пластинку, она не всплывет. Между тем известно, что плавучесть стекла в ртути (разность удельных весов ртути и стекла) гораздо больше, чем дерева в воде.

Почему же деревянная пластинка в воде всплывает, а стеклянная в ртути не всплывает?

### 74.

При какой температуре поверхностное натяжение жидкости равно нулю?

### 75.

С какой, приблизительно, силой сдавливается жидкость своим поверхностным слоем?

### 76.

Почему водопроводный кран устраивают завинчивающимся (рис. 32), а не поворотным, как в самоваре?

### 77.

Какая жидкость — вода или ртуть — вытечет из воронки скорее, если высота уровней одинакова?

### 78—79.

а) Ванна с отвесными стенками может быть наполнена из крана в 8 минут, а опорожнена через выпускное отверстие (при закрытом кране) в 12 минут. Во сколько времени наполнится она, если при открытом выпускном отверстии держать первоначально пустую ванну под открытым краном?

b) Ванна наполняется в 8 минут; при закрытом кране и открытом выпускном отверстии она опоражнивается также в 8 минут. Сколько воды окажется в первоначально пустой ванне, если целые сутки наливать в нее воду из крана при открытом выпускном отверстии?

c) Решить ту же задачу, если продолжительность наполнения по-прежнему 8 минут, а опорожнения — 6 минут.

d) Решить ту же задачу, если продолжительность наполнения полчаса, а опорожнения — 5 минут.

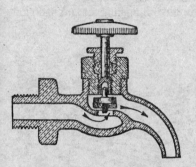

Рис. 32. Почему водопроводные краны устраиваются завинчивающимися?

Рис. 33. Головоломные задачи о наполнении ванны.

Рис. 34. Поверхность реки в половодье.

е) Ванна опоражнивается в срок более короткий, чем продолжительность ее наполнения из крана. Удержится ли в ней хотя бы немного воды, если наливать первоначально пустую ванну и одновременно выпускать из нее воду?

Во всех случаях, чтобы не осложнять решения, можно не принимать во внимание сжатия вытекающей струи и трения жидкости о края отверстия.

### 80.

Опоражнивая ванну, мы замечаем близ выпускного отверстия водяной вихрь. В какую сторону он вращается: по часовой стрелке, против нее?

Рис. 35. Поверхность реки в межень.

Рис. 36. Почему гребни волн прибоя загибаются?

### 81.

Почему в половодье поверхность реки слегка выпуклая, а в межень (т. е. при низком стоянии воды) — вогнутая (рис. 34 и 35)?

### 82.

Почему загибаются гребни морских волн, набегающих на пологий берег (рис. 36)?

# III. СВОЙСТВА ГАЗОВ

## 83.

Назовите третью по количественному содержанию постоянную составную часть атмосферного воздуха.

## 84.

Назовите самый тяжелый из газообразных элементов.

## 85.

Если поверхность человеческого тела равна 2 $м^2$, то можно ли считать, что общее давление атмосферы на тело человека составляет 20 $т$ (рис. 37)?

Рис. 37. «20 тысяч килограммов на наших плечах. Таким грузом отягчает нас 300–километровый столб воздуха. Не ощущаем мы его потому, что он действует не только сверху, но и снизу, а также изнутри, и потому уравновешивается».

Рисунок и подпись — из научно-популярной книги.

Рис. 38. Почему бумажный лист не отпадает?

## 86.

Насколько отличается от 1 атмосферы давление выдыхаемого и выдуваемого нами воздуха?

## 87.

Давлением скольких примерно атмосфер пороховые газы выталкивают снаряд артиллерийского орудия?

## 88.

В каких единицах выражают давление воздуха?

## 89.

Общеизвестен опыт с листком бумаги, который не отпадает от краев опрокинутого стакана с водой (рис. 38). Опыт описывается в начальных учебниках и часто фигурирует в популярных книгах. Объяснение обычно дается такое: снизу на бумажку давит извне воздух с силою одной атмосферы, изнутри же напирает на бумажку сверху только вода с силою во много раз меньшею (во столько раз, во сколько 10-метровый водяной столб, соответствующий атмосферному давлению, выше стакана); избыток давления и прижимает бумажку к краям стакана.

Если такое объяснение верно, то бумажка должна придавливаться к стакану с силою почти целой атмосферы (0,99 *ат*). При диаметре отверстия стакана 7 *см* на бумажку должна действовать сила приблизительно $^1/_4 \pi \times 7^2 = 38$ *кг*. Известно, однако, что для отрывания бумажного листка такой силы не требуется, а достаточно самого незначительного усилия. Пластинка металлическая или стеклянная, весящая несколько десятков граммов, вовсе не удерживается у краев стакана, — она отпадет под действием тяжести. Очевидно, обычное объяснение опыта несостоятельно.

Каково же правильное объяснение?

## 90.

Сравните давление, производимое ураганом, и рабочее давление пара в цилиндре паровой машины. Во сколько примерно раз одно больше другого?

## 91

Сравните напор воздуха, выдуваемого ртом, с тягой в заводской 40-метровой трубе (рис. 39). Если и то и другое выразить в миллиметрах ртутного столба, то каково примерно их отношение?

**92.**

Какой воздух богаче кислородом, тот, которым мы дышим, или тот, которым дышат рыбы?

**93.**

В стакане холодной воды, внесенном в теплую комнату, появляются пузырьки. Объясните это явление.

**94.**

Почему облака не падают?

**95.**

На что сильнее влияет сопротивление воздуха: на полет ружейной пули или на движение брошенного мяча?

**96.**

Физика утверждает, что молекулы газа находятся в непрерывном движении. Как же объяснить то, что вес несущихся в пустоте молекул передается дну сосуда?

Рис. 39. Задача о тяге в заводской трубе. Что сильнее: тяга в трубе или дуновение рта?

Рис. 40. Почему человек не может следовать этому примеру?

## 97.

Слон может оставаться под водою, дыша через хобот, выступающий над ней (рис. 40). Когда же пробовали подражать слону люди, заменяя хобот трубкой, плотно прилегающей ко рту, то наблюдалось кровотечение изо рта, носа, ушей, кончавшееся тяжелым заболеванием или даже гибелью водолаза. Почему?

## 98.

Шарообразная гондола стратостата «С-ОАХ-1» имела в диаметре 2,4 *м* с кольчугалюминиевыми стенками толщиною всего 0,8 *мм*.

Внутри гондолы поддерживалось при полете давление не ниже атмосферного, а на той высоте (22 *км*), какой шар достиг, давление наружного воздуха составляло около 0,07 *ат*. На каждый кв. сантиметр поверхности гондолы действовал изнутри избыток давления в 0,93 *кг*. Легко рассчитать, что полушария распирались с силою свыше 40 *т*.

Почему же кабина таким сильным давлением не была разорвана, подобно детскому воздушному шару под колпаком воздушного насоса?

## 99.

Внутрь кабины высотного аэростата необходимо ввести извне конец клапанной веревки. Как устроить этот ввод, имея в виду, что воздух из кабины не должен быть выпущен в окружающую разреженную среду?

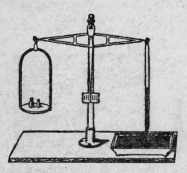

Рис. 41. Поколеблются ли весы, если атмосферное давление изменится?

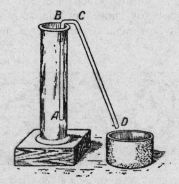

Рис. 42. Как всего проще пустить этот сифон в действие?

## 100.

Верхний конец трубки чашечного барометра прикреплен к одной чашке весов; на другую чашку положены для равновесия гири (рис. 41).

Нарушится ли равновесие, если изменится барометрическое давление?

## 101.

Как без всяких приспособлений пустить в действие сифон (рис. 42), не наклоняя сосуда и не пользуясь такими обычными приемами, как насасывание жидкости или полное погружение сифона в жидкость? Сосуд наполнен почти доверху.

## 102.

Может ли сифон действовать в пустоте?

## 103.

Можно ли сифоном переливать газ?

## 104.

Как высоко может поднять воду колодезный всасывающий насос (рис. 43)?

Рис. 43. Как высоко может поднимать воду такой насос?

### 105.

Под колоколом воздушного насоса помещен закрытый баллон с газом, давление которого нормальное. Если кран баллона открыть, газ устремится в окружающую пустоту со скоростью 400 *м/с*. Какова была бы скорость вытекания, если бы первоначальное давление газа в баллоне равнялось не 1 *ат,* а 4 *ат*?

### 106.

Всасывающий насос поднимает воду потому, что под его поршнем разрежается воздух. При наибольшем *практически* достижимом разрежении вода поднимается на 7 *м.* Но если работа накачивания состоит лишь в разрежении воздуха, то поднятие воды на высоту 1 *м* и 7 *м* требует одинакового расхода энергии. Можно ли использовать это свойство водяного насоса для устройства дарового двигателя? Как?

### 107.

Кипяток гасит огонь быстрее, чем холодная вода, так как сразу отнимает от пламени теплоту парообразования и окружает огонь слоем водяного пара, затрудняющего доступ воздуха. Ввиду этого, не следовало ли бы пожарным являться с бочками *кипящей* воды и из насосов поливать ею горящее здание?

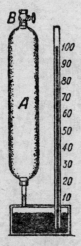

Рис. 44. К задаче о резервуаре с газом.

Рис. 45. Будет ли Сегнерово колесо вращаться в пустоте?

200

# 108.

Резервуар *A* (рис. 44) содержит воздух, сжатый под давлением больше 1 *ат* и при температуре окружающей среды. Давление сжатого газа измеряется высотой ртутного столба в манометре. Открыв кран *B,* выпустили из резервуара столько газа, что ртутный столб в манометрической трубке понизился до высоты, соответствующей нормальному давлению.

Спустя некоторое время было замечено, что, хотя кран оставался закрытым, ртуть в трубке снова несколько поднялась. Почему это произошло?

# 109.

Если бы у дна океана на глубине 8 *км* появился пузырек воздуха, мог ли бы он всплыть на поверхность воды?

# 110.

Вращается ли Сегнерово колесо (рис. 45) в пустоте?

# 111.

Что тяжелее: кубометр *сухого* воздуха или кубометр воздуха *влажного* — при одинаковых условиях температуры и давления?

# 112.

Во сколько примерно раз разрежается воздух лучшими современными воздушными насосами?

# 113.

Сколько приблизительно молекул остается еще в литровом сосуде, из которого воздух выкачан самым лучшим насосом? Хватило ли бы их, например, чтобы наделить по одной молекуле все население Москвы?

# 114.

Как объясните вы существование земной атмосферы? Молекулы воздуха либо подвержены силе тяготения, либо ей не подвержены. Если не подвержены, то почему они «не рассеиваются в пустом пространстве кругом Земли? Если же они тяжести подвержены, то почему не падают на поверхность Земли, а держатся над нею?

## 115.

Может ли газ занимать только часть резервуара, оставляя другую часть пустой?

## IV. ТЕПЛОВЫЕ ЯВЛЕНИЯ

## 116.

Почему на шкале Реомюра точка кипения воды обозначена числом 80?

## 117.

Почему на шкале Фаренгейта точка кипения воды обозначена числом 212?

## 118.

Одинаковы ли все градусные деления на шкале ртутного термометра? А на шкале спиртового?

## 119.

Можно ли устроить ртутный термометр для температуры до 750 °?

## 120.

В брошюре Карпентера «Современная наука», переведенной на русский язык Л. Н. Толстым, имеется следующий довод против правильности устройства наших термометров:

«Градус не есть одно и то же в начале и в конце лестницы температуры. Уже одно то, что градусы термометра суть равные пространственные деления, доказывает, что отношение их ко всему объему жидкости, расширяющейся от одного конца трубки до другого, не может оставаться постоянным».

Карпентер желает сказать, что если, например, длина градуса 1 *мм*, то миллиметровый цилиндрик ртути при 0 ° составляет более крупную долю объема всей ртути, чем такой же цилиндрик при 100 °, когда общий объем ртути увеличился; значит, заключает критик, нельзя считать соответствующие интервалы температуры равными.

Справедлив ли этот упрек и подрывает ли он доверие к измерению температуры с помощью термометров с жидкостями и газами?

## 121.

Почему в железобетоне при нагревании и охлаждении бетон не отделяется от железа?

## 122.

Укажите твердое тело, расширяющееся от теплоты сильнее, чем жидкости.

Укажите жидкость, расширяющуюся от теплоты сильнее, чем газы.

## 123.

Какое вещество всего менее расширяется при нагревании?

## 124.

Какое твердое тело при нагревании сжимается, а при охлаждении расширяется?

## 125.

Посреди квадратного железного листа со стороною 1 м имеется дырочка диаметром 0,1 мм (примерно толщина волоса).

Как должна измениться температура листа, чтобы дырочка в нем совершенно закрылась?

## 126.

Можно ли механической силой помешать тепловому расширению металлического бруса или ртутного столба?

## 127.

Длина пузырька в трубке плотничьего уровня меняется при колебаниях температуры. Когда же пузырек больше: в теплую или в холодную погоду?

# 128.

Следующий отрывок, относящийся к условиям смены воздуха в отапливаемом помещении, взят из технического журнала:

«Всякое вентиляционное отверстие (в жилом помещении) создаёт обмен воздуха. Испорченный, более тёплый воздух втягивается в отдушину, а так как место его должно быть заполнено, то снаружи во все щели дверей, окон и даже самих стен устремляется свежий воздух. При топке с открытой дверцей получается хорошая вентиляция. Для горения дров нужен кислород воздуха, который с большой силой и засасывается из комнаты в печь. Продукты горения поступают не обратно в комнату, а улетают в трубу. На освобождающееся внутри комнаты место должен притечь снаружи свежий воздух».

Правильно ли описаны в этом отрывке воздушные течения?

# 129.

Что защищает от холода лучше: деревянная стена или слой снега такой же толщины?

# 130.

В какой посуде пища подгорает легче: в медной или в чугунной? Почему?

# 131.

При замазывании оконных рам на зиму маляры советуют оставлять верхнюю щель наружной рамы незамазанной.

Укажите физическое основание этого совета.

# 132.

Теплота способна переходить только от тела с высшей температурой к телу, менее нагретому. Температура нашего тела выше температуры воздуха в натопленной комнате. Почему же нам в такой комнате тепло?

# 133.

Когда вода теплее на дне глубокой реки — летом или зимою?

## 134.

Почему быстрые реки не замерзают на морозе в несколько градусов?

## 135.

Почему атмосфера (тропосфера) вверху холоднее, чем внизу?

## 136.

Что требует больше времени: нагревание воды на примусе от 10 ° до 20 ° или от 90 ° до 100 °?

## 137.

Какова приблизительно температура пламени стеариновой свечи?

## 138.

Почему гвозди на свечке не плавятся?

## 139.

Почему в точном определении калории делается указание, что нагревание 1 *г* или 1 *кг* воды должно производиться от 14 $^1/_2$ °С до 15$^1/_2$ °С?

## 140.

Что легче нагреть на одинаковое число градусов: килограмм жидкой воды, килограмм льда или килограмм водяного пара?

## 141.

Сколько требуется тепла для нагревания 1 *см*$^3$ меди на 1°С (удельная теплоемкость меди ≈ 0,4 *Дж*).

## 142.

a) Какое *твердое* тело требует наибольшего количества тепла для своего нагревания?

b) Какая *жидкость* требует наибольшего количества тепла для своего нагревания?

с) Какое *вещество* требует наибольшего количества тепла для своего нагревания?

## 143.

В практике холодильного дела требуется знание удельной теплоемкости пищевых продуктов. Известны ли вам теплоемкости следующих продуктов: мяса? яиц? рыбы? молока?

## 144.

Какой из металлов, твердых при обычной температуре, самый легкоплавкий?

## 145.

Назовите самый тугоплавкий металл.

## 146.

Почему рушатся при пожаре стальные конструкции, хотя сталь не горит и в огне пожара не плавится?

## 147.

а) Можно ли закупоренную бутылку, наполненную водой, опустить в тающий лед без опасения за целость бутылки?

b) Одна бутылка с водой положена в лед при 0 °, другая — в воду также при 0 °. В какой бутылке вода замерзнет раньше?

## 148.

Может ли лед в чистой воде тонуть?

## 149.

В трубах подземных частей зданий вода часто замерзает не в мороз, а в оттепель. Чем это объяснить?

## 150.

Скользкость льда объясняют понижением точки таяния льда при повышении давления. Известно, что для понижения точки таяния льда на 1 ° требуется давление в 130 *am*. Поэтому, чтобы кататься на коньках при морозе, например, в 5 °C конькобежец должен оказывать на лед давление 5 × 130 = 650 *am*.

Однако поверхность, по которой лезвие конька соприкасается со льдом, не меньше нескольких кв. сантиметров, так что на 1 $см^2$ приходится не более 10—20 *кг* веса конькобежца. Следовательно, давление конькобежца на лед во много раз меньше того, какое необходимо для понижения точки таяния льда на 5 °.

Как же объяснить возможность кататься на коньках при морозе в 5 и более градусов?

## 151.

До какой температуры можно давлением понизить точку плавления льда?

## 152.

Что такое «сухой лед» и почему он так называется?

## 153.

Какого цвета водяной пар?

## 154.

Какая вода — сырая или кипяченая — закипает при одинаковых условиях раньше?

## 155.

Можно ли довести воду до кипения, подогревая ее 100-градусным паром?

## 156.

Снятый с огня металлический чайник с кипятком можно, говорят, безбоязненно поставить на ладонь: ожога не будет, хотя вода бурлит от кипения (рис. 46). Жар делается ощутительным лишь, если подержать так чайник несколько секунд. (Сам, я этого опыта не проделывал, но мои ученики-рабочие отважились проверить его на себе и убедились, что он удается).

Чем объяснить такое явление?

## 157.

Почему жареное вкуснее вареного?

Рис. 46. Опыт, не столь опасный, как кажется.

Рис. 47. Яйцо, вынутое из кипятка, не обжигает рук.

### 158.

Почему не обжигает рук вынутое из кипятка яйцо (рис. 47)?

### 159.

Как влияет ветер на термометр в морозный день?

### 160.

Русский переводчик иностранного сочинения по астрономии встретил в тексте ссылку на «физический принцип холодной стены». В курсах физики он не нашел упоминания о таком принципе. Знаете ли вы, в чем он состоит?

### 161.

Что при сгорании даст больше тепла: килограмм березовых дров или килограмм столь же сухих осиновых?

### 162.

Что больше: теплотворная способность пороха или керосина?

### 163.

Какова мощность горящей спички?

## 164.

На чем основано выведение жирных пятен с тканей утюгом?

## 165.

В какой воде можно больше растворить поваренной соли: в 40-градусной или в 70-градусной?

## V. ЗВУК И СВЕТ

## 166.

Укажите физическую несообразность в следующих строках старинного (1799 г.) стихотворения «Эхо»:

Я чаю, эхо, ты мне в роще отвечаешь? — Чаешь.
Конечно, ты вело меня с полей сюда? — Да!
Мне долго говорить с тобою невозможно. — Можно!
Нет, нет. Пойду искать овечку я к ручью. — Чью?

## 167.

Наблюдая молнию и гром, можно ли определить расстояние грозового разряда?

## 168.

Чем объясняется то, что ветер усиливает звук?

## 169.

С какою приблизительно силой давят звуковые волны на барабанную перепонку?

## 170.

Хорошо известно, что дерево проводит звук лучше, нежели воздух: вспомним опыт с постукиванием по торцу длинного бревна — звуки эти можно услышать, приложив ухо к другому концу бревна. Почему же разговор, происходящий в соседней комнате, заглушается, когда дверь в комнату закрыта?

# 171.

Может ли существовать преломляющая чечевица для лучей звука?

# 172.

Когда звук вступает из воздуха в воду, приближается ли звуковой луч к перпендикуляру падения, или от него удаляется?

# 173.

Почему шумят чашка или большая раковина, приложенные к уху?

# 174.

Если звучащий камертон поставить на деревянный ящик, звук заметно усиливается. Откуда берется в этом случае избыточная энергия?

# 175.

Куда девается энергия звуковых колебаний, когда звук более не слышен?

# 176.

Случалось ли вам видеть лучи света?

# 177.

1) Свет пробегает от Солнца до Земли не мгновенно, а в 8 минут с небольшим. Как сказывается это на моменте восхода Солнца? Рассмотрите вопрос для двух точек зрения: а) Земля вращается вокруг своей оси при неподвижном Солнце? b) Солнце обращается в 24-часовой период вокруг неподвижной Земли.

2) Как изменилось бы действие глаза и оптических приборов при мгновенном распространении света?

# 178.

Почему в солнечный день на мостовой отчетливо видна тень от уличного фонаря, но тень проволок, на которых он подвешен, видна слабо (рис. 48)?

Рис. 48. Почему проволока не отбрасывает на мостовую полной тени?

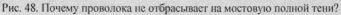

### 179.

Что больше: облако или его полная тень (рис. 49)?

### 180.

Можно ли при свете полной луны читать книгу?

### 181.

Что светлее: черный бархат в солнечный день или чистый снег в лунную ночь?

Рис. 49. Что больше: облако или его полная тень?

## 182.

Что освещает сильнее: звезда первой величины или свеча с расстояния 500 *м*?

## 183.

Луну мы видим белой; в телескоп поверхность ее кажется словно гипсовой. Астрономы утверждают, однако, что поверхность ее — темно-серая. Как примирить это противоречие?

## 184.

Почему снег белый, хотя составлен из прозрачных ледяных кристалликов?

## 185.

Почему блестит начищенный сапог?

## 186.

Сколько цветов в солнечном спектре и сколько их в радуге?

## 187.

1) Некто утверждает, что в полдень 22 июня видел в Москве радугу на небе.

Возможно ли это?

2) Автор старинного сочинения о радуге (парижский аббат де-ла-Плюш, 1781) сообщает, что ему случилось видеть радугу, находясь в Париже у одного ее конца, в то время как другой ее конец упирался в предместье города.

При каких условиях это могло наблюдаться?

## 188.

Какого цвета кажутся красные цветы через зеленое стекло? А синие через то же стекло?

## 189.

Когда золото имеет цвет серебра?

## 190.

Почему ситец, лиловый при денном освещении, кажется черным при вечернем электрическом свете?

## 191.

Почему небо днем голубое, а при закате Солнца — красное?

## 192.

В стабильном учебнике для 9-го года обучения «Основы эволюционного учения» излагается теория переноса зародышей через мировое пространство давлением световых лучей и, между прочим, сообщается следующее:

«Аррениус подсчитал, что для передвижения живых зародышей потребовалось бы: 20 дней, чтобы зародыши попали на Землю с Марса, 14 месяцев — с Нептуна» ...

Цитата явно ошибочна. Почему?

## 193.

Почему в железнодорожной практике для сигнала остановки выбран красный цвет?

## 194.

Как зависит показатель преломления света от плотности среды?

## 195.

Из вопросов Эдисоновой викторины:

«Показатель преломления одного стекла 1,5, другого 1,7. Из того и другого выточено по двояковыпуклой линзе. Обе линзы геометрически одинаковы. В чем разнятся они оптически?

Какое действие каждая из них произведет на луч, параллельный оптической оси, если их погрузить в прозрачную жидкость с показателем преломления 1,6?»

## 196.

Луна близ горизонта видна более крупной, чем высоко в небе (рис. 50). Почему же на таком увеличенном диске не замечаем мы новых подробностей?

Рис. 50. Когда на диске луны видно больше подробностей: при высоком или при низком ее положении на небе?

## 197.

Почему проколотый листок тонкого картона действует подобно лупе (рис. 51)?

## 198.

«Солнечной постоянной» называется количество энергии, ежеминутно доставляемой солнечными лучами 1 $см^2$, выставленному на наружной границе земной атмосферы перпендикулярно к лучам Солнца.

214

Где солнечная постоянная больше: зимою на тропике или летом на полярном круге?

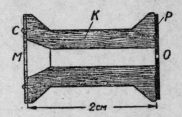

Рис. 51. Лупа из деревянной катушки. Объект приклеивают к прозрачному целлулоидному кругу *C* и рассматривают через тонкий прокол *O* в картонном кружке *P*. Внутренность катушки вычернена тушью.

## 199.

Что чернее всего?

## 200.

Как можно вычислить температуру солнечной поверхности?

## 201.

Что такое температура мирового пространства? Какую температуру должны принять тела, помещенные в мировом пространстве?

# VI. РАЗНЫЕ ВОПРОСЫ

## 202.

Существует ли металл, намагничивающийся сильнее железа?

## 203.

Намагниченная спица разломана на мелкие части. Какой из полученных обломков окажется намагничен сильнее — находившийся ближе к концам спицы или ближе к середине?

## 204.

На чувствительных весах уравновешены железный цилиндр и медная гиря (рис. 52).

Рис. 52. Задача о куске железа на весах.

Учитывая действие земного магнетизма, можно ли признать массы куска железа и гири строго равными?

**205.**

а) Легкий бузинный шарик притягивается палочкой. Значит ли это, что палочка была первоначально наэлектризована? А если бузинный шарик от палочки отталкивается?

b) Железная палочка притягивает стальную иглу. Значит ли это, что палочка была первоначально намагничена? А если иголка от палочки отталкивается?

**206.**

Как приблизительно велика электроемкость человеческого тела?

**207.**

Электрическое сопротивление нити накала в нагретом состоянии иное, чем в холодном. Как велика эта разница, например, для 50-ваттной пустотной лампы?

**208.**

Проводит ли стекло электрический ток?

**209.**

Для некоторых родов электрических лампочек вредно частое выключение. Почему?

**210.**

Какой силы свет дает газополная электрическая лампа в 50 ватт?

## 211.

Нити накала электрической лампочки, когда она не под током, настолько тонки, что едва различаются невооруженным глазом (рис. 53). Почему же заметно утолщаются они под током?

## 212.

Какой примерно длины молния?

## 213.

Отрезок был измерен дважды. В первый раз для его длины получено было значение 42,27 *мм,* во второй 42,29 *мм.*

Какова истинная длина отрезка?

## 214.

Эскалатор Московского метрополитена на станции «Мясницкие ворота» поднимается от уровня станции до входа в течение 1 мин. 20 с. Пассажир, взбираясь по ступеням неподвижного эскалатора, может пройти тот же путь в 4 минуты.

Во сколько времени поднимется от станции до входа пассажир, если будет взбираться по ступеням поднимающегося эскалатора?

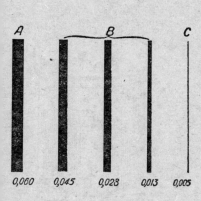

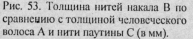

Рис. 53. Толщина нитей накала В по сравнению с толщиной человеческого волоса А и нити паутины С (в мм).

Рис. 54. Для чего при работе на копре поют «Дубинушку»?

### 215.

Для чего поют «Дубинушку» при работе на ручном копре (рис. 54)? Какая опасность угрожала бы рабочим, если бы при копре (старого устройства) они работали молча?

### 216.

Из викторины Эдисона:

«Два города, расположенные на разных берегах реки в миле (1,6 км) друг от друга, остались после стихийного бедствия без взаимного сообщения. Как установили бы связь между этими городами, не пользуясь услугами электричества? Переправиться через эту реку для человека невозможно».

### 217.

На глубине 1 км затонула в море незакупоренная бутылка. Как изменится вместимость бутылки под давлением воды — увеличится или уменьшится?

### 218.

Для точных измерений употребляются в технике стальные бруски, называемые «плитками Иогансона». Приложенные друг к другу, плитки эти, хотя не намагничены и ничем не скреплены (рис. 55), держатся вместе очень прочно.

Почему?

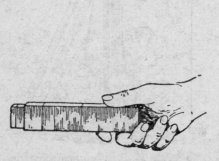

Рис. 55. Почему плитки Иогансона держатся вместе?

Рис. 56. Опыт со свечой в банке.

## 219.

Вот заимствованное из иностранного детского журнала описание простого опыта, цель которого — демонстрировать атмосферное давление:

«Горящий огарок свечи укрепляют на дне стеклянной банки и, когда пламя погорит некоторое время, накрывают банку крышкой, проложив между ними увлажненное резиновое кольцо. Пламя тускнеет и вскоре гаснет (рис. 56). Попробуйте тогда оторвать крышку от банки — это удастся вам лишь при значительном усилии.

Причину явления легко понять. Пламя потребляет кислород, запас которого в герметически закрытой банке ограничен. Когда он расходуется весь, пламя гаснет. Оставшаяся часть воздуха, заняв больший объем, разрежается и давит слабее. Избыток наружного давления и прижимает так сильно крышку к банке».

Находите ли вы это объяснение правильным?

## 220.

Какой термометр появился раньше: Цельсия, Фаренгейта или Реомюра?

## 221.

Какой национальности были Цельсий, Реомюр и Фаренгейт?

## 222.

Из популярно-научной книжки:

«На основании некоторых измерений ученые узнали, что плотность всего земного шара равна приблизительно $5\frac{1}{2}$; объем же его известен, так как измерена величина его поперечника. Умножая этот объем на $5\frac{1}{2}$, ученые и нашли, чему равна масса Земли».

Правильно ли указан здесь путь, каким определена была масса земного шара?

## 223.

В одном из сборников физических задач имеется следующая:

«Астрономы считают, что наша солнечная система летит со скоростью около 17 км/с по направлению к созвездию Лиры. Какие явления можно было бы заметить на Земле, если бы это движение было не равномерным, а ускоренным или замедленным?»

Дайте ответ.

## 224.

После прочтения мною доклада о будущих ракетных полетах в мировом пространстве, мне сделано было одним астрономом такое возражение:

«Вы упускаете из виду существенное обстоятельство, делающее достижение Луны в ракетном корабле совершенно безнадежным предприятием. Масса ракеты — по сравнению с массою небесных тел — исчезающе мала, а ничтожные массы получают огромные ускорения под действием сравнительно малых сил, которыми при других условиях можно было бы пренебречь. Я имею в виду притяжение планет — Венеры, Марса, Юпитера. Оно, конечно, крайне невелико, но ведь масса ракеты практически равна нулю, и для такой ничтожной массы действие даже небольших сил должно быть чрезвычайно ощутительно. Они породят огромные ускорения — ракета будет метаться в мировом пространстве по самым фантастическим путям, откликаясь на притяжение каждого сколько-нибудь массивного тела, и в своем блуждании никогда на Луну не набредет».

Ваше мнение, читатель?

## 225.

Вот еще одно возражение против осуществимости межпланетных перелетов. Астроном, разбирая (в сборнике «Успехи и достижения современной науки и техники») условия пребывания человека в среде без тяжести, высказал следующее соображение:

«Наш организм очень чутко реагирует на всякое нарушение в этом отношении. Попробуйте побывать некоторое время с опущенной головой или с поднятыми вверх ногами. Наступающие расстройства кровообращения бывают очень серьезны. Если так действует изменение направления силы тяжести, то как же должно действовать ее отсутствие!» Что скажете вы о логической силе этого довода?

## 226.

Третий закон Кеплера формулируется в разных руководствах различно. В одних утверждается, что квадраты времен обращения планет и комет относятся как кубы их *средних* расстояний от Солнца. В других, — что они относятся как кубы больших *полуосей* их орбит.

Какая формулировка правильна?

## 227.

Если бы планеты обращались вокруг Солнца по строго круговым орбитам, они не совершали бы, очевидно, никакой механической работы, так как не удалялись бы от притягивающего их тела. Дело не меняется и для эллиптической орбиты, например для случая обращения Земли вокруг Солнца. Действительно, переходя из точек эллипса, близких к Солнцу, к точкам, более удаленным от него, Земля затрачивает энергию на преодоление притяжения Солнца; но расход этот возвращается полностью, когда Земля приходит в прежнее место. В итоге, кружась около Солнца, Земля не расходует энергии, и такое движение может длиться неопределенно долго.

Мы приходим к заключению, что обращение планет представляет собой пример подлинно вечного движения.

Но если так, то почему же физика утверждает, что вечное движение невозможно?

## 228.

Укажите основания, дающие право рассматривать живой человеческий организм как тепловую машину.

## 229.

Почему светятся метеоры?

## 230.

В фабрично-заводских районах туманы бывают чаще, чем в окружающих лесистых или земледельческих местностях. Лондонские туманы вошли в поговорку.

Чем это объяснить?

## 231.

Какая разница между туманом, дымом и пылью?

## 232.

Существует народное поверье, что легкие облака тают в лучах Луны. Летом это поверье часто оправдывается. Как объяснить подобное действие лунного света?

## 233.

Где молекулы обладают большею кинетической энергией: в водяном паре при 0 °C, в жидкой воде при 0 °C, или во льду при 0 °C?

## 234.

Какова приблизительно скорость теплового движения молекул водорода при минус 273 °C?

## 235.

Достижим ли абсолютный нуль?

## 236.

Что такое вакуум?

## 237.

Какова по приблизительной оценке средняя температура вещества во всем мире?

## 238.

Можно ли видеть невооруженным глазом одну 10–миллионную долю грамма вещества?

## 239.

Если взять какое-либо вещество в количестве одной «граммолекулы», т. е. такое число его граммов, которое равно молекулярному весу этого вещества (например, 2 *г* водорода или 32 *г* кислорода), то во взятой порции всегда окажется одно и то же число молекул, именно 66 с 22 нулями ($66 \cdot 10^{22}$). Число это носит в физике название «числа Авогадро». Вообразите, что имеется такое число не молекул, а булавочных головок. Вы желаете заказать ящик для вмещения этой огромной кучи головок.

Высота ящика назначена вами в 1 *км*. Каковы приблизительно будут размеры его основания? Поместился ли бы такой ящик в пределах Москвы или Ленинграда?

## 240.

Если в океан вылить литр спирта, то молекулы спирта распределятся через некоторое время равномерно по всей водной массе мирового океана.

Сколько приблизительно понадобится зачерпнуть в океане литров воды, чтобы выловить одну молекулу, спирта?

## 241.

Во сколько приблизительно раз среднее расстояние между молекулами водорода, при 0 °C и нормальном давлении, больше поперечника газовой молекулы?

## 242.

Укажите «на глаз», как велик неизвестный член пропорции:

$$\frac{\text{масса атома водорода}}{x} = \frac{x}{\text{масса земного шара}}$$

## 243.

Какой приблизительно величины были бы молекулы, если бы все тела на Земле увеличились линейно в миллион раз?

## 244.

Чему приблизительно равен $x$ в пропорции:

$$\frac{\text{«диаметр» электрона}}{x} = \frac{x}{\text{диаметр Солнца}}$$

## 245.

a) Если бы мельчайшая бактерия увеличилась до размеров земного шара, какой приблизительно величины оказались бы электрон и протон?

b) Если бы электрон сделался толщиной с волос, какой толщины оказался бы волос?

223

c) Если бы диаметр орбиты Нептуна был уменьшен до диаметра Земли, какой величины оказалась бы Земля?

d) Если бы диаметр Земли уменьшился до 1 *мм;* как велико оказалось бы (при пропорциональном уменьшении) расстояние до Сириуса?

e) Если бы вся солнечная система уменьшилась в диаметре до толщины волоса, каково оказалось бы в соответствующем уменьшении расстояние до туманности Андромеды?

## 246.

Как надо понимать утверждение новейшей физики, что энергия обладает массой и имеет вес?

## 247.

Как надо смотреть на классическую механику в свете современного учения об относительности? Остается ли она в силе?

# ОТВЕТЫ

## I. МЕХАНИКА

### 1. Меры крупнее метра

У нас узаконена только одна метрическая мера крупнее метра: километр. Декаметр, гектометр, мириаметр в нашем стандарте отсутствуют.

### 2. Литр и кубический дециметр

Убеждение, будто литр и кубический дециметр одно и то же, — ошибочно. Они весьма близки по величине, однако не тождественны. Узаконенный литр современной системы мер производится не от куб. дециметра, а от килограмма, и представляет собою объем килограмма чистой воды при температуре ее наибольшей плотности. Объем этот больше куб. дециметра на 27 $мм^3$.

Итак, литр несколько больше куб. дециметра.

### 3. Мельчайшая мера длины

Тысячная доля миллиметра — *микрон* — далеко не является самой маленькой мерой длины, употребляемой в современной науке.[1] Ее давно уже превзошли в малости сначала миллионная доля миллиметра — *нанометр*, затем десятимиллионная доля миллиметра — так называемый *ангстрем* (Å) — ныне не применяемая единица. На сегодняшний день самая малая мера длины это *нанометр*. Ранее применялась сейчас уже отмененная единица «икс» (*X*), представляющая собою $X = 1,00206 \cdot 10^{-13}$ $м \approx$ 0,0001 *нм*. В природе, впрочем, существуют тела, для которых даже «икс» мера слишком крупная. Таков электрон, поперечник которого измеряется сотыми долями икса,[2] и протон, диаметр которого, вероятно, в 2 000 раз меньше.

---

[1] Микрон становится уже довольно крупной единицей длины и для современной техники: массовое производство сложных машин, возможное лишь при полной взаимозаменяемости частей, ввело в производственную практику употребление измерительных приборов, улавливающих десятые доли микрона (см. далее о «плитках Иогансона»).

[2] Строго говоря, о диаметре электрона можно говорить лишь условно. «Если сделать предположение, — пишет проф. Дж. П. Томсон, —

Перечисленные малые меры длины сопоставлены в следующей табличке:

| микрон | $10^{-6}$ м | |
| нанометр | $10^{-9}$ м | |
| ангстрем | $10^{-10}$ м | (отменена) |
| икс | $10^{-13}$ м | (отменена) |

Формально, согласно системе СИ, можно использовать производные от метра величины: пикометр ($10^{-12}$ м), фемтометр ($10^{-15}$ м) и аттометр ($10^{-18}$ м), но фактически наименования величин менее нанометра не применяются.

## 4. Наибольшая мера длины

Еще не так давно наибольшей мерой длины, с какой имеет дело наука, считался «световой год» — годичный путь светового луча в пустоте. В нем 9,5 биллиона километров ($9,5 \cdot 10^{12}$ км). В научных сочинениях эта мера постепенно вытеснена другой, в три с лишком раза более крупной — «парсеком». Парсек (сокращение от слов «параллакс» и «секунда») равен 31 биллиону километров — $31 \cdot 10^{12}$ км. Но и эта исполинская мера оказалась чересчур мелкой для промеров глубин мироздания. Астрономам пришлось ввести сначала *килопарсек*, заключающий 1000 парсеков, а затем и мегапарсек — миллион парсеков, побивающий в настоящее время рекорд протяжения среди мер длины. Его соперник, — мера, называемая астрономами «*единица* A» и содержащая миллион световых лет, — раза в три меньше мегапарсека. Мегапарсеками измеряются расстояния до спиральных туманностей.

Рис. 57. Что такое «парсек».

Сопоставим эти огромные меры длины:

что электрон подчиняется тем же самым законам, каким следует в лаборатории заряженный металлический шар, то можно подсчитать и «диаметр» электрона; для него получится значение $3,7 \cdot 10^{-13}$ см. Но этот результат не удалось еще проверить никаким опытом».

| парсек | $31 \cdot 10^{12}$ км | световой год | $9{,}5 \cdot 10^{12}$ км |
|---|---|---|---|
| килопарсек | $31 \cdot 10^{15}$ км | | |
| мегапарсек | $31 \cdot 10^{18}$ км | единица А | $9{,}5 \cdot 10^{18}$ км |

Интересно, какой длины средняя величина между самой большой и самой мелкой мерами, — между мегапарсеком и иксом. Мы имеем здесь в виду, конечно, не средне-арифметическую (которая составляет, очевидно, половину мегапарсека), а средне-геометрическую. Превратив икс в километры, имеем

$$X = 10^{-10}\, мм = 10^{-16}\, км.$$

Следовательно, средне-геометрическая между мегапарсеком и иксом равна

$$\sqrt{31 \cdot 10^{18} \times 10^{-16}} \approx 56\, км.$$

Наибольшая мера длины во столько же раз больше 56 *км*, во сколько раз 56 *км* больше самой мелкой меры.

## 5. Легкие металлы. Металлы легче воды

Когда заходит речь о легком металле, называют обычно алюминий. Однако он занимает далеко не первое место в ряду

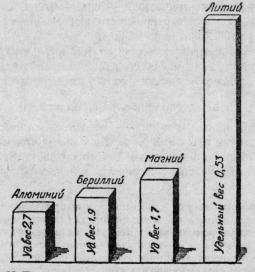

Рис. 58. Призмы равного веса из некоторых легких металлов.

227

легких металлов: существует несколько металлов, которые легче его. Ниже приведен их перечень с указанием удельного веса (плотности) каждого:

| алюминий | 2,7 | кальций | 1,55 | |
|---|---|---|---|---|
| стронций | 2,6 | натрий | 0,97 | |
| бериллий | 1,9 | калий | 0,86 | легче воды |
| магний | 1,7 | литий | 0,53 | |

Рекорд легкости побивает, как видим, литий [1] — металл, который легче многих пород дерева и плавает в керосине, погружаясь до половины. Он в сорок раз легче самого тяжелого металла — осмия.

Из сплавов, применяемых в современной промышленности, выделяются своей легкостью следующие (французские инженеры, занимающие одно из первых мест в производстве высококачественных легких сплавов, называют «легкими» все сплавы с плотностью меньше 3):

1. Дюралюминий и кольчугалюминий — сплавы алюминия с небольшим количеством меди и магния; при плотности 2,6 они втрое легче железа, будучи прочнее его в полтора раза.

2. Дюрбериллий — сплав бериллия с медью и никелем; он легче дюралюминия на 25% и прочнее на 40%.

3. Электрон (не смешивать с элементарным количеством отрицательного электричества)[2] — сплав магния, алюминия и др.; почти не уступая в прочности дюралюминию, электрон легче его на 30% (плотность 1,84).

Мы не останавливаемся здесь на ряде других легких алюминиевых сплавов, как *лоталь, силумин, склерон, конструкталь, магналий* (предшественник электрона), употребляемых на Западе.

### 6. Вещество наибольшей плотности

Осмий, иридий, платина — вещества, которые принято считать самыми плотными — оказываются ничтожно плотными по сравнению с веществом некоторых звезд. Величайшей плотностью отличается материя так называемой звезды ван-

---

[1] Литий находит себе применение для изготовления красных сигнальных ракет, в стекольной промышленности (изготовление молочного стекла), в металлопромышленности для придания твердости сплавам, и др.

[2] Название сплава — «электрон» — произошло от наименования фирмы, на предприятиях которой он впервые был, изготовлен. Советский самолет «Серго Орджоникидзе» был целиком построен из электрона отечественного изготовления.

Манэна, принадлежащей к зодиакальному созвездию Рыб. В 1 *куб. см* этой звезды (по геометрическим размерам не превышающей нашу Землю) заключается в среднем около 400 *кг* массы. Следовательно, вещество это в 400 000 раз плотнее воды и приблизительно в 20 000 раз плотнее платины. Мельчайшая дробинка из такого вещества (№ 12, диаметр 1,25 *мм*) весила бы на поверхности Земли 400 *г* — целый фунт! Вес той же дробинки на поверхности самой звезды ван-Манэна поистине чудовищен: 30 тонн!

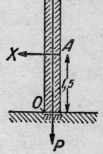

Рис. 59. Немного вещества звезды ван-Манэна, объемом в четверть спичечного коробка, могло бы уравновесить три десятка взрослых людей.

Рис. 60. Опрокидывание Эдисоновой стены.

## 7. На необитаемом острове

«Растут ли хоть деревья на этом тропическом острове?» — спрашивает автор немецкой книжки, посвященной разбору Эдисоновой викторины. Вопрос праздный, потому что для опрокидывания скалы никаких деревьев не понадобится: это можно сделать буквально голыми руками. Рассчитаем, какова толщина скалы, подозрительно не упомянутая в задаче, и дело сразу разъяснится. При общей массе скалы 3 *т* и при плотности гранита 3, соображаем, что объем скалы равен 1 *м*³. А так как длина скалы 30 *м* (100 футов), высота около 5 *м* (15 футов), то толщина ее

$$1 : (30 \times 5) \approx 0,007 \ м,$$

т. е. 7 *мм*. На острове возвышалась тонкая стена, всего в 7 *мм* толщины.

Чтобы подобную стену опрокинуть (если только она не врылась глубоко в почву), достаточно упереться в нее руками или плечом. Вычислим величину нужной для этого силы. Обозначим ее через *x*; на рис. 60 она изображена вектором *Ах*. Точка *А* приложения этой силы находится на высоте плеч человека (1,5 *м*). Сила стремится повернуть стену вокруг оси *О*. Момент этой силы равен

$$Мом. \ x = 1,5 \ x.$$

Опрокидывающему усилию противодействует вес скалы *Р*, приложенный в центре ее тяжести *С* и стремящийся отвести поворачиваемую стену в прежнее положение. Момент силы веса относительно той же оси *О* равен

$$Мом. \ P = P \times m = 3000 \times 0,0035 = 10,5.$$

Величина силы *x* определяется из уравнения:

$$1,5 \ x = 10,5,$$

откуда

$$x = 7 \ кг.$$

Значит, напирая на стену с силою всего 7 *кг*, человек опрокинет скалу.

Невероятно, чтобы подобная каменная стена вообще могла удержаться в отвесном положении: самый слабый, неощутимый для нас ветерок должен был бы ее опрокинуть. Легко рассчитать указанным сейчас приемом, что для опрокидывания этой стены ветром (который можно рассматривать как силу, приложенную на половине высоты стены) достаточно общее давление ветра всего в 1$\frac{1}{2}$ *кг/кв. м*. Между тем, даже так называемый «легкий» ветер, с силою давления 1 *кг* на 1 *кв. м*, оказывал бы на стену давление в 150 *кг*.

## 8. Вес паутинной нити

Не сделав расчета, трудно дать правдоподобный ответ на этот вопрос. Расчет несложен: при диаметре паутинной нити 0,0005 *см* и плотности = 1 (*г/см*²), километр ее должен весить

230

$$\frac{3{,}14 \times 0{,}0005^2}{4} \times 100\,000 \approx 0{,}02\,г;$$

а нить в 400 000 *км* (округленное расстояние от Земли до Луны) —

$$0{,}02 \times 400\,000 = 8\,кг.$$

Такой груз можно удержать в руках.

## 9. Модель Эйфелевой башни

Задача эта — скорее геометрическая, чем физическая, — представляет интерес главным образом для физики, так как в физике приходится нередко сопоставлять массы геометрически подобных тел. В данном случае вопрос сводится к определению отношения массы двух подобных тел, линейные размеры одного из которых в 1000 раз меньше, чем другого. Грубой ошибкой было бы думать, что уменьшенная в такой пропорции модель Эйфелевой башни весит не 9000 *т*, а 9 *т*, т. е. всего в тысячу раз меньше. Объемы, а следовательно, и массы геометрически подобных тел относятся, как кубы их линейных размеров. Значит, модель башни должна иметь массу меньше натуры в $1000^3$, т. е. в миллиард раз:

$$9\,000\,000\,000 : 1\,000\,000\,000 = 9\,г.$$

Масса крайне ничтожный для железного изделия высотою 30 *см*. Это будет казаться, однако, не столь странным, если сообразим, какой толщины оказались бы *брусья* нашей модели: в тысячу раз тоньше натуры, они должны быть тонки, как нитки: модель окажется словно сотканной из тончайшей проволоки,[1] так что удивляться ее незначительной массе не приходится.

## 10. Тысяча атмосфер под пальцем

Для многих будет, вероятно, полной неожиданностью утверждение, что, втыкая пальцем острую иглу или булавку в ткань, мы производим давление порядка 1000 *ат*. В этом нетрудно, однако, убедиться. Измерив — например, с помощью весов для писем — силу, с какой палец напирает на втыкаемую булавку, получим около 300 *г* или 0,3 *кг*. Диаметр кружка, на ко-

---

[1] 70-тонные брусья Эйфелевой башни заменились бы в модели проволочками, весящими 0,07 *г*.

торый давление это распространяется (острие булавки), — примерно 0,1 *мм* или 0,01 *см;* площадь такого кружка равна около

$$3 \times 0,01^2 = 0,0003 \ см^2.$$

Отсюда давление на 1 *см²* составляет

$$0,3 : 0,0003 = 1000 \ кг.$$

Так как техническая атмосфера равна давлению 1 *кг/см²*, то, втыкая булавку, мы производим давление в 1000 технических атмосфер. Рабочее давление пара в цилиндре паровой машины в сотню раз меньше.

Портной, работая иглой, поминутно пользуется давлением в сотни атмосфер, сам не подозревая, что развивает пальцами руки такое чудовищное давление. Не задумывается над этим и парикмахер, срезая волосы острой бритвой. Бритва напирает на волос с силою, правда, всего нескольких граммов; но острие ее имеет в толщину не более 0,0001 *см,* диаметр же волоса менее 0,01 *см;* площадь, на которую распространяется давление бритвы, равна в данном случае величине порядка

$$0,0001 \times 0,01 = 0,000 \ 001 \ см^2.$$

Удельное давление силы в 1 *г* на такую ничтожную площадь составляет

$$1 : 0,000 \ 001 =$$
$$= 1 \ 000 \ 000 \ г/см^2 =$$
$$= 1000 \ кг/см^2,$$

т. е. опять-таки 1000 *ат.* Так как рука напирает на бритву с силою большею 1 *г,* то давление бритвы на волос достигает *десятков тысяч* атмосфер.

### 11. Сто тысяч атмосфер силою насекомого

Рис. 61. Острие иглы при чрезвычайно сильном увеличении походило бы на горную вершину.

Сила насекомых так мала по абсолютной величине, что возможность для них производить давление в сто тысяч атмосфер представляется невероятной. Между тем существуют насекомые, способные производить даже еще большие давления.

Оса вонзает жало в тело жертвы с силою всего 1 *мг* или около того. Но острота осиного жала превосходит все, что может быть достигнуто средствами нашей изощренной техники; даже так называемые микрохирургические инструменты гораздо тупее осиного жала. Микроскоп при самом сильном увеличении не обнаруживает на острие осиного жала никакого уплощения. Взглянув же в «сверхмикроскоп» на кончик иглы, мы увидели бы картину вроде той, какая изображена на рис. 61: подобие горной вершины. Лезвие ножа, если бы на него взглянуть в такой микроскоп, похоже было бы скорее на пилу или, если угодно, на горную цепь (рис. 62). Жало осы, пожалуй, самая острая вещь в природе: радиус закругления ее острия не превышает 0,00001 *мм*, в то время как у хорошо отточенной бритвы он не менее 0,0001 *мм* и достигает 0,001 *мм*.

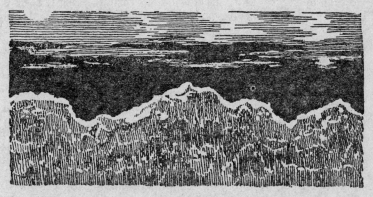

Рис. 62. Лезвие ножа при сильном увеличении походило бы на горную цепь.

Вычислим площадь, по какой распределяется сила осы в 0,001 *г*, т. е. площадь кружка радиусом 0,00001 *мм*. Принимая ради простоты $\pi = 3$, имеем, что площадь этого кружка в кв. сантиметрах:

$$S = 3 \times 0{,}000\,001^2 \; см^2 = 0{,}000\,000\,000\,003 \; см^2.$$

Сила, действующая на эту площадь в первый момент прокалывания, равна 0,001 *г* = 0,000 001 *кг*. Давление получается равным

$$P = \frac{0{,}000\,001}{0{,}000\,000\,000\,003} = 330\,000 \; ат.$$

(Возможно, впрочем, что в действительности дело обстоит иначе: прокалываемый материал уступает раньше, чем давление, достигнет такой чудовищной степени. Это значит, что осе не приходится развивать силы в 1 *мг,* — она прилагает к жалу гораздо меньшее усилие, в зависимости от прочности прокалываемого материала).

## 12. Гребец на реке

Даже люди, занимающиеся водным спортом, дают часто неправильный ответ на поставленный в задаче вопрос: им кажется, что грести против течения труднее, чем по течению, и, следовательно, перегнать щепку легче, чем отстать от нее.

Безусловно верно, что пристать к какому-нибудь пункту берега, гребя против течения, труднее, чем гребя по течению. Но если пункт, которого вы желаете достигнуть, плывет вместе с вами, как щепка на реке, — дело существенно меняется. Надо иметь в виду, что лодка, движимая течением, находится по отношению к несущей ее воде в покое. Сидя в такой лодке, гребец работает веслами совершенно так же, как в неподвижной воде озера. На озере одинаково легко грести в любом направлении; то же самое будет и в текущей воде при наших условиях.

Итак, от гребца потребуется одинаковая затрата работы, безразлично — стремится ли он обогнать плывущую щепку или отстать от нее на такое же расстояние.

## 13. Флаги аэростата

Если аэростат несется течением воздуха, то скорость обоих одинакова: аэростат и окружающий его воздух находятся в покое один относительно другого. Значит, флаги должны свисать отвесно, как в неподвижном воздухе, т. е. в безветренную погоду. Люди в гондоле такого аэростата не ощущают ни малейшего ветра, хотя бы их мчал ураган.

Изложенные сейчас соображения, при всей своей простоте, представляются многим почему-то парадоксальными; следствия из них не сразу воспринимаются. Одного автора ряда книг по авиации и воздухоплаванию мне удалось убедить в их правильности только после продолжительной беседы.

## 14. Круги на воде

Если не найти сразу правильного подхода к этой задаче, то легко запутаться в рассуждениях и придти к выводу, что в текущей воде волны должны вытянуться в форме не то эллипса, не то овала, притупленного навстречу течению. Между тем, внимательно наблюдая за волнами, разбегающимися от брошенного в реку камня, мы не заметим никакого отступления от круговой формы, как бы быстро ни было течение.

Здесь нет ничего неожиданного. Простое рассуждение приведет нас к выводу, что волны от брошенного камня должны быть круговые и в стоячей и в текущей воде. Будем рассматривать движение частиц волнующейся воды как составное из двух движений: радиального — от центра колебаний, и переносного, направленного по течению реки. Тело, участвующее в нескольких движениях, в конечном итоге перемещается туда, где очутилось бы оно, если бы совершало все составляющие движения последовательно, одно за другим. Поэтому допустим сначала, что камень брошен в неподвижную воду. В таком случае волны, конечно, получатся круговые. Представим себе теперь, что вода передвигается, — безразлично с какой скоростью, равномерно или неравномерно, лишь бы движение это было поступательное. Что произойдет с круговыми волнами? Они передвинутся параллельным перемещением, не претерпевая никакого искажения; формы, т. е. останутся круговыми.

## 15. Бутылки и пароходы

Ответ на оба вопроса задачи одинаков: пароходы вернутся к бутылкам одновременно.

Решая задачу, надо прежде всего принять в соображение, что река несет на себе бутылки и пароходы с одной и той же скоростью и что, следовательно, течение нисколько не изменяет их относительного расположения. Можно принять поэтому, что скорость течения равна нулю. А при таком условии, т. е. в стоячей воде, каждый пароход подойдет к бутылке спустя столько же времени (после поворота), сколько прошло с тех пор, как он ее кинул, т. е. через четверть часа.

## 16. Закон инерции и живые существа

Повод к сомнению в том, подчиняются ли живые существа закону инерции, дает следующее обстоятельство. Живые существа, — рассуждают многие, — могут сниматься с места без участия внешней силы; а по закону инерции «тело, предоставленное самому себе, остается в покое или продолжает двигаться равномерно и прямолинейно, пока какая-нибудь *внешняя* причина (т. е. сила) не изменит этого состояния тела» (см., например, проф. А. А. Эйхенвальд, «Теоретическая физика»).

Однако слово «внешняя» в формулировке закона инерции вовсе не необходимо; оно совершенно излишне. У Ньютона в «Математических началах физики» нет этого слова; вот дословный перевод Ньютонова определения:

«Каждое тело пребывает в своем состоянии покоя или равномерного прямолинейного движения, поскольку действующие на тело силы не принуждают его изменить такое состояние».

Здесь нет никакого указания на то, что причина, выводящая тело из покоя или из движения по инерции, должна быть непременно *внешняя*. При такой формулировке не остается места никаким сомнениям в том, что закон инерции простирается и на живые существа.

Что касается способности живых существ двигаться без участия внешних сил, то относящиеся сюда соображения читатель найдет дальше.

## 17. Движение и внутренние силы

Распространено убеждение, что одними внутренними силами тело не может привести себя в движение. Это — не более как предрассудок. Достаточно указать на ракету, которая движется исключительно внутренними силами. Всё ракетное летание, развивающееся на наших глазах, имеет в своей основе эту неправильно отвергаемую возможность.

Верно лишь то, что вся масса тела не может быть внутренними силами приведена в *одинаковое* движение. Но силы эти вполне могут сообщить *части* тела одно движение, например вперед, а остальной части — противоположное, назад. Такой случай мы имеем в движении ракеты.

Другой наглядный пример представляет кошка, которая, как известно, будучи уронена, всегда падает на лапки. Поворотом лапок в одну сторону кошка достигает поворота туловища в противоположную. Производя ряд целесообразных поворотов лапок, то вытянутых, то прижатых к телу (т. е. пользуясь одновременно и «законом площадей»), кошка выполняет нужный поворот туловища действием одних лишь внутренних сил.

Причина недоразумений, связанных с действием внутренних сил, та, что невозможность перемещения тела внутренними его силами неправильно провозглашена во многих книгах в качестве некоего закона механики. Такого закона нет. Это лишь неудачная популяризация закона, гласящего, что внутренние силы не могут изменить движения *центра массы* тела.

## 18. Трение как сила

Безусловно правильно, что трение о неподвижное тело не может быть непосредственной причиной движения, а напротив — является лишь помехой движению. Но именно потому его с полным основанием и называют силой. Что такое сила? Ньютон определяет так:

«Сила есть действие, производимое над телом, чтобы изменить его состояние покоя или равномерного прямолинейного движения».

Трение о путь изменяет равномерное движение тел, превращая его в неравномерное (замедленное). Следовательно, трение есть сила.

Чтобы такие недвижущие силы выделить среди других сил, способных породить движение, первые называют *пассивными*, вторые — *активными*.

## 19. Трение и движение животных

Рассмотрим конкретный пример — ходьбу человека. Принято думать, что при ходьбе движущей силой является трение, как единственная участвующая здесь *внешняя* сила. Так часто пишут в учебных руководствах и популярных книгах. Подобный взгляд больше затемняет вопрос, чем разъясняет его. Может ли трение о путь быть причиной движения, раз оно способно только замедлять движение, а никак не порождать его?

На роль трения в ходьбе человека и животных надо смотреть следующим образом. При ходьбе должно происходить в сущности то же, что и при движении ракеты. Человек может вынести ногу вперед только при условии, что прочая часть его тела продвинется назад. На скользкой поверхности мы это и наблюдаем. Но где имеется достаточно сильное трение, там отступления тела назад не происходит, и центр тяжести всего тела оказывается перенесенным вперед: шаг сделан.

Какие же силы перемещают здесь центр тяжести тела вперед? Сокращение мускулов, т. е. сила внутренняя. Роль трения в этом случае сводится лишь к тому, что оно уравновешивает одну из двух равных внутренних сил, возникающих при ходьбе, и тем дает перевес другой.

Совершенно такую же роль играет трение и при всяком ином перемещении живых существ, а также и при движении паровоза. Все эти тела движутся поступательно не действием трения, а одной из двух внутренних сил, получающей преобладание благодаря трению.

Изложенные здесь соображения показались некоторым критикам непозволительным новшеством. Однако они высказаны были еще полвека назад русским профессором П. П. Фандер-Флитом («Введение в механику», 1886, ч. II). Вот относящееся сюда место из этой книги:

«Результат действия внутренних сил материальной системы существенно видоизменяется присоединением к ним действия внешних сил. Внешние силы не только активные, но и пассивные (вроде трения или сопротивления), могут своим противодействием уравновесить часть внутренних сил системы и тем самым нарушить равенство между оставшимися неуравновешенными силами. Образовавшийся таким образом избыток внутренних сил по одному направлению сообщает всем телам системы, через посредство связей между ними, общее движение по этому направлению».

Затем следует объяснение указанным образом процессов ходьбы, движения паровоза, полета птиц и т. п.

## 20. Натяжение веревки

Может казаться, что натяжение веревки получится одинаковое, будем ли мы растягивать ее с силою 10 *кг* за каждый конец, или же тянуть с силою 20 *кг* за один конец, прикрепив другой к стене. В первом случае две силы в 10 *кг*, приложенные к концам веревки, дают растягивающее усилие в 20 *кг*; во втором случае то же натяжение порождается силой в 20 *кг*, приложенной к незакрепленному концу.

Рис. 63. Динамометр показывает силу тяги лошади или силу тяги деревца, — но никак не сумму обоих усилий.

238

Это — грубое заблуждение. Натяжение веревки в рассматриваемых случаях вовсе не одинаково. В первом случае веревка растягивается двумя силами по 10 *кг*, приложенными к ее концам, во втором — двумя силами по 20 *кг*, также приложенными к концам, потому что сила рук вызывает равную противодействующую силу со стороны стены. Следовательно, натяжение веревки во втором случае вдвое больше, чем в первом.

Легко впасть в новую ошибку, определяя самую величину натяжения веревки. Вообразим, что растягиваемая веревка разрезана и освободившиеся концы ее привязаны к пружинному безмену — один к кольцу, другой — к крючку. Сколько покажет в каждом случае безмен? Не следует думать, что в первом случае показание безмена будет 20 *кг*, во втором 40 *кг*. Две противоположные силы по 10 *кг*, приложенные к концам веревки, дают растяжение не в 20 *кг*, а всего в 10 *кг*. Что такое две силы по 10 *кг*, растягивающие веревку в противоположные стороны? Не что иное, как то, что мы называем «силою в 10 *кг*». Других сил в 10 *кг* не бывает: всякая сила имеет как бы два конца. Если и кажется иной раз, что перед нами сила ординарная, а не парная, то происходит это потому лишь, что другой «конец» наблюдаемой силы находится весьма далеко и ускользает от нашего внимания. Когда, например, тело падает, на него действует сила притяжения Земли: это один «конец» силы; другой — притяжение телом Земли — приложен в центре земного шара.[1]

Итак, веревка, которую тянут в разные стороны силами в 10 *кг*, растягивается силою 10 *кг*, а натягиваемая в одну сторону силою в 20 *кг* (и в обратную сторону — такою же силою противодействия) подвержена натяжению в 20 *кг*.

## 21. Магдебургские полушария

После разъяснений предыдущей статьи ясно, что в упряжке при полушариях Герике 8 лошадей были совершенно

Рис. 64. В этом случае роль тяги согнутого деревца (см. рис. 63) играет противодействие стены.

_____

[1] Подробнее об этом см. мою «Занимательную механику», гл. I.

излишни. Их вполне можно было бы заменить сопротивлением какой-нибудь стены или крепкого древесного ствола. По закону действия и противодействия, сила противодействия стены равнялась бы тяге 8 лошадей. Чтобы увеличить тягу, целесообразно было бы эту восьмерку освободившихся лошадей припрячь в помощь прочим восьми. (Не следует думать, однако, что тяга при этом *удвоилась* бы: вследствие неполной согласованности усилий двойное число лошадей порождает не двойную тягу, а менее чем двойную, хотя и бо́льшую, чем ординарную.)

Замена 8 лошадей сопротивлением стены выгодна и без использования освободившейся восьмерки лошадей, так как уменьшается несогласованность усилий: противодействие стены проявляется строго в тот самый момент, когда действует тяга лошадей, чего нельзя сказать о противодействии живых двигателей.

## 22. Безмен

На вопрос этой задачи ошибочно отвечать, что раз взрослый тянет к себе кольцо безмена с силою 10 *кг,* а ребенок тянет за крюк в свою сторону с силою 3 *кг,* то указатель должен остановиться у 13 *кг.*

Это неверно потому, что нельзя тянуть тело с силою 10 *кг,* если нет равного противодействия. В данном случае противодействующая сила есть сила ребенка, которая не превышает 3 *кг;* поэтому взрослый может тянуть безмен с силою не более 3 *кг.* Указатель безмена остановится, следовательно, у деления в 3 *кг.*

Кому это представляется неправдоподобным, тот пусть рассмотрит случай, когда ребенок, держа безмен, вовсе не тянет его к себе: сможет ли взрослый вытянуть на таком безмене хоть один грамм?

Отметим, кстати, что равенство действия и противодействия не нарушается никогда, ни при каких условиях.

Некоторые не понимают этого по вине своих учителей.

Так, например, в «Физике» проф. А. К. Тимирязева (ч. I, стр. 69) можно найти прямое утверждение, что «равновесие (автор разумел *равенство*) между действием и противодействием» в некоторых случаях временно нарушается. Это неожиданное в устах профессора физики утверждение поясняется следующим примером:

«На нитке, которую я держу в руках, висит гиря в 5 фунтов. Я держу руку неподвижно; для этого я должен делать усилие в 5 фунтов. Я быстро увеличиваю эту силу, т. е. дергаю нитку вверх. Этим самым я сообщаю ускорение вверх спокойно висевшей гире — я привожу ее в движение из состояния покоя — *я нарушил равенство действия и противодействия*, вызвав движение — я увеличил действие но в процессе движения развивается противодействие, которое как раз уравновешивает увеличение силы моей руки, вызвавшей это движение».

Подобные «разъяснения», смешивающие равенство сил с их равновесием (сила действия и сила противодействия никогда не уравновешивают друг друга, потому что приложены к *разным* телам), только затемняют дело и упрочивают ходячие превратные представления о третьем законе Ньютона.

### 23. Приседание на весах

Ошибочно полагать, что платформа не сдвинется совсем, так как вес человеческого тела при приседании не меняется. Та сила, которая при приседании увлекает туловище вниз, тянет ноги вверх: давление их на платформу уменьшается — и она подается вверх.

### 24. На воздушном шаре

Шар в покое не останется. Пока человек взбирается по лестнице, аэростат будет *опускаться*. Здесь происходит то же, что наблюдается, когда вы ходите по приставшей к берегу легкой лодке, чтобы выбраться на сушу: лодка отступает под вашими ногами назад. Точно также и лестница, отталкиваемая вниз ногами взбирающегося по ней человека, будет увлекать аэростат к земле.

Что касается величины перемещения шара, то оно во столько же раз меньше поднятия человека, во сколько раз масса шара больше массы человека.

### 25. Муха в банке

Предложенный вопрос поставлен был в немецком научном журнале «Umschau» и сделался предметом оживленного обсуждения, в котором участвовало полдюжины инженеров. Выдвигались самые разнообразные доводы, привлекались многочисленные формулы, но решения давались противоречивые: спор не привел к единообразному ответу.

Разобраться в задаче можно, однако, и не обращаясь к уравнениям. Покинув стенку банки и держась в воздухе *на неизменном* уровне, муха давит крылышками на воздух с силою, равною весу насекомого; давление это передается дну банки. Следовательно, весы должны оставаться в том же положении, в каком были, когда муха сидела на стенке.

Так будет до тех пор, пока муха держится на одном уровне. Если же, летая в банке, муха поднимается вверх или опускается вниз, то в момент изменения движения муха, двигаясь с *ускорением*, находится под действием силы. Когда муха начинает подниматься, приложенная к ней сила направлена вверх, сила же противодействия, приложенная к воздуху в банке, направлена вниз. Передаваясь банке, она увлекает чашку вниз. При полете мухи вниз чашка в силу подобной же причины должна облегчаться.

Итак, при полете мухи вверх чашка опустится, а полет вниз вызовет подъем чашки.

## 26. Маятник Максвелла

Расчет приводит к довольно парадоксальному результату, который, однако, подтверждается опытом. А именно: в то время, когда маховик идет вниз, нити не подвержены натяжению с силою полного его веса, и указатель безмена *поднимается*; он сохраняет неизменным определенное приподнятое положение в течение всего времени, пока маховик опускается. Такое же положение сохраняет указатель и во время подъема маховика и даже в момент достижения им высшей точки, где он на мгновение словно останавливается. Только в самой низкой точке пути маховик заставляет указатель рвануться вниз, чтобы в следующий момент вернуть его опять к прежнему повышенному положению.

«Этот опыт, — пишет проф. Р. Поль, — даже на искушенного в физике производит часто поразительное впечатление».

Подтвердим сказанное вычислением. Прежде всего покажем, что движение маховика вниз есть движение равноускоренное, с постоянным ускорением, меньшим, нежели ускорение свободного падения. Исходя из закона сохранения энергии, составляем уравнение:

$$mgh = \frac{mv^2}{2} + \frac{K\omega^2}{2},$$

где $m$ — масса маховика, $g$ — ускорение свободного падения, $h$ — высота, с какой опустился маховик; $mgh$ — потеря потенциальной энергии, превратившейся в кинетическую энергию поступательного $\dfrac{mv^2}{2}$ и вращательного $\dfrac{K\omega^2}{2}$ движений; $v$ — скорость поступательного движения; $\omega$ — угловая скорость вращательного движения; $K$ — момент инерции маховика. Так как энергия вращательного движения маховика составляет некоторую долю энергии его поступательного движения, то правую часть уравнения можем заменить некоторой величиной $qmv^2$, где $q$ — отвлеченное число (большее единицы), зависящее только от момента инерции $K$ маховика; следовательно, $q$ во время движения маховика не меняется. Итак,

$$mgh = qmv^2,$$

откуда

$$v = \sqrt{\frac{gh}{q}} = \frac{1}{\sqrt{q}} = \sqrt{gh} \, .$$

Сравнивая полученное выражение с формулой для свободного падения:

$$v_1 = \sqrt{2gh} = \sqrt{2} \cdot \sqrt{gh} \, ,$$

видим, что скорость опускания маховика в каждой точке составляет всегда одинаковую долю скорости свободного падения:

$$\frac{v}{v_1} = \frac{1}{\sqrt{q}} : \sqrt{2}; \quad v = \frac{v_1}{\sqrt{2q}} \, .$$

С другой стороны, мы знаем, что скорость $v_1$ свободного падения связана с его продолжительностью $t$ следующей зависимостью:

$$v_1 = gt.$$

Значит,

$$v = \frac{gt}{\sqrt{2q}} = \frac{g}{\sqrt{2q}} t = at \, .$$

Это показывает, что маховик опускается равноускоренным движением с ускорением $a$, равным $\dfrac{g}{\sqrt{2q}}$. Так как $q > 1$, то $a < g$.

Сходным образом можно доказать, что *подъем* маховика совершается равнозамедленным движением с тем же (по величине и направлению) ускорением *a*.

Установив величину ускорения, определим натяжение нитей маятника при нисходящем и восходящем движении маховика. Так как маховик увлекается вниз с силою, меньшею его веса, то очевидно, что его тянет вверх некоторая сила $f$, которая равна разности между весом $mg$ маховика и силой $ma$, увлекающей его в движение:

$$f = mg - ma.$$

Это и есть натяжение нитей. Отсюда следует, что указатель безмена должен во все время падения маховика стоять *выше* деления, отвечающего весу маховика.

Для случая, когда маховик идет вверх, натяжение нитей выражается тем же уравнением, какое мы вывели для движения, нисходящего:

$$f = mg - ma.$$

Значит, положение указателя безмена должно при подъеме маховика быть то же, что и при его опускании.

Уравнение $f = mg - ma$ остается в силе и в момент достижения маховиком высшей точки пути: смена восходящего движения нисходящим не влияет на положение указателя.

Напротив, при достижении низшей точки пути маховик резким рывком нитей сдвигает на мгновение указатель вниз. Причина рывка та, что в этот момент маховик, размотав нити до конца, переходит с одной их стороны на другую. Маховик висит тогда на вытянутых нитях, передавая точкам их прикрепления не только свой полный вес, но и центробежный эффект движения оси маховика по дуге малого радиуса. Указатель безмена опускается *ниже* деления, отвечающего полному весу маховика.

## 27. Плотничий уровень в вагоне

Пузырек уровня при движении вагона отходит от середины то в одну, то в другую сторону, — но судить по этому признаку о наклоне пути нужно очень осмотрительно, так как движения пузырька не во всех случаях бывают обусловлены этой причиной. При отходе от станции, когда поезд разгоняется, и при торможении, когда движение замедляется, пузырек уровня отплывает в сторону даже и на строго горизонтальном участке. И только когда поезд движется равномерно, без ускорения, уровень показывает нормально подъемы и уклоны пути.

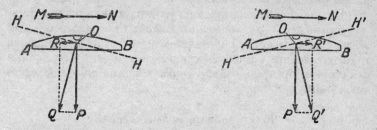

Рис. 65—66. Отклонение пузырька плотничьего уровня в движущемся вагоне.

Чтобы понять это, обратимся к чертежам. Пусть (рис. 65) *AB* — уровень, *P* — его вес в неподвижном поезде. Поезд трогается на горизонтальном пути в направлении, указанном стрелкой *MN,* т. е. идет с ускорением. Опора под уровнем стремится выскользнуть вперед; следовательно уровень стремится скользить по полу назад. Сила, увлекающая уровень назад в горизонтальном направлении, изображена на чертеже вектором *OR.* Равнодействующая *Q* сил *P* и *R* прижимает уровень к опорной плоскости, действуя на жидкость в нем как вес. Для уровня отвесная линия как бы направлена по *OQ,* и следовательно, горизонтальная плоскость временно перемещается в *HH.* Ясно, что пузырек отвеса отойдет к концу *B, приподнятому* по отношению к новой горизонтальной плоскости. Это должно происходить на строго горизонтальном пути. На уклоне уровень может ложно показать горизонтальность пути или даже подъема, в зависимости от величины уклона и ускорения поезда.

Когда поезд начинает тормозить, расположение сил меняется. Теперь (рис. 66) опорная плоскость стремится *отстать* от уровня; на последний начинает действовать сила *R',* увлекающая уровень вперед; при отсутствии трения она заставила бы уровень скользить к передней стенке вагона. Равнодействующая *Q'* сил *R'* и *P* направлена теперь вперед; временная горизонтальная плоскость перемещается в *H'H',* и пузырек отходит к концу *A,* хотя бы поезд шел по горизонтальному пути.

Короче говоря, при наличии ускорения пузырек уровня отходит от среднего положения. Уровень показывает на горизонтальном пути подъем, когда поезд движется ускоренно, и уклон, когда поезд идет с замедлением. И только при отсутствии ускорения (положительного или отрицательного) уровень дает нормальные показания.

Нельзя также полагаться на уровень в движущемся поезде при суждении о *поперечном* наклоне пути: центробежный эффект, складываясь с силою тяжести, может на закруглениях пути обусловить обманчивые показания уровня. (Подробности об этом читатель найдет в моей «Занимательной механике», гл. III).

## 28. Отклонение пламени свечи

1) Думающие, что пламя свечи, переносимой в закрытом фонаре, вовсе не будет отклоняться при движении фонаря, — ошибаются. Причина отклонения вперед та, что пламя обладает меньшею плотностью, чем окружающий его воздух. Одна и та же сила телу с меньшей массою сообщает бо́льшую скорость, чем телу с большею массою. Поэтому пламя, двигаясь быстрее воздуха в фонаре, отклоняется вперед.

2) Та же причина — меньшая плотность пламени, нежели окружающего воздуха — объясняет и неожиданное поведение пламени при круговом движении фонаря: оно отклоняется *внутрь*, а не наружу, как можно было, пожалуй, ожидать. Явление станет понятно, если вспомним, как располагаются ртуть и вода в шаре, вращаемом на центробежной машине: ртуть располагается дальше от оси вращения, чем вода; последняя словно всплывает в ртути, если считать «низом» направление от оси вращения (т. е. направление, в котором «падают» тела под действием центробежного эффекта). Более легкое, чем окружающий воздух, пламя при круговом движении фонаря «всплывает» в воздухе «вверх», т. е. по направлению к оси вращения.

## 29. Согнутый стержень

Читатель, подозревающий в вопросе подвох и готовый ответить, что стержень после сгибания останется в равновесии, — заблуждается. С первого взгляда может, пожалуй, показаться, что обе половины прута, как имеющие одинаковый вес, должны уравновешиваться. Но разве одинаковые грузы на рычаге всегда уравновешивают друг друга? Для равновесия грузов на рычаге необходимо, чтобы отношение их величин было обратно отношению плеч. Пока стержень не был согнут, плечи рычага были равны, так как вес каждой половины приложен был в ее середине (рис. 67); тогда их равные веса уравновешивались. Но после сгибания правой половины стержня правое плечо рычага стало вдвое короче левого. И именно потому, что веса

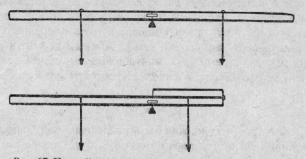

Рис. 67. Прямой стержень в равновесии, согнутый — нет.

половин стержня равны, они теперь не уравновешивают друг друга: перетягивает левая часть, так как вес ее приложен в точке, удаленной от точки опоры вдвое более, чем в правой части (рис. 67, нижний). Итак, несогнутая часть стержня перетянет согнутую.

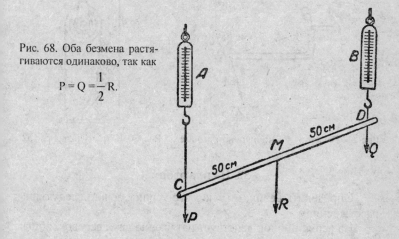

Рис. 68. Оба безмена растягиваются одинаково, так как

$$P = Q = \frac{1}{2}R.$$

## 30. Два безмена

Оба безмена покажут одинаковую нагрузку. В этом легко убедиться, разложив (рис. 68) вес $R$ гири на две силы $P$ и $Q$, приложенные в точках C и D. Так как MC = MD, то P = Q. Наклонное положение стержня не нарушает равенства этих сил.

Сходным образом, часто ошибочно судят о нагрузке, приходящейся на каждого из двоих несущих мебель по лестнице. Когда двое несут, например, шкаф вверх по лестнице, принято думать, что нагрузка заднего больше нагрузки переднего. При этом рассуждают так, словно шкаф, который держат в руках или на плечах, стремится вниз наклонно. На самом деле направление сил отвесное, и нагрузка на обоих одинакова.

## 31. Рычаг

Сила F (рис. 69) должна быть направлена под прямым углом к линии BC: тогда плечо этой силы будет наибольшим, и следовательно, для получения требуемого статического момента понадобится наименьшая сила.

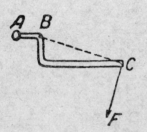

Рис. 69. Решение задачи о кривом рычаге.   Рис. 70. К ответу на вопрос 32.

## 32. На платформе

Определить величину искомого усилия можно следующим рассуждением.

На верхний блок действует натяжение двух веревок, общая величина которого равна весу человека плюс вес платформы, т. е. 90 *кг.* Натяжение каждой веревки *c* и *d* равно, следовательно, 45 *кг.* Сила в 45 *кг,* удерживая нижний блок, уравновешивает натяжение двух веревок *a* и *b;* натяжение каждой из них равно $22\frac{1}{2}$ *кг.*

Итак, искомое натяжение веревки $a = 22\frac{1}{2}$ кг. С такой силой человек должен тянуть веревку, чтобы удерживать платформу от падения.

## 33. Провисающая веревка

Как бы сильно веревка ни была натянута, она неизбежно провисает. Сила тяжести, вызывающая провисание, направлена

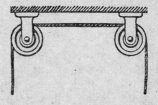

Рис. 71. Нельзя натянуть веревку так, чтобы она между блоками не провисала.

отвесно, натяжение же веревки не имеет вертикального направления. Такие две силы ни при каких условиях не могут уравновеситься, т. е. их равнодействующая не может равняться нулю. Эта-то равнодействующая и вызывает провисание веревки.

Рис. 72. Гамак невозможно натянуть строго горизонтально.

Никаким усилием, как бы велико оно ни было, нельзя натянуть веревки строго прямолинейно (кроме случая, когда она

249

направлена отвесно). Провисание неизбежно; можно уменьшить его величину до желаемой степени, но нельзя свести его к нулю. Итак, всякая неотвесно натянутая веревка, всякий передаточный ремень должны провисать.

По той же причине невозможно, между прочим, натянуть и гамак так, чтобы веревки его были горизонтальны. Туго натянутая (проволочная сетка кровати прогибается под грузом лежащего на ней человека. Гамак же, натяжение веревок которого гораздо слабее, при лежании на нем человека превращается в свешивающийся мешок.

### 34. Увязший автомобиль

Силы одного человека часто оказывается достаточно, чтобы извлечь тяжелую машину тем примитивным способом, который описан в задаче. Веревка, при любой ее натянутости, должна уступить действию даже умеренной силы, приложенной под прямым углом к ее направлению. Причина — та же, какая заставляет провисать всякую натянутую веревку.

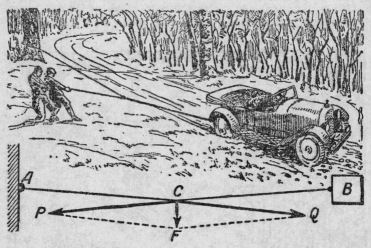

Рис. 73. Как вытащить автомобиль из выбоины.

Возникающие при этом силы показаны на рис. 73. Сила $CF$ тяги человека разлагается на две — $CQ$ и $CP$, направленные вдоль веревки. Сила $CQ$ тянет пень и, если он достаточно крепок, парализуется его сопротивлением. Сила же $CP$ увлекает автомобиль, и так как она значительно больше, чем $CF$, то мо-

250

жет извлечь машину из выбоины. Выигрыш силы тем больше, чем больше угол $ACB$, т. е. чем сильнее натянута веревка.

## 35. Трение и смазка

Смазка ослабляет трение средним числом раз в 10.

## 36. По воздуху и по льду

Можно думать, что так как сопротивление воздуха слабее, чем трение о лед, то тело, летящее через воздух, достигает дальше, чем скользящее по льду. Заключение это неправильно: оно не учитывает того, что сила тяжести пригибает вниз путь брошенного тела, которое вследствие этого и не может быть далеко закинуто. Сделаем расчет, причем ради упрощения выкладок будем считать сопротивление воздуха равным нулю. Оно, впрочем, и действительно крайне ничтожно для тех скоростей, какие можно сообщить телу рукой человека.

Для тел, брошенных в пустоте под углом к горизонту, наибольшая дальность достигается тогда, когда угол равен 45°. При этом, как выводится в курсах механики, дальность бросания определяется формулой:

$$L = \frac{v^2}{g},$$

где $v$ — начальная скорость, $g$ — ускорение тяжести. Если же тело скользит по поверхности другого тела (в данном случае лед по льду), то сообщенная ему кинетическая энергия $\frac{1}{2}mv^2$ расходуется на преодоление работы силы трения $f$, равной $kmg$, где $k$ — коэффициент трения, а $mg$ (произведение массы тела на ускорение тяжести) — вес тела. Работа трения на пути $L'$ равна

$$kmgL'.$$

Из уравнения

$$\frac{1}{2}mv^2 = kmg\,L'$$

находим величину $L'$ пробега льдинки

$$L' = \frac{v^2}{2kg}.$$

251

Принимая коэффициент трения льда о лед равным 0,02, имеем

$$L' = \frac{25v^2}{g}.$$

Между тем, дальность бросания равна всего $\dfrac{v^2}{g}$, в 25 раз меньше.

Итак, заставив льдинку скользить по льду, мы можем закинуть ее раз в 25 дальше, чем бросив в воздух.

Если принять во внимание, что брошенная льдинка может продолжать двигаться и после падения, то дальность скольжения будет превышать дальность бросания уже не столь значительно; но и в таком случае преимущество на стороне скользящей, а не брошенной льдинки.

## 37. Падение тела

«Тик-так» карманных часов длится не одну секунду, как часто думают, а только 0,4 с. Поэтому путь, проходимый падающим телом в этот промежуток времени, равен

$$\frac{9,8 \cdot 0,4^2}{2} = 0,784 \text{ м,}$$

т. е. около 80 *см*.

## 38. Затяжной прыжок с парашютом

Противоречие объясняется тем, что падение с нераскрытым парашютом ошибочно принято было за свободное, не замедляемое сопротивлением воздуха. Между тем оно существенно отличается от падения в несопротивляющейся среде.

Попробуем установить, хотя бы приблизительно, подлинную картину падения при затяжном прыжке. Будем пользоваться для расчетов следующей найденной из опыта приближенной формулой для величины *f* сопротивления воздуха при рассматриваемых условиях:

$$f = 0,03 \ v^2 \ \text{кг,}$$

где *v* — скорость падения в метрах в секунду. Сопротивление, как видим, пропорционально квадрату скорости; а так как парашютист падает с возрастающей скоростью, то наступает момент, когда сила сопротивления делается равно весу тела. С этого момента скорость падения расти больше не будет; падение из ускоренного становится равномерным.

Для парашютиста это наступает тогда, когда его вес (вместе с парашютом) сделается равным $0,03\ v^2$; принимая вес снаряженного парашютиста в 90 *кг*, имеем уравнение

$$0,03\ v^2 = 90,$$

откуда $v = 55$ *м/с*.

Итак, парашютист падает ускоренно лишь до тех пор, пока не накопит скорости 55 *м/с*. Это наибольшая скорость, с какою он опускается, в дальнейшем скорость уже не возрастает. Определим — опять приближенно — сколько секунд употребил парашютист для достижения этой максимальной скорости. Примем во внимание, что в самом начале падения, пока скорость мала, сопротивление воздуха ничтожно, и тело падает как свободное, т. е. с ускорением 9,8 *м/с²*. К концу же интервала ускоренного движения, когда устанавливается равномерное падение, ускорение равно нулю. Для нашего приближенного расчета можно допустить, что ускорение в среднем равнялось

$$\frac{9,8 + 0}{2} = 4,9\ м/с^2.$$

Если принять таким образом, что секундная скорость нарастала на 4,9 *м* в секунду, то она достигает величины 55 *м* по истечении

$$55 : 4,9 = 11\ с.$$

Путь S, проходимый телом в 11 секунд такого ускоренного движения, равен

$$S = \frac{at^2}{2} = \frac{4,9 \times 11^2}{2} \approx 300\ м.$$

Теперь выясняется подлинная картина падения Евдокимова. Первые 11 с он падал с постепенно уменьшающимся ускорением, пока не накопил скорости 55 *м/с*, приблизительно на 300-м метре пути. Остальной путь затяжного прыжка он проходил равномерным движением со скоростью 55 *м/с*. Равномерное движение, согласно нашему приближенному расчету, длилось

$$\frac{7900 - 300}{55} \approx 138\ с,$$

а весь затяжной прыжок

$$11 + 138 = 149 \ c,$$

что мало отличается от действительной продолжительности (142 *c*).

Сделанный нами элементарный расчет надо рассматривать лишь как первое приближение к действительности, так как он основан на ряде упрощающих допущений.

Приведем для сравнения данные, полученные путем опыта: при весе снаряженного парашютиста 82 *кг* максимальная скорость устанавливается на 12-й секунде, когда парашют опускается на 425—460 *м* (М. Забелин. Прыжок с парашютом. М., 1933).

### 39. Куда бросить бутылку?

Так как мы привыкли к тому, что прыгать из движущегося вагона безопаснее вперед по направлению движения, то может казаться, что бутылка ударится о землю слабее, если ее кинуть вперед. Это неверно: вещи надо бросать *назад*, против движения поезда. Тогда скорость, сообщенная бутылке бросанием, будет *отниматься* от той, какую бутылка имеет вследствие инерции: в итоге бутылка встретит землю с меньшей скоростью. При бросании вперед произошло бы обратное: скорости сложились бы, и удар получился бы сильнее.

То, что для человека безопаснее все же прыгать вперед, а не назад, объясняется совсем другими причинами: падая вперед, мы меньше расшибаемся, чем при падении назад.[1]

### 40. Из вагона

Тело, брошенное с некоторою начальною скоростью, — безразлично, в каком направлении, — подвержено той же силе тяжести, какая увлекает и тело, уроненное без начальной скорости. Ускорение падения для обоих тел одинаково, поэтому они достигнут земли одновременно. Значит, вещь, брошенная из движущегося вагона, достигает земли в такой же промежуток времени, как и брошенная из вагона неподвижного.

### 41. Три снаряда

Черт. 14 ошибочен. Дальность полета снарядов, брошенных под углами в 30° и в 60°, должна быть одинакова (как и

---

[1] Всего безопаснее, впрочем, прыгать не вперед, а назад, но лицом вперед. Подробнее об этом см. «Занимательная физика», кн. 1-я.

вообще для всяких углов, дополняющих друг друга до 90°). На черт. 14 это не соблюдено.

Что касается снаря-
да, брошенного под уг-
лом в 45°, то на черт. 14
правильно показано, что
дальность его наиболь-
шая. Эта максимальная
дальность должна вчет-
веро превышать подъем
самой высокой точки
траектории, — это на

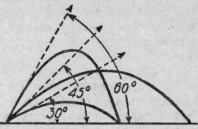

Рис. 74. К ответу на вопр. 41.

черт. 14 также соблюдено (приблизительно). Правильный чертеж приложен (черт. 74).

## 42. Путь брошенного тела

В большинстве учебных книг утверждается без оговорок, что тело, брошенное в пустоте под углом к горизонту, движется по параболе. Весьма редко делается при этом замечание, что дуга параболы является только приближенным изображением истинной траектории тела; оно верно лишь при небольших начальных скоростях брошенного тела, т. е. пока

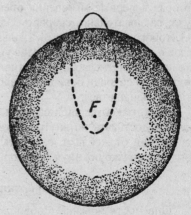

Рис. 75. Тело, брошенное наклонно к горизонту, должно в пустоте двигаться по дуге эллипса, фокус которого F в центре планеты.

тело не слишком удаляется от земной поверхности, и, следовательно, пока можно пренебречь уменьшением силы тяжести. Если бы брошенное тело двигалось в пространстве, где

255

сила тяжести постоянна, путь его был бы строго параболический. В реальных же условиях, когда сила притяжения убывает с расстоянием по закону обратных квадратов, брошенное тело должно подчиняться 1-му закону Кеплера и, следовательно, двигаться по *эллипсу*, фокус которого находится в центре Земли.

Поэтому, строго говоря, каждое тело, брошенное на земной поверхности под углом к горизонту, должно в пустоте двигаться не по дуге параболы, а по *дуге эллипса*. При современных артиллерийских скоростях различие между обеими траекториями весьма незначительно. Но в будущем, когда технике придется иметь дело со скоростями крупных жидкостных ракет, летящих в несопротивляющейся среде, нельзя будет даже приближенно принимать путь ракеты выше пределов атмосферы за параболический.

## 43. Наибольшая скорость артиллерийского снаряда

Скорость артиллерийского снаряда должна возрастать все время, пока давление на него пороховых газов сзади превосходит сопротивление воздуха спереди. Давление же пороховых газов не прекращается в момент выхода снаряда из канала орудия: газы продолжают давить на снаряд и вне орудия с силою, которая в первые мгновения превосходит сопротивление воздуха; следовательно, скорость снаряда должна еще в течение некоторого времени расти. Только тогда, когда расширение газов в свободном пространстве уменьшит их давление до того, что оно станет слабее сопротивления воздуха, снаряд будет подвержен спереди большему напору, чем сзади, и скорость его станет уменьшаться.

Итак, максимальной своей скорости снаряд действительно должен достигать не внутри орудия, а вне его, на некотором расстоянии от жерла, т. е. спустя короткий промежуток после того, как он уже покинул ствол орудия.

## 44. Прыжки в воду

Опасность прыжка в воду с значительной высоты состоит, главным образом, в том, что накопленная при падении скорость сводится к нулю на слишком коротком пути. Если, например, пловец бросается с высоты 10 *м* и погружается в воду на глубину 1 *м*, то скорость, накопленная на пути 10 *м* свободного падения, уничтожается на участке в 1 *м*. Отрицательное ускорение при погружении в воду должно быть в 10 раз больше ускорения свободно падающего тела. При погружении в воду пловец испытывает поэтому давление снизу, в данном случае вдесятеро превосходящее обычное давление, порождаемое весом. Иными словами, тело пловца становится словно в 10 раз тяжелее — вместо 70 *кг* весит 700 *кг*. Такой непомерный груз, действуя даже короткое время (пока длится погружение), может вызвать в организме серьезные расстройства.

Отсюда следует, между прочим, что вредные последствия прыжка смягчаются при возможно более глубоком погружении в воду; накопленная при падении скорость поглощается тогда на более длинном пути, и ускорение (отрицательное) становится меньше.

### 45. На краю стола

Если плоскость стола перпендикулярна к отвесной линии, проходящей через ее середину, то края стола расположены, очевидно, дальше от центра Земли, т. е. выше, чем середина (практически на весьма незначительную величину). При полном отсутствии трения и при идеально плоской поверхности шар должен поэтому скатиться с края стола к его середине.

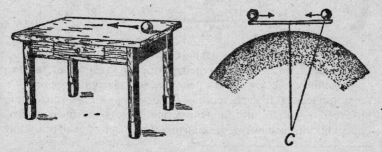

Рис. 76. При взгляде на этот рисунок. пе у всех явится мысль, что шар должен скатиться к середине стола.

Рис. 77. Но из этого чертежа ясно, что шар не может оставаться в покое (при отсутствии трения).

Здесь, однако, он не может остановиться — накопленная кинетическая энергия увлечет его далее до точки, находящейся на одном уровне с начальной, т. е. до противоположного края. Оттуда шар снова откатится в первоначальное положение и т. д.

Короче говоря, при отсутствии трения о плоскость стола и сопротивления воздуха, шар, положенный на край идеально плоского стола, пришел бы в нескончаемое движение.

Один американец предлагал устроить на этом принципе *вечное движение*. Проект его, изображенный на рис. 78, по идее совершенно правилен и осуществил бы вечное движение, если бы возможно было избавиться от трения. Впрочем, то же самое можно осуществить и проще — помощью груза, качающегося на нити: при отсутствии трения в точке привеса (и сопротивления воздуха) такой груз должен качаться вечно.[1] Производить работу подобные приспособления, однако, не способны.

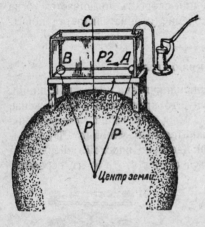

Рис. 78. Один из проектов «вечного движения».

В заключение поучительно остановиться на возражении, сделанном одним из читателей, который утверждает, что в приведенном рассуждении смешиваются две точки зрения — геометрическая и физическая. *Геометрически*, — поясняет читатель, — мы считаем лучи Солнца сходящимися на его поверхности, *физически* же признаем их параллельными. По-

---

[1] В Парижской обсерватории был произведен (Борда) опыт с маятником, качающимся в безвоздушном пространстве при минимально уменьшенном трении в точке привеса: маятник качался 30 часов. Интересно, как затухают постепенно колебания 98-метрового маятника, подвешенного в здании Исаакиевского собора. Первоначально 12-метровые размахи спустя 3 часа уменьшаются в 10 раз. Через 6 часов от начала наблюдений размахи сокращаются до *6 см*, через 9 часов — до *6 мм*. Спустя 12 часов от начала наблюдений размахи делаются незаметными для невооруженного глаза.

добно этому, в нашей задаче две отвесные линии, проведенные на Земле в расстоянии 1 *м, геометрически* пересекаются в центре земного шара, но *физически* должны считаться параллельными. А потому сила, увлекающая шар с края стола к середине, физически равна нулю; никакого скатывания наблюдаться не может.

Возражение ошибочно. Нетрудно убедиться расчетом, что отвесные линии, проведенные на Земле в расстоянии 1 м одна от другой, составляют между собою угол, который в 23 000 раз больше, чем угол между лучами Солнца, направленными к тем же точкам. Что касается величины силы, побуждающей шар скатываться с края стола, длиною в 1 *м,* то она составляет примерно одну 10-миллионную долю веса шара. В условиях нашей задачи, т. е. при полном отсутствии сопротивлений, всякая сколь угодно малая сила должна привести тело в движение, как бы велика ни была его масса. В данном случае, впрочем, сила не так уж мала: она одного порядка величины с тою силою, которая порождает океанские приливы; последняя сила даже и в реальных условиях (т. е. при наличии сопротивлений) ощутительно проявляет свое действие.

## 46. На наклонной плоскости

Не следует думать, что в положении *A* брусок, оказывая на опорную плоскость большее удельное давление, испытывает и большее трение. Величина трения не зависит от размеров трущихся поверхностей. Поэтому, если брусок скользил, преодолевая трение, в положении *B,* то он будет скользить и в положении *A.*

## 47. Два шара

1) При решении этой задачи нередко делают существенную ошибку: не принимают во внимание, что отвесно падающий шар движется только поступательно, между тем как шар, *скатывающийся* по плоскости, совершает, кроме поступательного движения, также и вращательное. Не свободны от этого недосмотра даже некоторые школьные учебники.

Какое влияние оказывает отмеченное обстоятельство на скорость скатывающегося тела, видно из следующего вычисления.

Потенциальная энергия шара, обусловленная его положением вверху наклонной плоскости, превращается при отвесном падении целиком в энергию поступательного движения, и из уравнения

$$ph = \frac{mv^2}{2}$$

или (после замены веса $p$ шара произведением его массы $m$ на ускорение $g$ тяжести) из равенства

$$mgh = \frac{mv^2}{2}$$

легко получается скорость $v$ такого шара в конце пути

$$v = \sqrt{2gh},$$

где $h$ — высота наклонной плоскости.

Иначе обстоит дело с шаром, скатывающимся по наклонной плоскости. В этом случае та же потенциальная энергия $ph$ преобразуется в сумму двух кинетических энергий — в энергию поступательного движения со скоростью $v_1$ и вращательного — с угловою скоростью $\omega$. Величина первой энергии равна

$$\frac{mv_1^2}{2}.$$

Вторая равна полупроизведению момента инерции $K$ шара на квадрат его угловой скорости $\omega$:

$$\frac{K\omega^2}{2}.$$

Имеем, следовательно, уравнение:

$$ph = \frac{mv_1^2}{2} + \frac{K\omega^2}{2}.$$

Из курса механики известно, что момент инерции $K$ однородного шара массы $m$ и радиуса $r$ относительно оси, проходящей через центр, равен $^2/_5 \, mr^2$. Далее, легко сообразить, что угловая скорость $\omega$ этого шара, катящегося с поступательною скоростью $v_1$ равна $\dfrac{v_1}{r}$. Поэтому энергия вращательного движения

$$\frac{K\omega^2}{2} = \frac{1}{2} \cdot \frac{2}{5} mr^2 \cdot \frac{v_1^2}{r^2} = \frac{mv_1^2}{5}.$$

Заменив в нашем уравнении, кроме того, вес $p$ шара равным ему выражением $mg$, получаем:

$$mgh = \frac{mv_1^2}{2} + \frac{mv_1^2}{5}$$

или, после упрощения,

$$gh = 0{,}7 \ v_1^2 \ .$$

Отсюда поступательная скорость

$$v_1 = \sqrt{2gh} \cdot \sqrt{\frac{5}{7}} = 0{,}84\sqrt{2gh} \ .$$

Сопоставляя эту скорость со скоростью в конце отвесного падения ($v = \sqrt{2gh}$), видим, что они заметно различаются: скатившийся шар (любого радиуса и любой массы) в конце пути, да и в каждой его точке, движется вперед со скоростью на 16% меньшею, чем шар, свободно упавший с той же высоты.

Сравнивая шар, скатывающийся по наклонной плоскости, с телом, скользящим по той же плоскости с равной высоты, легко установить, что скорость первого в *каждой точке пути на* 16% *меньше* скорости второго.

Скользящий шар при отсутствии трения достигает конца наклонного пути *раньше* (на 16%), нежели катящийся. То же верно и для тела, падающего отвесно: оно должно опередить скатывающийся шар на 16%.

Кто знаком с историей физики, тому известно, что Галилей установил законы падения тел, производя опыты с шарами, которые он пускал по наклонному желобу (длина — 12 локтей, возвышение одного конца 1—2 локтя). После сказанного выше может возникнуть сомнение в правильности пути, избранного Галилеем. Сомнение, однако, отпадает, если вспомним, что скатывающийся шар, в своем поступательном перемещении, движется равноускоренно, так как в каждой точке наклонного желоба скорость его составляет одну и ту же долю (0,84) скорости отвесно падающего шара на том же уровне. *Форма* зависимости между пройденным путем и временем остается та же, что и для тела, свободно падающего. Поэтому Галилей и мог правильно установить законы падения тел в результате своих опытов с наклонным желобом.

«Пустив шар, — писал он, — по длине, равной *четверти* длины желоба, я нашел, что время пробега в точности равнялось *половине* времени, какое употреблялось для прохождения целого желоба... Из опытов, сто раз повторенных, я всегда находил, что проходимые пути относятся между собою, как квадраты времен».

Рис. 79. Как шар катится между двумя наклонными плоскостями.

2) Переходя к решению второй задачи, отметим прежде всего, что первоначальный запас потенциальной энергии обоих шаров одинаков, так как массы их равны, и оба шара опускаются с одинаковой высоты. Далее, надо иметь в виду, что для шара, движущегося между досками, радиус круга катания меньше, чем для шара, скатывающегося по плоскости ($r_2 < r_1$)

Для шара, скатывающегося по плоскости, имеем, как и в первой задаче:

$$ph = \frac{mv_1^2}{2} + \frac{K\omega_1^2}{2}.$$

Для шара, движущегося между досками,

$$ph = \frac{mv_2^2}{2} + \frac{K\omega_2^2}{2};$$

подставив

$$\omega_1 = \frac{1}{r}; \quad \omega_2 = \frac{v_2}{r}.$$

получаем

$$\frac{mv_1^2}{2} + \frac{Kv_1^2}{2r_1^2} = \frac{mv_2^2}{2} + \frac{Kv_2^2}{2r_2^2}.$$

После преобразования

$$v_1^2\left(\frac{m}{2} + \frac{K}{2r_1^2}\right) = v_2^2\left(\frac{m}{2} + \frac{K}{2r_2^2}\right)$$

$$\frac{v_1^2}{v_2^2} = \frac{\dfrac{m}{2} + \dfrac{K}{2r_2^2}}{\dfrac{m}{2} + \dfrac{K}{2r_1^2}}.$$

Так как мы установили раньше, что $r_2 < r_1$, то числитель правой дроби больше знаменателя и следовательно $v_1 > v_2$; шар движется по плоскости быстрее, чем между досками, и достигнет конца наклонного пути раньше.

## 48. Два цилиндра

Задача — старинного происхождения. Я нашел ее в сочинении Озанама «Развлечения математические и физические» (1694), где она предложена в таком виде:

«Вообразите два шара: полый золотой и сплошной серебряный, покрытый позолотой, оба одинаковой величины и веса; возможно ли было бы различить серебряный от золотого?».

Озанам говорит, что, вопреки мнению более древних авторов математических головоломок, считавших задачу неразрешимой, способ различить шары существует. «Я изготовил бы круглое отверстие в медной пластинке, через которое оба шара проходили бы вплотную, но легко. Затем я нагрел бы оба шара выше температуры кипятка. Зная, что серебро расширяется больше золота, я наблюдал бы, который из шаров с бо́льшим усилием приходится проталкивать сквозь отверстие: это и есть серебряный шар».

Способ по существу правилен, но к нашей задаче о цилиндрах, оклеенных бумагой, очевидно, неудобоприменим. Однако задача разрешима и в этом случае.

Способ решения подсказывается разбором предыдущей 47-й задачи. Нетрудно догадаться, что для различения цилиндров всего проще воспользоваться неодинаковостью их моментов инерции; однородный алюминиевый цилиндр имеет иной момент инерции, чем составной, у которого бо́льшая часть массы сосредоточена на периферии. Соответственно этому должны быть различны и скорости их поступательного движения при скатывании с наклонной плоскости.

Момент инерции $K$ однородного цилиндра относительно его продольной оси равен, как учит механика,

$$K = \frac{mr^2}{2}.$$

Для второго, неоднородного цилиндра расчет сложнее. Прежде всего определим радиус и массу его пробковой цилиндрической части. Обозначив искомый радиус через $x$, радиус всего цилиндра по-прежнему через $r$, высоту цилиндров через $h$ и имея в виду, что плотности их материала соответственно равны

| | |
|---|---|
| пробки | 0,2 |
| свинца | 11,3 |
| алюминия | 2,7 |

можем написать следующее равенство:

$$0,2\,\pi\,x^2\,h + 11,3(\pi\,r^2\,h - \pi\,x^2\,h) = 2,7\,\pi\,r^2\,h.$$

Равенство означает, что сумма масс пробковой части цилиндра и его свинцовой оболочки равна массе алюминиевого цилиндра. Сделав упрощения, приводим наше уравнение к виду

$$11,1\,x^2 = 8,6\,r^2$$

откуда

$$x^2 \approx 0,77\,r^2.$$

В дальнейшем понадобится значение именно $x^2$, поэтому корня не извлекаем.

Масса пробковой части составного цилиндра равна

$$0,2\,\pi\,x^2\,h \approx 0,2\pi \cdot 0,77\,r^2\,h \approx 0,154\,\pi\,r^2\,h.$$

Масса свинцовой оболочки равна

$$2,7\,\pi\,r^2\,h - 0,154\,\pi\,r^2\,h \approx 2,55\,\pi\,r^2\,h.$$

В процентах к общей массе это составляет

| | |
|---|---|
| для пробковой части | 6% |
| для свинцовой части | 94% |

Вычислим теперь момент инерции $K_1$ составного цилиндра; он равен сумме моментов его составных частей — пробкового цилиндра и свинцовой оболочки.

Момент инерции пробкового цилиндра при радиусе $x$ и массе $0,06\,m$ (где $m$ — масса алюминиевого цилиндра) равен

$$\frac{1}{2}\,Mx^2 \approx \frac{1}{2}\,0,06m \cdot 0,77r^2 \approx 0,0231mr^2.$$

Момент инерции свинцовой цилиндрической оболочки с радиусами $x$ и $r$ и массою $0,94\,m$ равен

$$M \cdot \frac{x^2 + r^2}{2} \approx 0,94m \cdot \frac{0,77r^2 + r^2}{2} \approx 0,832mr^2.$$

Момент инерции $K_1$ составного цилиндра равен поэтому

$$K_1 = 0,0231\ m\ r^2 + 0,832\ m\ r^2 \approx 0,86\ m\ r^2.$$

Скорости поступательного движения скатывающихся цилиндров найдем так же, как нашли мы их в предыдущей задаче для шаров. В случае однородного цилиндра имеем уравнение

$$mgh = \frac{mv_1^2}{2} + \frac{mv_1^2}{4}$$

или

$$gh = \frac{3v_1^2}{4},$$

откуда

$$v_1 = 0,8\sqrt{2gh}.$$

Для цилиндра неоднородного имеем

$$mgh = \frac{mv_2^2}{2} + \frac{0,86mr^2 \cdot v_2^2}{2r^2}$$

или

$$gh \approx 0,5v_2^2 + 0,43v_2^2 \approx 0,93v_2^2,$$

откуда

$$v_2 \approx 0,73\sqrt{2gh}.$$

Сравнивая обе скорости

$$v_1 \approx 0,8\sqrt{2gh} \quad \text{и} \quad v_2 \approx 0,73\sqrt{2gh},$$

видим, что поступательная скорость составного цилиндра на 9% меньше, чем однородного. По этому признаку и можно распознать алюминиевый цилиндр: он докатится до конца плоскости раньше составного.

Предоставляю читателю самостоятельно рассмотреть видоизменение этой задачи, а именно — тот случай, когда в составном цилиндре свинец сосредоточен у оси, а пробка облекает свинцовый стержень снаружи. Какой цилиндр докатится тогда раньше до конца плоскости?

## 49. Песочные часы на весах

Песчинки, не касаясь во время падения дна сосуда, не оказывают на него давления. Можно думать поэтому, что в течение тех пяти минут, пока длится пересыпание песка, чашка с часами должна быть легче и подняться вверх. Опыт покажет, однако, другое. Чашка с часами качнется вверх только в первое мгновение, но затем в течение пяти минут весы будут сохранять равновесие до последнего момента, когда чашка с часами качнется вниз и весы придут снова в равновесие.

Почему же весы останутся пять минут в равновесии несмотря на то, что часть песка, падая, не оказывает на дно сосуда никакого давления? Прежде всего отметим, что в течение каждой секунды столько же песчинок покидает шейку часов, сколько их достигает дна. (Если допустить, что дна достигает больше песчинок, чем покидает шейку, то откуда берутся эти избыточные песчинки? При обратном же допущении — куда деваются недостающие песчинки?). Значит, каждую секунду становятся «невесомыми» столько же песчинок, сколько ударяются о дно сосуда. Каждой песчинке, делающейся невесомой, отвечает удар песчинки о дно. Теперь произведем расчет. Пусть высота, с какой падает песчинка, равна $h$. Из уравнения

$$h = \frac{gt^2}{2},$$

где $g$ — ускорение тяжести, а $t$ — продолжительность падения, имеем

$$t = \sqrt{\frac{2h}{g}}.$$

В течение такого промежутка времени песчинка не оказывает давления на чашку весов. Уменьшение веса этой чашки на вес песчинки в течение $t$ секунд равносильно тому, что на чашку весов в течение $t$ секунд действует направленная вверх сила, равная весу $p$ песчинки. Действие этой силы измеряется ее импульсом

$$J = pt = mg\sqrt{\frac{2h}{g}} = m\sqrt{2gh}.$$

В течение такого же промежутка времени ударится в дно сосуда одна песчинка со скоростью $v = \sqrt{2gh}$. Импульс $J_1$ такого удара равен количеству движения $mv$ песчинки:

$$J_1 = mv = m\sqrt{2gh}.$$

Мы видим, что $J = J_1$, оба импульса равны. Чашка, подверженная равным, но противоположно направленным действиям, останется в равновесии.

Только в первый и в последний моменты пятиминутного промежутка времени равновесие весов (если они достаточно чувствительны) нарушится. В первый момент потому, что некоторые песчинки уже покинут верхний сосуд часов, сделаются невесомыми, но ни одна не успеет еще удариться в дно нижнего сосуда: чашка с часами качнется *вверх*. К концу пятиминутного промежутка равновесие снова нарушится на мгновение: все песчинки уже покинули верхний сосуд, новых невесомых песчинок нет, а удары о дно нижнего сосуда еще происходят: чашка с часами качнется вниз. Затем снова наступит равновесие, на этот раз окончательно.

## 50. Механика в карикатуре

Наша задача представляет собою видоизменение знаменитой «обезьяньей» задачи Льюиса Кэрролла (оксфордского профессора математики, автора популярной детской книжки «Алиса в стране чудес»). Кэрролл предложил рисунок, который мы здесь воспроизводим (рис. 80), и поставил вопрос:

Куда подвинется груз, когда обезьяна начнет взбираться вверх по веревке?

Ответы не были единообразны. Одни из решавших задачу утверждали, что, бегая по веревке, обезьяна не может оказать никакого действия на груз:

Рис. 80. «Обезьянья задача» Льюиса Кэрролла.

гиря не сдвинется с места. Другие полагали, что при движении обезьяны вверх груз будет опускаться. И лишь меньшинство высказало мысль, что гиря подвинется вверх, навстречу обезьяне.

Последний ответ и является единственно правильным:[1] движение обезьяны или людей вверх должно вызвать не опускание, а *подъем* гири. Когда люди взбираются вверх по свисающей с блока веревке, сама веревка под их руками должна двигаться обратно вниз (сравните с подъемом человека по лестнице, свисающей с воздушного шара в задаче 24). Но если веревка движется по блоку слева направо, то груз будет увлекаться ею вверх, т. е. подниматься.

То же должно происходить и с грузом на карикатуре: пока министры взбираются по веревке вверх, «фунт» должен подниматься, а не опускаться.

## 51. Грузы на блоке

Груз в 2 *кг,* конечно, будет опускаться, — но не с ускорением $g$ свободно падающего тела, а с меньшим. Так как движущая сила здесь равна 2 – 1, т. е. 1 *кг,* а приводимая ею в движение масса равна 1 + 2 = 3 *кг,* то ускорение $a$ замедленно опускающегося тела будет втрое меньше ускорения свободно падающего:

$$a = \frac{1}{3} \, g.$$

Далее, зная ускорение движущегося тела и его массу, легко вычислить величину силы $F,$ порождающей это движение:

$$F = ma = m \cdot \frac{1}{3} \, g = \frac{1}{3} \, P,$$

где $P$ — вес груза, равный 2 *кг.* Значит, груз в 2 *кг* увлекается вниз с силою в $\frac{2}{3}$ *кг.* Почему он не увлекается в движение с силою полного своего веса (2 *кг*)? Очевидно потому, что гирю тянет вверх сила в $2 - \frac{2}{3}$, т. е. $\frac{4}{3}$ *кг,* которая и представляет собой натяжение веревки. Итак, каждая из двух частей веревки, перекинутой через блок, натянута с силою $\frac{4}{3}$ *кг.* На блок действуют, мы видим, две параллельные силы по $\frac{4}{3}$ *кг.* Равнодействующая равна их сумме:

---

[1] Если пренебречь трением. При наличии значительного трения гиря может и не подняться. Кроме того, предполагается, что массы груза и обезьяны одинаковы.

$$\frac{4}{3}\,\kappa z + \frac{4}{3}\,\kappa z = \frac{4}{3}\,\kappa z.$$

Следовательно, показание пружинного безмена = 2 ²/₃ *кг.*

## 52. Центр тяжести конуса

Центр тяжести не изменит своего положения внутри конуса. Таково свойство центра тяжести: положение его определяется лишь распределением масс в теле и не меняется с изменением положения самого тела по отношению к отвесной линии.

## 53. В падающей кабине

Пространство внутри свободно падающей кабины представляет особый мирок с совершенно исключительными свойствами. Все тела, стоящие в подобной кабине, опускаются точно с такою же скоростью, как и их опоры, а все тела подвешенные падают со скоростью точек их привеса; поэтому первые не давят на свои опоры, вторые не обременяют точек привеса. Иными словами, те и другие уподобляются телам, лишенным веса. Становятся невесомыми и тела, свободно витающие в пространстве: уроненный предмет не падает на пол, а остается в том месте, где выпустили его из рук. Он не приближается к полу кабины потому, что одновременно с ним опускается сама кабина, тот и другая с одинаковой скоростью. Короче говоря, в падающей кабине мы имеем *мир, свободный от тяжести,* — превосходную лабораторию для тех физических опытов, ход которых заметно нарушается силой тяжести.

После сказанного легко ответить на вопросы, поставленные в задаче:

1) Указатель весов остановится на нуле: ваше тело не будет вовсе сжимать пружины весов.

2) Из перевернутого кувшина вода не выльется.

Описанные явления должны иметь место не только в кабине падающей, но и в кабине, свободно брошенной вверх, вообще в кабине, движущейся по инерции в поле тяготения. Так как все тела падают с одинаковым ускорением, то сила тяжести должна сообщать равное ускорение как самой кабине, так и телам внутри нее; по отношению друг к другу их положения не изменятся, а это то же самое, как если бы тела в кабине не подвержены были силе тяжести.

Подобная феерическая обстановка осуществится в каюте будущего ракетного корабля во время перелетов, не только межпланетных, но и *земных*, — например через Атлантический океан с одного материка на другой: сами пассажиры и все предметы на корабле сделаются невесомыми.

С указанными явлениями иногда приходится неожиданно считаться и в технике. Примеры находим в «Беседах по механике» В. Л. Кирпичева и в «Курсе технической механики» проф. Н. Б. Делоне (ч. 2-я). Привожу выдержку из книги Кирпичева:

«*Парашюты подъемников.* Машины, поднимающие людей в шахтах, всегда снабжаются парашютом, т. е. приспособлением, которое действует в случае разрыва подъемного каната, упираясь в деревянные стойки шахты, останавливает клетку, несущую людей, и не позволяет ей упасть с большой высоты. Попробуем устроить парашют так, как показано на рис. 81.

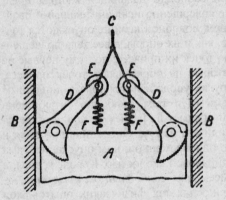

Рис. 81. Устройство парашюта подъемника.

$A$ — клеть, внутри которой стоят поднимаемые люди; $B$ — деревянные направляющие стойки по стенам шахты; $C$ — подъемный канат. Он прикрепляется к верху клети не прямо, а через посредство рычагов $D$, точки опоры которых укреплены на крыше клети. При подъеме канат вытянут; поэтому рычаги становятся в наклонное положение, показанное на чертеже, не задевают стойки $B$ и не мешают подъему. Нужно, чтобы при разрыве подъемного каната рычаги пришли в горизонтальное положение, с силою ударились в стойки и вцепились в них своими зубцами. Тогда клеть повиснет на стойках, и не случится несчастья с людьми.

Попробуем для получения такого поворота рычагов поставить на концах их тяжелые противовесы $E$... Такие противовесы не принесут никакой пользы. При разрыве каната начнется свободное падение клети, — при этом противовесы $E$ теряют свою способность стремиться вниз и с большой силой поворачивать рычаги. Таким образом здесь противовесы, даже очень тяжелые, окажутся бессильными, и вместо них надо поставить сильные пружины или рессоры $F$».

## 54. Сверхускоренное падение

I) При сверхускоренном падении точки прикрепления концов цепи будут двигаться вниз скорее, чем звенья самой цепи, которые будут стремиться падать с ускорением $g < g_1$. Средние звенья будут отставать от концевых, и цепь выгнется вверх под действием избытка ускорения $g_1 - g$, направленного вверх. Другими словами, цепь словно будет *падать вверх* с ускорением $g_1 - g$.

2) По той же причине маятник перекинется вверх и будет около отвесного положения совершать качания, продолжительность $t$ которых определяется формулой

$$ t = \pi \sqrt{\frac{l}{g_1 - g}}, $$

где $l$ — приведенная длина маятника.

3) Так как флакон будет падать вниз быстрее своего содержимого, то вода вскоре окажется вне флакона, над ним. Короче сказать, вода выльется из флакона *вверх* (рис. 82).

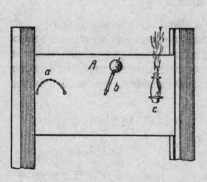

Рис. 82. Явления при сверхускоренном падении.

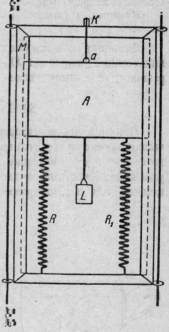

Рис. 83. Установка проф. Поспелова для изучения явления сверхускоренного падения.

Опыты подобного рода выполнены были лет двадцать назад проф. А. Поспеловым помощью остроумно придуманной установки, описанной им в брошюре: «Обращение проявлений силы тяжести в системе, движущейся вертикально вниз с ускорением, большим ускорения свободного падения» (Томск, 1913). Приводим из нее чертеж и описание установки:

«Вдоль вертикально натянутых проволок (рис. 83) может скользить рама $M$, во внутренних пазах которой в свою очередь может скользить доска $A$, которая и представляет собой интересующую нас систему (сверхускоренно падающую). Доска $A$ скреплена с рамой внизу двумя пружинами $R$ и $R_1$, которые приходится растянуть, чтобы поднять доску $A$ в раме $M$; это и делает груз $L$, висящий на шнурке, закрепленном в ушке $a$ и перекинутом через блок $K$.

Пока доска и рама в покое, доска занимает верхнее положение в раме $M$. Пускаем раму падать свободно; груз $L$ перестает растягивать пружины [почему?] и они, стягиваясь, потащат доску $A$ в раме $M$ *вниз*, давая прибавочное ускорение доске $A$ против рамы, уже имеющей ускорение свободного падения.

На доске $A$ укреплены отдельные аппараты, относящиеся к опытам».

Величина избытка ускорения над $g$ в этой установке невелика: она не превышает 90 $см/с^2$, т. е. 0,1 $g$. Следовательно, перевернутый маятник должен раскачиваться довольно медленно.

## 55. Чаинки в воде

Причина, заставляющая чаинки собираться к центру дна чашки, кроется в том, что вращение нижних слоев воды тормозится трением о дно чашки. Действие центробежного эффекта, удаляющего частицы жидкости от оси вращения, оказывается поэтому для верхних слоев значительнее, чем для нижних.

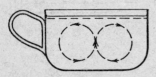 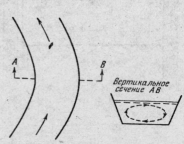

Рис. 84. Вихри в чашке чая. Из статьи А. Эйнштейна.

Рис. 85. Вихревое движение воды у изгиба реки. Из статьи А. Эйнштейна.

Вверху к стенкам чашки приливает от оси больше воды, чем внизу, и следовательно, внизу будет скопляться у оси больше воды, чем вверху. Легко видеть, что в итоге должно в чашке получиться вихревое движение, направленное в верхних слоях от середины к краям чашки, а в нижнем слое — от краев к середине. Следовательно, у дна будет существовать течение, направленное к оси чашки: оно-то и увлекает чаинки от краев чашки и поднимает их затем на некоторую высоту по ее оси (рис. 84).

Подобное же явление, но в гораздо более крупном масштабе, происходит и в изогнутых местах речного русла; согласно теории, предложенной знаменитым А. Эйнштейном, благодаря этому явлению увеличивается извилистость рек (образуются так называемые *меандры*). Прилагаемый здесь рис. 85, поясняющий связь обоих явлений, заимствован из статьи А. Эйнштейна «О причине образования меандров [извивов] речного русла» (1926 г.).

## 56. На качели

Стоя на доске качели, безусловно можно надлежащими телодвижениями постепенно увеличить размах качаний и довести их до желаемой величины. Для этого нужно:

1) находясь в высшей точке — приседать и оставаться в такой позе до момента, когда веревки качели будут направлены отвесно, т. е. когда будет достигнута низшая точка;

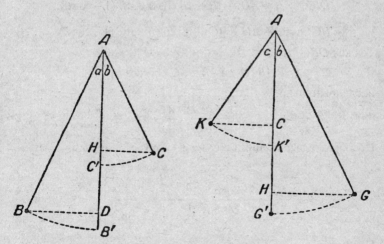

Рис. 86—87. Механика на качелях.

2) находясь в низшей точке — выпрямляться и оставаться в этой позе до момента достижения высшей точки.

Короче: идти вниз присев, а вверх — поднявшись, делая два телодвижения за одно качание доски.

Механическая целесообразность этих приемов вытекает из того, что качель есть своего рода физический маятник. Когда человек на качелях приседает, он опускает центр тяжести качающегося груза; выпрямляясь, человек повышает центр тяжести груза. Следовательно, длина маятника попеременно то увеличивается, то уменьшается, изменяясь дважды за одно качание.

Рассмотрим, как должен качаться такой маятник переменной длины.

Пусть маятник $AB$, придя в отвесное положение $AB'$ (рис. 86) укоротился до $AC'$. Так как груз маятника опустился на величину $DB'$, то он накопил запас кинетической энергии, который должен на дальнейшем пути поднять этот груз на равную высоту. Оттого что груз поднялся из точки $B'$ в $C'$, запас этот не уменьшился, так как работа поднятия производится не за счет накопленной энергии. Поэтому груз из точки $C'$ отклонением отвеса в положение $AC$ должен быть поднят на величину $C'H$, равную $B'D$. Нетрудно убедиться, что новый угол $b$ отклонения нити маятника больше первоначального угла $a$.

$$DB' = AB' - AD = AB - AB \cos a = AB \, (1 - \cos a);$$

$$HC' = AC' - AH = AC - AC \cos b = AC \, (1 - \cos b).$$

Так как $DB' = HC'$, то

$$AB \, (1 - \cos a) = AC \, (1 - \cos b)$$

и, следовательно,

$$\frac{1 - \cos a}{1 - \cos b} = \frac{AC}{AB}.$$

Преобразуя выражения $1 - \cos a$ и $1 - \cos b$, получаем:

$$\frac{AC}{AB} = \frac{1 - \cos a}{1 - \cos b} = \frac{2 \sin^2 \dfrac{a}{2}}{2 \sin^2 \dfrac{b}{2}} = \left( \frac{\sin \dfrac{a}{2}}{\sin \dfrac{b}{2}} \right)^2.$$

Но в нашем случае $AC$ меньше $AB$, поэтому

$$\sin\frac{a}{2} < \sin\frac{b}{2}.$$

А так как оба угла острые, то $a < b$.

Итак, нить маятника (и веревка качели) должна откачнуться от отвесного направления *дальше*, чем находилась от него первоначально. Таков эффект поднятия человека на качели при восходящем движении доски.

Проследим за обратным движением — от крайнего, высшего положения груза маятника к низшему его положению, принимая во внимание, что длина маятника при этом увеличилась: груз из точки $C$ опустился в $G$. Когда маятник из положения $AG$ (рис. 87) переходит в $AG'$, груз, опускаясь на величину $HG'$, приобретает запас потенциальной энергии, который при дальнейшем движении маятника должен поднять груз на равную высоту. Но так как в положении $AG'$ груз из $G'$ поднимается в $K'$, то в дальнейшем движении маятник отойдет на угол $c$, больший чем угол $b$, по причине, которую мы уже рассмотрели раньше. Итак:

$$c > b > a.$$

Угол отклонения нити маятника, а следовательно, и веревок качели, при пользовании указанным приемом, как видим, с каждым качанием увеличивается и может быть доведен постепенно до желаемой величины.

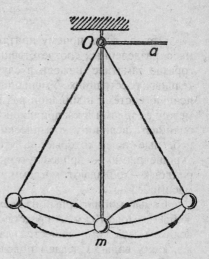

Рис. 88. Модель качелей из «Курса теоретической физики» проф. Эйхенвальда.

275

При другом порядке телодвижений можно тем же приемом *затормозить* качели и даже вовсе остановить их.

Проф. А. А. Эйхенвальд в своей «Теоретической физике» описывает несложный опыт, позволяющий проверить сказанное без помощи качели. Надо «повесить груз *m* на нитке, продетой через неподвижное кольцо *O* (рис. 88). Другой конец нитки *a* мы можем двигать вправо и влево и тем самым периодически изменять длину маятника *Om*. Если двигать конец *a* с частотой *вдвое большей*, чем частота колебаний маятника, и взять подходящую фазу движений, то можно раскачать маятник очень быстро».

### 57. Парадоксы тяготения

Огромные расстояния между небесными телами должны, конечно, значительно ослаблять силу их взаимного притяжения. Но если велики небесные расстояния, то невообразимо огромны и массы небесных тел.

Массу тела можно считать пропорциональной его объему, т. е. *кубу* его линейных размеров. Так как сила тяготения пропорциональна *произведению* притягивающихся масс, то она оказывается пропорциональной *шестой* степени линейных измерений тел. Если поэтому размеры тел и их взаимное удаление увеличатся в *n* раз, то притяжение возрастет в число раз

$$\frac{n^6}{n^2} = n^4.$$

Отсюда ясно, почему притяжение больших космических масс, разделенных соответственно огромными расстояниями, гораздо заметнее, нежели в случае малых масс на незначительных расстояниях. Уменьшив, на пример, мысленно солнечную систему в миллион раз мы ослабили бы притяжение между ее телами в квадриллион ($10^{24}$) раз. Мы склонны недооценивать величину космических масс. Между тем, даже те небесные тела, которые на языке астрономов называются «крошечными» — вроде спутников Марса или «мелких» астероидов — обладают массами, исполинскими в обиходном масштабе.

Самый миниатюрный из всех известных астероидов имеет в объеме около 10 *км*³. А представляем ли мы себе, как примерно велика масса 1 *км*³ вещества, даже если плотность его такая же, как у воды? Сделаем подсчет. В кубическом километре

$(10^5)^3 = 10^{15}$ $cм^3$; такое количество воды имеет массу $10^{15}$ г, т. е. $10^9$ т. Тысяча миллионов тонн! Весь годовой грузооборот железных дорог СССР (за 1934 г.) не составляет и половины этой величины. Небесные же тела содержат сотни миллионов и миллиарды кубических километров вещества, зачастую более плотного, чем вода.

Сила притяжения, зависящая от произведения столь колоссальных масс, не уменьшается даже огромным расстоянием до ничтожных размеров. Земля и Луна притягиваются с силою 20 000 000 000 000 000 т, между тем как два человека на расстоянии 1 м, притягиваются с силою всего 0,03 мг, а два линейных корабля на расстоянии 1 км — с силою, 4 г. Силы в 0,03 мг и 4 г не могут, конечно, преодолеть ни трения ног человека об опору, ни сопротивления воды движению судна.

Вот почему тяготение влечет друг к другу Солнце и планетные миры — и в то же время не проявляется заметным образом во взаимодействиях тел на земной поверхности.

Рис. 89. Два линкора по 20 000 тонн притягивают друг друга на расстоянии 1 км с силою 4 граммов.

Этого не понимал Э. Карпентер, автор нашумевшей в свое время брошюры «Современная наука»; брошюра привлекла к себе внимание у нас, так как появилась в переводе Л. Н. Толстого, снабдившего ее одобрительным предисловием. Карпентер подверг критике все здание науки и между прочим, в числе доводов, подрывающих будто бы доверие к научным положениям, привел указание на чрезмерную слабость силы тяготения: «Мы обыкновенно не представляем себе, насколько мала сила тяготения. Вычислено, что между двумя массами, каждая

415 000 *m*, находящимися на расстоянии мили одна от другой, сила притяжения равна всего 1 фунту; если бы такие тела отстояли друг от друга на расстоянии радиуса лунной орбиты, то сила притяжения между ними равнялась бы 1/57 600 000 000 фунта. Вот как незначительна сила, управляющая движением тела в 415 000 *m*».

Критик поддался обманчивому влиянию земных масштабов. Что такое 415 000 *m*, даже целый миллион тонн? Тело подобной массы, если оно не плотнее воды, занимало бы объем всего лишь в 1000-ю долю одного кубического километра, т. е. имело бы размеры, в астрономическом масштабе совершенно ничтожные. Удаленные друг от друга на расстояние Луны, такие две небесные пылинки двигались бы около общего центра массы с столь невероятною медленностью,[1] что ни у кого не могли бы вызвать изумления перед чрезмерною малостью силы, управляющей их движениями.

Здесь уместно указать еще на один парадокс тяготения. Система тройной звезды Альфа Центавра — ближайшей соседки нашего Солнца в звездном мире — удалена от Земли в 275 000 раз дальше, нежели Солнце. Можно рассчитать, что сила, с какой эта звездная система притягивает земной шар, выражается весьма внушительной цифрой: 100 000 000 тонн. И все же планета наша остается как будто нечувствительной к столь мощному воздействию. Причина — прежде всего в огромной массе земного шара, вследствие чего под действием указанной силы Земля должна была бы приближаться к Альфе Центавра всего на 100 *м* в год. Кроме того, названная звезда сообщает подобное же перемещение также и Солнцу с прочими планетами, отчего положение Земли в солнечной системе не меняется. И наконец, Альфа Центавра — не единственная звезда, притягивающая нашу систему: Солнце с семьей планет движется во Вселенной, подчиняясь равнодействующей всех звездных притяжений.

Нелишне будет обратить внимание на относящийся к тяготению распространенный научный предрассудок. Многие убеждены, что сила взаимного притяжения двух тел направлена всегда по прямой, соединяющей их центры масс. Это верно лишь для частного случая, когда взаимодействующие тела представляют однородные шары или однородные шаровые оболочки, но не может быть высказано, как общее прави-

---

[1] Скорость движения была бы порядка 0,01 *мм/с*.

ло. При всякой иной форме тел сейчас высказанное правило неприменимо. Для тел нешарообразной формы не всегда имеет место также и закон прямой зависимости силы притяжения от масс и обратной ее зависимости от квадрата расстояния между центрами масс. Заимствую примеры из книги К. Э. Циолковского «Грезы о Земле и небе»:

«Беспредельная пластина, ограниченная двумя параллельными плоскостями, а стало быть и беспредельная масса должна, казалось бы, притягивать с беспредельною силою, — а между тем этого нет. Притяжение довольно слабо в зависимости от толщины и плотности пластины; оно перпендикулярно к ней и везде одинаково, на всяком расстоянии от нее.

Земля, расплющенная в диск, производила бы тем меньшее притяжение, чем тоньше был бы этот диск.

Некоторые громадные массы не производят на тела никакого притяжения. Так, пустой шар с концентрическими стенками или пустая труба с такими же стенками не притягивают тел, помещенных внутри их, не только в геометрическом центре, а где угодно. Внешнее притяжение трубы обратно пропорционально удалению предмета от ее оси».

Надо твердо запомнить, что формула закона Ньютона применима только к материальным *точкам* и к однородным шарам.

## 58. Расчеты силы притяжения

Постоянная величина в формуле тяготения вычислена именно именно так, чтобы, производя расчеты силы тяготения, не приходилось делить величину масс на *g*.

Делить число килограммов на 9,8 приходится только тогда, когда расчет выполняется в так называемой *технической системе мер*. Конечно, и для этой системы можно было бы определить постоянную в формуле тяготения, но это излишне, так как ни один астроном или физик не пользуется этой системой для подобных расчетов. В принятой ныне для расчетов системе СИ для определения веса нужно *умножить* число килограммов на *g*, но это все равно не вызывает необходимости производить такое умножение для вычисления силы притяжения — гравитационная постоянная вычислена так и имеет такую размерность, чтобы этого делать не приходилось.

Неуместная просьба редакции немецкого журнала объясняется привычкой пользоваться в инженерных расчетах технической системой мер, где число килограммов массы всегда делится на 9,8.

## 59. Направление отвеса

Рассуждение, изложенное в задаче, грубо ошибочно, хотя ошибка и не сразу заметна. Она, однако, легко обнаруживается, если сказанное о Земле с Луной попробовать применить к Солнцу с Землей. Тогда рассуждение получит такой вид. Земные тела притягиваются не только Землей, но и Солнцем, и должны, казалось бы, падать к общему центру масс Земли и Солнца. Эта точка лежит внутри солнечного шара (потому что масса Солнца в 330 000 раз больше земной, а расстояние центров обоих тел равно ~ 200 солнечным радиусам). Выходит, следовательно, что все отвесы на земном шаре должны быть направлены... к Солнцу!

Явная несообразность подобного вывода облегчает разыскание ошибки в ходе рассуждения. Солнце, конечно, притягивает все земные тела, — но притягивает оно также и весь земной шар. Ускорения, сообщаемые Солнцем каждому грамму земного шара и каждому грамму любого тела на поверхности Земли, равны. Земной шар и предметы на нем должны под действием солнечного притяжения получать одинаковые перемещения к Солнцу, иными словами, должны находиться в относительном покое. Отсюда следует, что притяжение Солнца не может влиять на падение земных тел: тела́ должны падать к Земле так, как если бы солнечного притяжения не существовало вовсе.

Сказанное применимо и к системе Земля — Луна не только в том смысле, что лунные тела не должны падать на Землю, но и в том, что земные тела должны падать к центру Земли, как если бы лунного притяжения не существовало. Лунное притяжение безусловно заставляет все земные тела перемещаться к Луне, но точно такое же перемещение сообщает оно и всему земному шару. Поэтому притяжение Луны не может оказывать никакого влияния на падение тел к Земле: взаимное притяжение между Землей и телами на ней происходит так, словно Луна не существует.[1]

---

[1] Так как центр нашей планеты и находящиеся на ее поверхности тела удалены от Луны (и от Солнца) не на одинаковое расстояние, то екоторая разница в силе притяжений все же существует. При современной изощренной технике наблюдений она даже может быть обнаружена в виде периодических (в зависимости от положения Луны или Солнца на

(Надо заметить, что ошибка, вплетенная в вопрос этой задачи, принадлежит к весьма распространенным и влечет за собою разнообразные ложные заключения. На подобном заблуждении, между прочим, основана была нашумевшая недавно «теория» одного ленинградского инженера о зависимости состояния погоды от притяжения Луною земной атмосферы. Автору теории было указано одним из оппонентов, что притяжение Луны сообщает одинаковые ускорения и частицам воздуха и всему земному шару. Довод этот встречен был недоверчиво не только докладчиком, но и его слушателями-инженерами. «Сдвинуть Землю — шутка ли!» — расслышал я насмешливый возглас. Неудивительно, что в аудитории с подобным знанием основ динамики вздорная теория докладчика могла пользоваться успехом.)

# II. СВОЙСТВА ЖИДКОСТЕЙ

## 60. Вода и воздух

Несложный расчет дает возможность определить приблизительное отношение массы атмосферы к массе всех водных запасов нашей планеты. Вес атмосферы равен весу водяного слоя высотою около 10 *м* (= 0,01 *км*), равномерно покрывающего всю поверхность земного шара.

Океаны же, при средней глубине около 4 *км* занимают $^{3}/_{4}$ земной поверхности.

Если бы то же количество воды равномерно покрывало всю поверхность нашей планеты, глубина океана составляла бы 3 *км*. Поэтому искомое отношение равно

$$3 \text{ км} : 0,01 \text{ км} = 300.$$

Итак, вся вода земного шара весит примерно в 300 раз больше, чем весь воздух (точно — 270 раз).

## 61. Самая легкая жидкость

Наименьшей плотностью из всех жидкостей обладает сжиженный водород: 0,07. Он легче воды в 14 раз — примерно

---

пебе) изменений веса тел. Но величина этого лунного и солнечного влияния на вес тел крайне ничтожна и, хотя обусловливает собой явление приливов, но совершенно несравнима с теми ожидаемыми влияниями, о которых идет речь в нашей задаче.

во столько же раз, во сколько вода в свою очередь легче ртути. Второе место по легкости среди жидкостей занимает сжиженный гелий с плотностью 0,15.

## 62. Задача Архимеда

По тем данным, которыми располагал Архимед, он в праве был утверждать лишь, что корона — не чисто золотая. Но установить в точности, сколько именно золота утаено мастером и заменено серебром, Архимед не мог. Это было бы возможно, если бы объем сплава из золота и серебра строго равнялся сумме объемов составных его частей. Легенда приписывает Архимеду именно такой взгляд, который разделяет, по-видимому, и большинство составителей современных школьных учебников.

В действительности только немногие сплавы отличаются таким свойством. Что касается объема сплава золота с серебром, то он *меньше* суммы объемов входящих в него металлов. Иными словами: плотность такого сплава *больше* плотности, получаемой в результате расчета по правилам смешения. Нетрудно понять, что, вычисляя на основании своего опыта количество похищенного золота, Архимед должен был получить результат преуменьшенный: более высокая плотность сплава являлась в его глазах доказательством большего содержания в нем золота. Поэтому он не мог обнаружить всего количества утаенного золота.

Как же следовало разрешить задачу Архимеда? «В настоящее время, — пишет проф. Меншуткин в своем «Курсе общей химии», — мы поступили бы так. Мы определили бы плотность не только чистых золота и серебра, но и ряда их промежуточных сплавов точно известного состава; выразили бы полученные данные графически и получили бы таким образом диаграмму. Эта диаграмма дает нам кривую изменений плотности сплавов золота и серебра в зависимости от их состава; в данном случае получается прямая линия — плотность изменяется линейно с составом сплава. Определив теперь плотность короны, откладываем полученную величину ее на кривой плотностей системы золото — серебро и смотрим, какому составу сплава отвечает найденная плотность; таков и будет состав металла короны».

Другое дело, если бы золото было заменено не серебром, а медью: объем сплава золота с медью в точности равен сумме объемов его составных частей. В этом случае способ Архимеда дает безошибочный результат.

## 63. Сжимаемость воды

«Несжимаемость» жидкостей подчеркивается школьными учебниками так настойчиво, что внушается мысль, будто жидкости в самом деле несжимаемы, — во всяком случае поддаются сжатию в меньшей степени, нежели тела твердые. На самом деле «несжимаемость» жидкостей есть лишь фигуральное выражение для их весьма слабой сжимаемости, и то по сравнению не с твердыми телами, а с *газами*. Если же сопоставлять сжимаемость жидкостей со сжимаемостью твердых тел, то окажется, что жидкость сжимается во много раз сильнее их.

Наиболее сжимаемый из металлов — свинец — уменьшает при всестороннем сжатии свой объем на 0,000 006 под давлением одной атмосферы. Между тем вода под таким же давлением сжимается на 0,00005, т. е. приблизительно в 8 раз сильнее. По сравнению же со сталью вода сжимается раз в 70 больше.

Весьма сильной сжимаемостью из жидкостей отличается азотная кислота: она сокращает свой объем под давлением одной атмосферы на 0,000 34, т. е. в 500 раз больше стали. Зато по сравнению с газами сжимаемость жидкостей действительно ничтожна: в десятки, раз меньше.

(Впрочем, под давлением в 25 000 *ат* некоторые газы, например, азот, как показали опыты Бассета, становятся совершенно несжимаемыми; очевидно, под таким давлением молекулы этого газа достигают наибольшего взаимного сближения).

## 64. Стрельба по воде

Явление объясняется слабой сжимаемостью и, кроме того, абсолютной упругостью жидкостей. Пуля проникает в воду так быстро, что уровень жидкости не успевает подняться. Вода поэтому должна мгновенно сжаться на величину объема пули. Возникающее сильнейшее давление разносит стенки ящика и распыляет воду.

Расчет дает представление о величине этого давления. В ящике заключается $20 \times 10 \times 10 = 2000$ *см*$^3$ воды. Объем пули 1 *см*$^3$. Вода должна сжаться на $^1/_{2000}$, или на 0,0005 своего объема. Под давлением в 1 *ат* вода сжимается на 0,00005, т. е. в 10 раз меньше. Следовательно, уменьшение объема жидкости в ящике должно сопровождаться возрастанием ее давления до 10 *ат*: таково примерно рабочее давление в цилиндре паровой машины. Легко вычислить, что каждая стенка и дно ящика будут подвержены действию сил в 10 000—20 000 *Н*.

В связи с этим находится и сильное разрушительное действие снарядов, взрывающихся под водой. «Если снаряд разорвется даже в 50 *м* от подводной лодки, но достаточно глубоко, чтобы сила взрыва не рассеялась на поверхности моря, то лодка неминуемо погибает» (Милликен).

## 65. Электрическая лампочка в воде

Рассчитаем удельное давление, которому подвержены стенки лампочки. Сечение поршня равно

$$S = \pi/4 \cdot 16^2 \approx 200 \ см^2.$$

Так как вес груза в 500 *кг* около 5 000 *Н*, то на 1 *см*$^2$ приходится давление в

$$5000 : 200 \approx 25 \ Н.$$

Лампочка обычного образца выдерживает даже несколько большее давление — до 27 *Н/см*$^2$. Поэтому в условиях поставленного вопроса лампочка раздавлена не будет.

Вопрос имеет практическое значение для подводных работ. Выдерживая давление в 2,7 *ат*, обычная электрическая лампочка пригодна для употребления до глубины 27 *м* (для бо́льших глубин изготовляются особые лампы).

## 66. Плавание в ртути

Не надо подозревать, что уловка вопроса кроется в отвесном плавании цилиндров: цилиндрическое тело не может будто бы плавать в вертикальном положении, а должно опрокинуться на бок. Это неверно: при достаточной величине диаметра по сравнению с высотой цилиндр может плавать и в устойчивом положении.

Сама по себе задача не трудна, но порождает иногда сбивчивые представления. Алюминиевый цилиндр в 4,2 раза длиннее свинцового, имеющего тот же вес и диаметр. Можно думать поэтому, что, плавая в ртути стоймя, он должен погружаться в нее глубже, чем свинцовый. С другой стороны, тяжелый свинец должен как будто глубже погружаться в жидкость при плавании, чем легкий алюминий.

Ни то, ни другое неверно: оба цилиндра погружаются при плавании на одинаковую глубину. Причина понятна: имея одинаковый вес, они, по закону Архимеда, должны вытеснять при плавании одинаковые объемы жидкости; а так как диаметры их равны, то и высота погруженных частей обоих цилиндров должна быть одинакова — иначе они не вытесняли бы равных объемов ртути.

Интересно, во сколько раз алюминиевый цилиндр будет выступать над ртутью выше свинцового. Легко вычислить, что свинцовый цилиндр должен выступать на 0,17 своей длины, а алюминиевый на 0,8. Но так как алюминиевый цилиндр длиннее свинцового в 4,2 раза, то 0,8 длины алюминиевого цилиндра больше 0,17 длины свинцового в

$$\frac{0,8 \times 4,2}{0,17} \approx 20 \text{ раз.}$$

Итак, алюминиевый цилиндр будет возвышаться над уровнем ртути в 20 раз больше свинцового.

Рассмотренная задача имеет применение в современном учении о структуре земного шара, именно в так называемой теории *изостазии*. Теория эта исходит из того, что твердые части земной коры легче, нежели лежащие под ними пластичные массы, и потому плавают в последних. Земную кору теория рассматривает как совокупность призм равного сечения и веса, но разной высоты. Тогда более возвышенные части должны соответствовать призмам меньшей плотности, менее возвышенные — призмам большей плотности. Легко видеть, что по соображениям, вытекающим из нашей задачи, наружные возвышения всегда отвечают подземным дефектам масс, а понижения — избыткам. Геодезические измерения вполне подтверждают эту теорию.

## 67. Погружение в сыпучий песок

Непосредственно применять закон Архимеда к телам сыпучим нельзя, так как частицы таких тел подвержены трению, которое в жидкостях ничтожно. Однако если сыпучее тело поставить в условия, при которых свобода перемещения частиц не стесняется их трением друг о друга, то закон Архимеда оказывается вполне применимым. В таком состоянии находится, например, сухой песок, подвергаемый частым сотрясениям, которые помогают песчинкам перемещаться, подчиняясь действию тяжести. Об опытах подобного рода писал еще Гук, знаменитый современник и соотечественник Ньютона:

«Нельзя закопать в песок (подверженный частым сотрясениям) легкое тело, — например, кусок пробки; он тотчас же всплывет на поверхность. Наоборот, более тяжелое тело, положенное на поверхность песка, немедленно закапывается в нем и падает на дно сосуда». Опыты эти осуществлены были впоследствии В. Бреггом, выдающимся английским физиком нашего времени, помощью особой центробежной машины [1] (рис. 90 и 91).

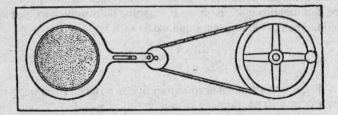

Рис. 90. Машина для встряхивания песка.

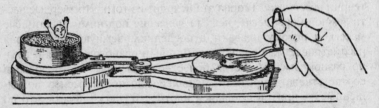

Рис. 91. Легкая фигурка с грузиком внизу, зарытая в песке, при действии машины высовывает голову наружу.

Судьбу шара, положенного на поверхность *неподвижного* песка, можно предсказать, если применить к этому случаю те рассуждения, на основании которых Стевин вывел некогда закон Архимеда. Заметим прежде всего, что так называемая «кажущаяся плотность» песка, т. е. масса его кубического сантиметра вместе с воздушными порами, равна (для тонкозернистого песка) 1,7 *г,* т. е. втрое больше, нежели дерева. Выделим в песке мысленно шаровой объем, геометрически равный нашему деревянному шару. Этот объем песка удерживается в равновесии силами двух родов: 1) трением песчинок друг о друга и 2) весом вышележащего песка, передающего свое давление ча-

---

[1] См. книгу В. Брегг, «О природе вещей», имеющуюся на русском языке.

стью в стороны и тем подпирающего наш объем снизу. Равнодействующая всех этих сил должна быть не меньше веса выделенного нами объема песка. Если заменим мысленно песочный шар деревянным, более легким, то давление на него снизу вверх окажется больше его собственного веса. Ясно, что под действием силы тяжести шар наш не может погрузиться на такую глубину. Самая большая глубина его погружения в песок не должна превышать той, на которой вес шара равен весу песка в объеме его погруженной части. Это не значит, что шар погрузится непременно на такую глубину: мы установили лишь *предельную* величину его углубления в песок действием собственного веса. Не означает это и того, что шар, зарытый в песок глубже предельного уровня, сам «всплывет» на поверхность: всплыванию помешает трение.

Итак, к сыпучим телам закон Архимеда применим, — но с существенными оговорками, отпадающими в случае, когда сыпучее тело подвергается сотрясениям; сотрясаемое сыпучее тело уподобляется в рассматриваемом отношении жидкостям. Что касается неподвижных сыпучих тел, то для них закон Архимеда утверждает лишь, что твердое тело с большой плотностью, положенное на их поверхность, может под действием своего веса погрузиться не глубже того уровня, на котором вес тела равен весу сыпучего вещества в объеме погруженной части тела.

Отсюда следует, между прочим, что, так как средняя плотность человеческого тела меньше плотности сухого песка, то человек не может быть с головой засосан сыпучим песком. При этом чем меньше будет он делать движений, тем мельче углубится он в песок; движения лишь помогают его погружению.

Приложимость закона Архимеда к песку находит себе применение в технике — для очищения каменного угля от посторонних примесей. Сырой уголь, подлежащий очистке, бросают на песок, плотность которого подобрана так, что она больше плотности каменного угля, но меньше плотности той породы, которая к углю примешана. Чтобы сделать песчинки подвижными, сквозь песок непрерывно продувается снизу вверх воздух, проникающий через сито под песком. От давления продуваемого воздуха, т. е. от скорости воздушного потока, зависит и плотность песка. Очутившись на песке, зерна угля и куски породы разделяются: уголь остается на поверхности, а порода утопает в песке, проваливается через трубу и собирается в приемник. Устройство аппарата показано на рис. 92.

## 68. Шарообразная форма жидкости

Свойство жидкости принимать в состоянии невесомости шарообразную форму наглядно доказывается знаменитым опытом Плато: оливковое масло, введенное в равноплотную с ним смесь спирта с водой, собирается в форме шара. Однако установить точными измерениями, что получающийся шар геометрически правилен, невозможно. Поэтому опыт Плато дает лишь приближенное доказательство интересующего нас положения.[*]

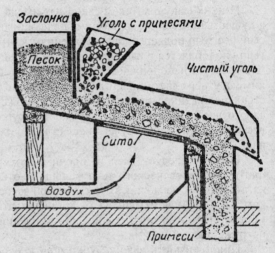

Рис. 92. Техническое применение задачи 67.

Безусловно же строгое доказательство доставляет нам явление совершенно из другой области, а именно — радуга.

Теория радуги утверждает, что малейшее уклонение формы дождевых капель от геометрически правильного шара должно заметно сказаться на виде радуги, а при более значительных уклонениях радуга вовсе не может образоваться. Так как возникновение радуги обусловлено капельками, едва начинающими свое падение и потому движущимися еще со скоростью свободно падающего тела, то, согласно соображениям

[*] См. «Занимательная физика», часть I, глава 5.

ответа на задачу 53, капельки эти невесомы и подвержены действию одних лишь внутренних молекулярных сил.

## 69. Вес капли

Капля отрывается тогда, когда ее вес достаточен для разрыва поверхностной пленки на шейке образующейся капли. (С этим же связано и появление чернильных клякс.) Из рис. 93 видно, что если радиус шейки сужения равен $r$ *мм,* величина же поверхностного натяжения $f$ (*Н/мм*), то отрыв капли произойдет в тот момент, когда

Рис. 93. Капля удерживается натяжением поверхностной пленки.

$$2\pi r f = 0{,}0098 \, x,$$

где $x$ — масса капли в граммах, $0{,}0098 \, x$ — ее вес в ньютонах. Значит, масса капли в граммах

$$x = \frac{2\pi r}{0{,}0098} \, f \, .$$

Чем больше поверхностное натяжение, тем капли тяжелее. Но известно, что с повышением температуры величина поверхностного натяжения уменьшается для воды на 0,23% на каждый градус. При температуре 100 ° поверхностное натяжение воды ослабевает на 23% по сравнению с величиною его при 0 °, а при 20 ° оно на 4,6% меньше, чем при 0 °. Значит, при остывании воды в самоваре от 100 ° до комнатной температуры (20 °) масса капель должна возрасти на

$$\frac{95{,}4 - 77}{77} = 0{,}24 \text{ первоначального веса,}$$

или на 24% — величину весьма заметную.

## 70. Капиллярное поднятие

a) По закону Борелли,[1] высота поднятия смачивающей жидкости в трубке обратно пропорциональна диаметру трубки. В стеклянной трубке с просветом в 1 *мм* вода поднимается на 15 *мм.* Значит, в трубке с просветом в 0,001 *мм* вода поднимается в 1000 раз выше: на 15 *м*!

b) Выше всех других жидкостей поднимается в капиллярных трубках расплавленный калий (плавится при 63 °): в стек-

---

[1] Часто называемому также «законом Юрина».

лянной трубке с диаметром просвета 1 *мм* калий поднимается на 10 *см*. При диаметре канала в 1 μ подъем должен равняться 10 *см* × 1000 = 100 *м*.

c) В трубке данного диаметра жидкость поднимается тем выше, чем больше ее поверхностное натяжение и меньше плотность. Зависимость эта выражается формулой

$$h = \frac{2f}{rd},$$

где *h* — высота поднятия, *f* — величина поверхностного натяжения, *r* — радиус просвета трубки, *d* — плотность жидкости. С повышением температуры поверхностное натяжение падает гораздо быстрее, чем уменьшается плотность *d* жидкости. В итоге высота *h* должна уменьшаться: горячая жидкость поднимается в капиллярных трубках ниже холодной.

## 71. В наклонной трубке

Высота поднятия жидкости в капиллярной трубке не зависит от того, погружена ли трубка отвесно или под каким-либо углом к горизонтальной плоскости. Во всех случаях *высота* поднятия, т. е. вертикальное расстояние от мениска до поверхности жидкости, одинакова. В нашем случае жидкая нить в трубке при наклонении на 30 ° будет вдвое длиннее, чем при ее отвесном положении, но *высота* мениска над уровнем жидкости в сосуде будет та же.

## 72. Движущиеся капли

Столбик ртути в стеклянной трубке имеет обе свободные стороны *выпуклые*, так как ртуть не смачивает стекла. Поверхность, обращенная к узкому концу, имеет меньший радиус кривизны, чем противоположная; давление ее на ртуть поэтому больше (см. выше, задачу 70, с) — и столбик выталкивается в сторону широкого конца.

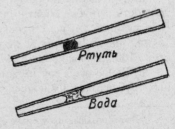

Рис. 94. Ртутный столбик ползет к широкому концу трубки, водяной — к узкому. На последнем свойстве воды основан один из способов борьбы с засухой.

Столбик воды — жидкости, смачивающей стекло, — ограничен с обеих сторон *вогнутыми* менисками, причем мениск в узкой части трубки имеет меньший радиус кривизны, чем в широкой. Более изогнутый мениск сильнее увлекает жидкость, и оттого столбик воды перемещается в сторону узкого конца трубки.

Итак, столбики жидкости движутся в трубках по противоположным направлениям: ртутный — к широкому концу, водяной — к узкому.

Способность воды самой переходить в капиллярных каналах из широких трубочек в узкие имеет важное значение для сохранения влаги в почве. «Если верхний слой почвы плотен, т. е. содержит в себе узкие канальцы, а нижние слои рыхлы, т. е. содержат в себе много широких канальцев, то, — пишет агроном А. Н. Дудинский, — верхний слой легко пополняется водой из нижнего слоя. Если же, наоборот, нижний слой плотен, а верхний рыхл, то верхний рыхлый слой, высохнув, не принимает влагу из нижнего слоя (так как вода не переходит из узких канальцев в широкие, но лишь из широких в узкие) и остается поэтому сухим».

Отсюда вытекает и одно из средств борьбы с засухой — рыхление поверхностного слоя почвы:

«Для сохранения в почве влаги разрыхляют по возможности чаще самый верхний слой ее на глубину 2 *см* или даже менее; при этом узкие канальцы, образовавшиеся в этом слое, разрушаются и заменяются более широкими, не могущими всасывать воду снизу. Этот верхний рыхлый слой высыхает, но не может принять воду из более узких канальцев нижележащего слоя почвы; поэтому он не проводит ее к поверхности, но предохраняет собой всю остальную толщу почвы от иссушающего действия ветров и солнечных лучей».

Мы видим здесь один из поучительных примеров того, как ясное понимание, казалось бы, незначительного физического явления приводит к чрезвычайно важным практическим мероприятиям.

## 73. Пластинка на дне сосуда с жидкостью

В сосуде с водой деревянная пластинка, положенная на дно, всплывает потому, конечно, что вода проникает под пластинку. Надо объяснить, почему вода под деревянную пластинку проникает, а ртуть под стеклянную не проникает. Следует иметь в виду, что, как бы плотно ни прилегала пластинка ко дну, между ними неизбежно будет оставаться тонкий промежуток. У краев этих тесно сближенных поверхностей вода, смачивающая и дерево и стекло, образует вогнутость, обращенную к свободной от жидкости прослойке (рис. 95); эта вогнутость, как вогнутый мениск, втягивает воду в промежуток между пластинкой и дном.

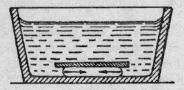 

Рис. 95. Вода подтекает под пластинку.

Рис. 96. Ртуть не подтекает под пластинку.

Иное дело в случае ртути и стеклянной пластинки. Стекло не смачивается ртутью; поэтому между стеклянной пластинкой и стеклянным же дном ртуть образует выпуклость, обращенную к свободной прослойке; выпуклость эта давит *наружу* и не допускает ртути под пластинку (рис. 96).

## 74. Отсутствие поверхностного натяжения

Поверхностное натяжение жидкости исчезает совершенно при так называемой *критической* температуре: жидкость утрачивает способность собираться в капли и превращаться в пар при любом давлении.

## 75. Поверхностное давление

Несмотря на свою необычайную тонкость — около $5 \cdot 10^{-8}$ *см* [1] — поверхностный слой жидкости оказывает на охватываемую им массу жидкости огромное давление. Оно достигает для некоторых жидкостей десятков тысяч атмосфер, т. е. равно десяткам тонн на кв. сантиметр. Существование этого давления делает понятной слабую сжимаемость жидкостей: жидкости всегда сильнейшим образом сдавлены, и прибавка к десяткам тысяч атмосфер даже целой сотни атмосфер мало меняет дело.

_____

[1] Поверхностная пленка жидкости состоит из *одного* слоя молекул.

## 76. Водопроводный кран

Удобнее, казалось бы, устраивать водопроводные краны по образцу самоварных, т. е. поворотные, а не винтовые. Не делается же этого потому, что поворотные краны быстро привели бы в негодность домовую водопроводную сеть. Закрывание отверстия крана сразу, т. е. внезапная остановка течения воды в трубе, вызывает опасное сотрясение сети, — так называемый *гидравлический удар*. Автор учебника гидравлики, проф. А. В. Дейша, сравнивает гидравлический удар с ударом поездного состава, получившего толчок от паровоза и набежавшего на упор:

«В этом случае буфера первого от упора вагона сожмутся инерцией напирающих сзади вагонов, пока все вагоны не остановятся. Затем пружины буферов переднего вагона будут стремиться распрямиться, пока не отбросят все вагоны назад. Волна сжатых буферов побежит назад от первого вагона к последнему. Если в конце поезда стоит тяжелый паровоз, то сжатие буферов от него отразится обратно к упору. Таким образом колебания, постепенно уменьшаясь, затухая от сопротивлений, передадутся от одного конца поезда к другому, и обратно. Первая волна сжатия будет опасна для буферных пружин всех вагонов, а не только одного переднего. Ввиду того, что вода обладает хотя и небольшой способностью сжиматься — упругостью, то, когда мы остановим закрытием крана в конце длинной трубы передние частицы, задние будут напирать, создадут у крана повышенное давление, которое аналогично обыкновенной волне побежит обратно по трубе с большой скоростью, лишь немногим меньшею скорости распространения в воде звука. Добежав до начала трубы (до водонапорного резервуара), волна отразится и побежит обратно к крану; таким образом произойдет ряд колебаний — повышений давления, которые, вследствие сопротивлений движению волны, будут понемногу затухать. Однако первая волна будет опасна не только в конце у крана, но так же легко может разорвать какую-нибудь слабую деталь и слабое соединение в начале трубы у резервуара. Получившиеся «ударные» давления, особенно при отражении, могут значительно, в 60—100 раз, превзойти обычный гидростатический напор в трубе».

Удар тем сильнее и разрушительнее, чем труба длиннее. Гидравлический удар расшатывает водопроводную сеть, разрывает нередко чугунные трубы, раздувает свинцовые, выбивает колена на поворотах и т. п. Чтобы всего этого избежать, надо прекращать течение воды в трубах *постепенно*, т. е. закрывать отверстие трубы медленно, завинчивающимся краном. Чем длиннее труба, тем больше должна быть продолжительность закрытия.

Итак, сила гидравлического удара прямо пропорциональна длине трубы и обратно пропорциональна времени, в течение которого происходит закрытие трубы: чем быстрее закрывается кран, тем удар сильнее. Из опыта найдена следующая формула для вычисления силы удара: напор при ударе равен в метрах водяного столба

$$h = 0{,}15 \ \frac{vl}{t} \ \text{м,}$$

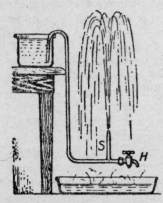

Рис. 97. Опыт для обнаружения гидравлического удара.

где $v$ — скорость течения воды в трубе (в метрах в секунду), $l$ — длина трубы (в метрах), $t$ — число секунд, в течение которых запирается кран.

Например, если труба, в которой вода течет со скоростью 1 *м/с* и длина которой 1000 *м*, закрывается в течение 1 *с*, то напор в ней возрастет под действием гидравлического удара до

$$h = 0{,}15 \ \cdot \frac{1 \cdot 1000}{1} = 150 \ \text{м, т. е. до 15 } \textit{ат.}$$

Явление гидравлического удара можно наблюдать на опыте, установка которого показана на рис. 97. Сифонная стеклянная трубка идет от сосуда с водой вниз и загибается горизонтально. У конца трубы устраивается поворотный кран *H*, а недалеко от конца трубка имеет отросток S с узким отверстием. Когда кран закрыт, вода из отростка бьет фонтаном не выше уровня воды в сосуде. Если же кран открыть, а затем быстро закрыть, то в первый момент фонтан бьет *выше уровня воды в сосуде*, наглядно доказывая, что давление в трубке превосходит гидростатический напор.

Не следует думать, что мы имеем в этом случае нарушение закона сохранения энергии: падением воды с известной высоты поднимается на бо́льшую высоту *меньшее* количество воды, — подобно тому, как на рычаге опускание конца его, нагруженно-

294

го тяжелым грузом, вызывает поднятие меньшего груза на большую высоту.

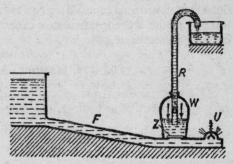

Рис. 98. Схема устройства самодействующего гидравлического тарана. Чтобы заставить таран работать, надо клапан U закрыть. Тогда в трубе F происходит гидравлический удар; повышенное водяное давление открывает клапан Z, и воздух, сжимаемый в W, вытесняет воду вверх. Удар прекращается, клапан Z закрывается, U — открывается; течение воды в F возобновляется — закрывает клапан U и опять вызывает гидравлический удар. Все повторяется сызнова, и т. д.

На принципе гидравлического удара основано устройство особого самодействующего водоподъемного прибора — так называемого «гидравлического тарана» (рис. 98).

Гидравлический таран является самым простым по устройству и наиболее дешевым способом водоснабжения. Раз пущенный в ход, он работает в течение многих лет безостановочно, не требуя притом никакого ухода. За рубежом имеются гидравлические тараны, подающие воду на высоту более 100 *м,* а также и такие, которые дают в сутки до четверти миллиона литров.

## 77. Скорость вытекания

Ртуть гораздо тяжелее воды; можно ожидать поэтому, что ртуть вытечет быстрее. Однако уже Торичелли знал, что это не так: скорость вытекания ни в какой зависимости не находится от плотности жидкости. Она определяется следующей формулой Торичелли:

$$v = \sqrt{2gh},$$

где $v$ — скорость вытекающей струи, $g$ — ускорение тяжести, $h$ — высота уровня жидкости в сосуде. Как видим, плотность жидкости в формулу не входит.

Этот парадоксальный закон вытекания становится, однако, вполне понятным, если принять в соображение, что силою, движущей жидкость, является вес вышележащей ее части. В случае тяжелой жидкости сила эта больше, чем в случае легкой; но и приводимая в движение *масса* в первом случае также больше и притом во столько же раз. Не приходится удивляться, что ускорение, а следовательно, и скорость получаются в обоих случаях одинаковые.

### 78—79. Задачи о ванне

На каждый из пяти вопросов приведено далее по два ответа — в одном столбце правильные, в другом — неправильные:

a) Ванна наполнится до краев в 24 минуты.

a) Ванна никогда до краев не наполнится.

b) Ванна останется пустой.

b) Ванна нальется до $^{1}/_{4}$ высоты.

c) Ванна останется пустой.

c) Ванна нальется до $^{9}/_{64}$ высоты.

d) Ванна останется пустой.

d) Ванна нальется до $^{1}/_{14}$ высоты.

e) В ванне не удержится ничего.

e) В ванне удержится некоторое количество воды.

В котором же столбце приведены правильные ответы? Правдоподобными представляются ответы *левого* столбца. Верны же в действительности ответы *правого* столбца.

Охотно верю, что эти правильные ответы могут казаться совершенно несообразными. Рассмотрим, в самом деле, каждую задачу порознь:

a) Ванна наполняется быстрее, чем опоражнивается, — и тем не менее в правом столбце мы находим утверждение, что ванна никогда до краев не наполнится. Почему? Нетрудно, казалось бы, вычислить, через сколько минут вода должна начать переливаться через края. Ежеминутно поступает в ванну $^{1}/_{8}$ ее вместимости, а вытекает $^{1}/_{12}$; значит, каждую минуту вода прибывает в количестве

$$\frac{1}{8} - \frac{1}{12} = \frac{1}{24}$$

вместимости всей ванны; казалось бы, ясно, что в 24 минуты ванна должна наполниться до краев...

b) Во второй задаче срок наполнения ванны равен продолжительности ее опорожнения. Значит, количество ежеминутно поступающей воды равно количеству вытекающей. В ванне не должно, очевидно, остаться ни капли воды, сколько бы времени ни длилось наливание. А между тем в столбце правильных ответов мы видим утверждение, что ванна нальется до $^1/_4$ высоты.

c), d) и e) В этих трех случаях вода вытекает из ванны в большем количестве, чем поступает, и все же в правом столбце мы находим утверждение, будто даже и при таких условиях в ванне накопится некоторый запас воды.

Словом, решения, предлагаемые нами как правильные, представляются абсурдными. Чтобы тем не менее убедиться в их правильности, читателю придется проследить за довольно длинной цепью рассуждений. Начнем с первой задачи.

а) Задача эта представляет собой видоизменение знаменитой задачи о бассейнах, родоначальником которой является Герон Александрийский. За две тысячи лет она успела проникнуть в школьные задачники арифметики; однако, традиционное ее решение является ошибочным с точки зрения физики. Ходячее решение опирается на незаконное допущение, будто вытекание воды из резервуара с понижающимся уровнем происходит равномерной струёй. Допущение это противоречит физическому закону, согласно которому скорость вытекания уменьшается по мере понижения уровня. Неправильно поэтому принимать, как делают школьники на уроках арифметики, что если вся ванна опорожняется в 12 минут, то каждую минуту вытекает $^1/_{12}$ ее объема. Вытекание происходит совсем не так: вначале, пока уровень воды высок, ежеминутно вытекает *больше* $^1/_{12}$ содержимого полной ванны; количество это с каждой минутой убывает, и когда уровень очень низок, ежеминутно вытекает уже меньше $^1/_{12}$ содержимого. Значит, количество ежеминутно вытекающей воды только в *среднем* равно $^1/_{12}$ вместимости полной ванны, в действительности же почти ни одну минуту не равно $^1/_{12}$, а либо больше, либо меньше. Картина опорожнения ванны напоминает ход тех карманных часов, о которых поведал нам в шуточном рассказе Марк Твен: они шли в «среднем» вполне правильно, добросовестно делая полагающееся им число оборотов в сутки. Но в первую половину суток они непозволительно уходили вперед, в течение же второй — оставались далеко позади. Решать нашу задачу, исходя из *средней* скорости вытекания воды, все равно что пользоваться для определения времени этими часами Марка Твена.

Мы видим, что упрощенную картину арифметических задачников необходимо при решении нашего вопроса заменить реальной картиной, согласной с законами природы. Тогда результат получится существенно иной. Если в начале наливания, пока уровень невысок, вытекает меньше $\frac{1}{12}$ объема ванны, а при высоком стоянии воды — больше $\frac{1}{12}$, то количество вытекающей воды может стать равным и $\frac{1}{8}$ объема ванны. Значит, расход может сравняться с приходом раньше, чем вода дойдет до краев ванны. С этого момента уровень воды повышаться больше не будет: все, что наливается из крана, уходит через выпускное отверстие. Уровень становится постоянным на высоте ниже краев ванны. Понятно, что при таких условиях ванна никогда не наполнится. Математический расчет, как увидим далее, подтверждает правильность сказанного.

b) Здесь правильность нашего решения выступает еще яснее. Продолжительность как наполнения, так и опорожнения, — 8 минут. При низком стоянии уровня, т. е. в начале наливания, ежеминутно поступает $\frac{1}{8}$ вместимости ванны, вытекает же, как было уже объяснено, менее $\frac{1}{8}$. В итоге уровень должен повышаться; он будет повышаться до тех пор, пока приход воды не сравняется с расходом. Ванна, следовательно, пустой не останется: в ней должен удерживаться некоторый слой воды. Можно доказать, — мы это скоро сделаем, — что при равенстве сроков наполнения и опорожнения высота удерживаемого слоя должна составлять $\frac{1}{4}$ высоты уровня полной ванны.

c), d) и e) После сказанного не потребуется долгих объяснений, чтобы рассеять недоверие к нашим ответам на остальные три вопроса. Продолжительность опорожнения задается в них более короткой, чем наполнение. Наполнить такую ванну до краев нельзя, но удержать в ней некоторый слой воды всегда возможно, как бы медленно ни подливалась она сверху. Надо помнить, что первые порции воды, поступающие сверху, не могут вылиться так же быстро, потому что при низком стоянии воды скорость вытекания весьма мала, делаясь с понижением уровня меньше любой постоянной скорости наливания. Значит, некоторый, хотя бы очень тонкий слой воды должен в резервуаре удержаться. Иными словами, вопреки заключению «здравого смысла», во всякой дырявой бочке можно удерживать немного воды, если все время равномерно ее подливать.

Обратимся теперь к математическому рассмотрению тех же вопросов. Мы убедимся, что задачи о бассейнах, два тысячелетия предлагаемые школьникам как элементарные арифметические упражнения, предъявляют на самом деле к учащимся требования, далеко выходящие за пределы начатков арифметики.

Установим для цилиндрического резервуара (вообще для резервуара с отвесными стенками) зависимость между продолжительностью $T$ его наполнения, продолжительностью $t$ его опорожнения и высотою $l$ постоянного уровня, какого достигает жидкость, если резервуар наливать при открытом выпускном отверстии. Условимся относительно обозначений:

$H$ — высота уровня жидкости в полном резервуаре;

$T$ — продолжительность наливания до уровня $H$;

$t$ — продолжительность опорожнения резервуара с первоначальным уровнем $H$;

$S$ — сечение резервуара;

$c$ — сечение выпускного отверстия;

$w$ — секундная скорость опускания уровня в резервуаре;

$v$ — секундная скорость вытекающей струи;

$l$ — высота постоянного уровня при открытом отверстии.

Легко видеть, что если за какую-нибудь секунду времени уровень жидкости опускается на $w$, то из выпускного отверстия за ту же секунду должен вытечь слой жидкости объемом $Sw$, равновеликий объему столба $cv$ струи:

$$Sw = cv,$$

откуда

$$w = \frac{c}{S} v.$$

Но скорость $v$ струи жидкости, вытекающей из отверстия сосуда, определяется известной формулой Торичелли $v = \sqrt{2gl}$, где $l$ — высота уровня, а $g$ — ускорение тяжести. С другой стороны, скорость $w$ повышения уровня жидкости при закрытом выпускном отверстии равна $\frac{H}{T}$. Уровень сделается постоянным, когда скорость его понижения сравняется со скоростью повышения, т. е. когда будет существовать равенство:

$$\frac{H}{T} = \frac{c}{S} \sqrt{2gl},$$

откуда высота $l$ устанавливающегося уровня равна

$$l = \frac{H^2 S^2}{2g T^2 c^2}. \tag{1}$$

Такова предельная высота уровня в резервуаре, наливаемом при открытом выпускном отверстии. Формулу эту можно упростить, исключив из нее величины $S$, $c$ и $g$. Опускание уровня в резервуаре с отвесными стенками, при закрытом кране, есть движение равнопеременное,[1] начинающееся со скоростью $w$ и кончающееся со скоростью, равной нулю. Ускорение $a$ такого движения определяется из уравнения

$$w^2 = 2\,aH,$$

откуда

$$a = \frac{w^2}{2H}.$$

Подставив значение $w$ из выражения $w = \dfrac{c}{S}\,v$ и имея в виду, что

$$v = \sqrt{2gH},$$

получаем:

$$a = \frac{c^2 v^2}{2S^2 H} = \frac{c^2 \cdot 2gH}{2S^2 H} = \frac{gc^2}{S^2}.$$

Далее, для рассматриваемого случая движения

$$H = \frac{at^2}{2} = \frac{gc^2 t^2}{2S^2},$$

откуда

$$t^2 = \frac{2HS^2}{gc^2}.$$

Делая подстановку в формулу (1), получаем:

$$l = \frac{H^2 S^2}{2gT^2 c^2} = \frac{H \cdot HS^2}{2T^2 \cdot gc^2} = \frac{Ht^2}{4T^2}; \quad \frac{l}{H} = \frac{t^2}{4T^2}.$$

Итак, уровень жидкости в резервуаре должен при рассматриваемых условиях установиться на высоте, составляющей определенную долю высоты полного резервуара; доля эта определяется формулой

$$\frac{l}{H} = \frac{t^2}{4T^2}.$$

Любопытно, что высота предельного уровня не зависит от формы и размеров сечений как резервуара, так и выпускного отверстия. Не зависит она и от ускорения тяжести $g$. На

---

[1] На доказательстве этого утверждения не останавливаемся.

Юпитере, на Марсе жидкость устанавливается на том же уровне, как и на Земле. Что касается высоты $H$, которую мы называли ради простоты высотою «полного» резервуара, то это вообще есть высота любого уровня, опускающегося в течение $t$ секунд.

*

Приложим теперь выведенную формулу к решению наших задач.

а) Продолжительность наполнения $T = 8$ мин., продолжительность опорожнения $t = 12$ мин. Высота $l$ предельного уровня составляет от высоты резервуара $H$ долю

$$\frac{l}{H} = \frac{12^2}{4 \cdot 8^2} = \frac{9}{16}.$$

Ванна нальется только на $^9/_{16}$. Сколько бы ни длилось наливание после этого, уровень повышаться не будет.

b) В этом случае $T = l = 8$ мин.

$$\frac{l}{H} = \frac{t^2}{4t^2} = \frac{1}{4}.$$

Ванна нальется на $^1/_4$.

с) Здесь $T = 8$ мин., $t = 6$ мин.

$$\frac{l}{H} = \frac{6^2}{4 \cdot 8^2} = \frac{9}{64}.$$

Ванна нальется на $^9/_{64}$.

d) $T = 30$ мин., $t = 5$ мин.

$$\frac{l}{H} = \frac{5^2}{4 \cdot 30^2} = \frac{1}{144}.$$

Ванна нальется на $^1/_{144}$.

е) В этом случае $t < T$:

$$\frac{l}{H} = \frac{t^2}{4T^2}.$$

Полученное выражение может равняться нулю только при двух условиях:

1) $t = 0$, $T \neq 0$. Это значит, что ванна опоражнивается мгновенно — случай нереальный.

2) $t = 0$, $T = \infty$. Это означает, что ванна с закрытым выпускным отверстием наполняется в бесконечно долгий срок, иными словами — секундный приток воды равен нулю, воды не поступает вовсе. Практически такой случай равносилен тому, что кран закрыт.

Итак, если только кран открыт и ванна не опоражнивается мгновенно, $\dfrac{l}{H}$, никогда не равно нулю: слой воды в ванне всегда имеет конечную высоту.

При каком же условии ванна с открытым выпускным отверстием может быть наполнена *до краёв*? Очевидно, тогда, когда $l = H$, т. е. когда

$$\frac{l^2}{4T^2} = 1; \quad l^2 = 4T^2; \quad l = 2T.$$

Значит, если продолжительность наполнения вдвое менее продолжительности опорожнения, ванна и при открытом выпускном отверстии может быть наполнена до краёв.

*

Интересно вычислить еще, *во сколько времени* достигается тот или иной постоянный уровень. Задача эта не может быть разрешена средствами элементарной математики; она требует применения интегрального исчисления. Для интересующихся приводим далее ход вычисления; незнакомые с высшей математикой могут этот вывод пропустить, обратившись сразу к окончательной формуле.

Скорость повышения уровня жидкости в резервуаре, наполняемом при открытом выпускном отверстии, получится, если из скорости поднятия уровня при закрытом отверстии ($\dfrac{H}{T}$) отнять скорость опускания уровня в непополняемом резервуаре ($\dfrac{c}{S}\sqrt{2gx}$, где $x$ — высота уровня в данный момент).

Следовательно, скорость повышения уровня в данный момент

$$\frac{dx}{dt} = \frac{H}{T} - \frac{c}{S}\sqrt{2gx},$$

откуда

$$dt = \frac{dx}{\dfrac{H}{T} - \dfrac{c}{S}\sqrt{2gx}}.$$

302

Время, в течение которого жидкость достигает высоты $x = h$, обозначим здесь через $\Theta$. Имеем уравнение:

$$\int_{\Theta}^{0} dt = \int_{h}^{0} \frac{dx}{\dfrac{H}{T} - \dfrac{c}{S}\sqrt{2gx}}.$$

Проинтегрировав это уравнение, получаем следующую формулу для продолжительности $\Theta$ времени поднятия уровня до высоты $h$:

$$\Theta = \frac{S}{gc}\left[\sqrt{2gh} + \frac{HS}{Tc}\ln\left(\frac{\dfrac{H}{T} - \dfrac{c}{S}\sqrt{2gh}}{\dfrac{H}{T}}\right)\right]$$

(здесь ln означает логарифм при основании e = 2,718...).

Выражение это может быть упрощено. Исходя из равенств $wS = vc$ и $v = \sqrt{2gh}$, имеем, что скорость $w$ опускания уровня с высоты $h$ при опорожнении резервуара равна

$$w = \frac{dh}{dt} = \frac{cv}{S} = \frac{c\sqrt{2gh}}{S}.$$

Следовательно,

$$dt = \frac{S}{c\sqrt{2g}} \cdot \frac{dh}{\sqrt{h}}$$

и

$$\int_{t}^{0} dt = \int_{0}^{h} \frac{S}{c\sqrt{2g}} \cdot \frac{dh}{\sqrt{h}},$$

откуда

$$t = -\frac{2S\sqrt{h}}{c\sqrt{2g}}.$$

После соответствующих подстановок получаем следующее выражение для $\Theta$:

$$\Theta = -t\sqrt{\frac{h}{H}} - \frac{t^2}{2T}\ln\left(1 - \frac{2T}{t}\sqrt{\frac{h}{H}}\right),$$

в которое не входят сечения S и $c$ резервуара и отверстия, а также и ускорение $g$ тяжести. Последнее указывает, что продолжительность наливания резервуара должна быть одинакова на любой планете.

*

Если, обращаясь к нашим задачам, пожелаем узнать, во сколько времени достигаются в резервуарах предельные уровни, то придем к заключению, что это может осуществиться только в бесконечно большой срок, иначе говоря — никогда. Вывод нисколько не неожиданный; его легко было предвидеть. Ведь по мере приближения уровня к предельной высоте скорость его повышения все уменьшается; чем ближе жидкость к предельному уровню, тем медленнее она к нему стремится; ясно, что она никогда этого уровня не достигнет, а может лишь сколь угодно близко к нему подойти.

Но для целей практических можно поставить вопрос несколько иначе. Практически почти безразлично, дошла ли жидкость до предельного уровня или не достигла его, скажем, на 0,01 долю высоты. А продолжительность такого «почти достижения» вполне возможно вычислить по нашей формуле, подставив $h = 0,99\, l$, где $l$ — высота предельного уровня. Получим:

$$\Theta = -\frac{t^2}{2T}\left(0,995 - \ln 0,005\right) = 2,15\frac{t^2}{T}.$$

Эту формулу

$$\Theta = 2,15\frac{t^2}{T}$$

применим в рассмотренных ранее случаях:
a) $T = 8$ мин., $t = 12$ мин.

$$\Theta = 2,15\frac{12^2}{8} = 38,7 \text{ мин.}$$

Постоянный уровень практически установится примерно через 39 минут.
b) $T = t = 8$ мин.

$$\Theta = 2,15\frac{8^2}{8} = 17,2 \text{ мин.,}$$

т. е. постоянный уровень установится спустя примерно 17 минут.
c) $T = 8$ мин., $t = 6$ мин.

$$\Theta = 2,15\frac{6^2}{8} = 9,7 \text{ мин.}$$

Уровень установится приблизительно через 10 мин.

d) $T = 30$ мин., $t = 5$ мин.

$$\Theta = 2{,}15 \frac{5^2}{30} = 1{,}8 \text{ мин.}$$

Предельный уровень будет практически достигнут менее чем через две минуты.

Наконец, наполнение резервуара *до краев* при открытом выпускном отверстии, осуществляющееся, как было ранее установлено, при условии, что $t = 2T$, совершится в промежуток времени

$$\Theta = 2{,}15 \frac{t^2}{T} = 4{,}3t = 8{,}6T.$$

На этом закончим наш непредвиденно затянувшийся разбор задач о резервуаре. Дело, как убедился читатель, выходит сложнее, чем представляют себе те авторы арифметических задачников, которые беспечно предлагают «задачи о бассейнах» ученикам начальной школы.

## 80. Водяные вихри

Поставленный в задаче вопрос привлек несколько лет назад внимание нашего известного математика, академика Д. Граве. «Если — писал он,[1] — выпускать из резервуара воду при помощи отверстия на дне его, то образуется (над отверстием) воронкообразный вихрь, который в *северном полушарии вращается в сторону, обратную движению часовой стрелки;* в южном же полушарии вращение идет в другую сторону. Каждый читатель сам может проверить справедливость сказанного, выпуская воду из ванны. Чтобы лучше заметить направление вращения вихревой воронки, можно бросить на нее маленькие обрывки бумаги. Получается эффектный опыт, доказывающий вращение Земли, произведенный самыми простыми средствами в домашней обстановке».

Отсюда ученый делает и практические выводы: «Из сказанного можно сделать важные выводы относительно водяных турбин. Если горизонтальная водяная турбина вращается в сторону, обратную движению часовой стрелки, то вращение

---

[1] В журнале «Хочу все знать», № 4, 1931, статья «Вращение Земли, вихри и работа турбин».

Земли поможет действию турбины. Обратно, если турбина вращается в сторону движения часовой стрелки, то влияние вращения Земли будет тормозить ее работу». «Поэтому, — заключает акад. Д. Граве, — при заказах новых турбин следует держаться требования наклонения лопаток турбины в такую сторону, чтобы вращение турбины происходило в желательном направлении».

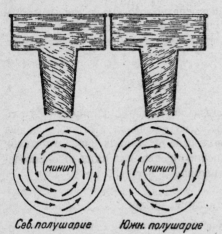

Рис. 99. «Схема вихревых движений: вверху — при вытекании воды из ванны; внизу — воздуха в циклоне». Рисунок и подпись — из статьи акад. Граве.

Соображения эти представляются вполне правдоподобными. Всем известно, что вращение Земли обусловливает вихреобразное закручивание циклонов, большее изнашивание правого рельса на железных дорогах и т. п. Можно, казалось бы, ожидать, что Земля своим вращением действует также на водяные воронки в резервуаре и на водяные турбины отмеченным выше образом.

Не следует, однако, поддаваться этому первому впечатлению. Наблюдения за водяной воронкой у отверстия ванны легко могут быть проверены и, как оказывается, вовсе не подтверждаются: водяной вихрь закручивается в одних случаях против часовой стрелки, в других по стрелке. Не только нет постоянства направления, но не заметно и какой-либо преобладающей тенденции, особенно если наблюдения производятся не в одном и том же резервуаре, а в различных.[1]

_____

[1] Желая удостовериться в этом, я организовал с читателями одного из наших популярно-научных журналов коллективную проверку утверждения акад. Д. Граве. Каждый из участников этой работы

Расчет дает результат, согласный с наблюдениями. Он показывает, что величина появляющегося при этом так называемого поворотного («Кориолисова») ускорения чрезвычайно мала. Вычисление выполняется по формуле

$$a = 2v\omega \sin \varphi,$$

где $a$ — поворотное ускорение, $v$ — скорость движущегося тела, $\omega$ — угловая скорость вращения Земли, $\varphi$ — широта места.[1] На широте, например, Ленинграда, при скорости водяных струй 1 *м/с*, имеем: $v = 1$ *м/с*; $\omega = \dfrac{2\pi}{86\,400}$ ; $\sin \varphi = \sin 60° = 0{,}87$;

$$a = \frac{2 \cdot 2\pi \cdot 0{,}87}{86\,400} \approx 0{,}0001 \text{ } м/с^2.$$

Так как ускорение земной тяжести равно 9,8 *м/с²*, то поворотное ускорение составляет 100 000-ю долю ускорения тяжести. Другими словами, возникающее усилие составляет стотысячную часть веса вращаемой вихрем воды. Ясно, что малейшая неровность в устройстве дна резервуара, несимметричность его по отношению к выпускному отверстию гораздо больше должны влиять на направление водяных струй, нежели вращение Земли. То, что многократные наблюдения за опорожнением *одного и того* же резервуара нередко свидетельствуют о вращении в одном и том же направлении, ничуть не является подтверждением ожидаемого правила вращения, потому что одинаковость направления вихря обусловливается формою дна резервуара, его неровностями, а не вращением Земли.

Значит, на поставленный в задаче вопрос следует ответить так: предсказать направление вращения водяного вихря у отверстия резервуара нельзя; оно определяется обстоятельствами, не поддающимися учету.

---

должен был проследить десяток раз, в каком направлении вращается воронка, образующаяся при вытекании, воды из ванны, умывальника и т. п. резервуаров, и прислать мне сообщение, сколько раз из десяти случаев наблюдалось вращение против часовой стрелки. Хотя в анкете участвовало сравнительно небольшое число читателей, все же, сопоставляя полученный материал, можно было заключить, что преобладания вращения в сторону против часовой стрелки замечено не было.

[1] Вывод формулы читатели могут найти в курсах геофизики. Весьма понятно изложен он в известном труде Ю. М. Шокальского «Океанография».

К тому же, вихри, какие могли бы быть вызваны в текущей жидкости вращением Земли, должны иметь, как показывает вычисление, гораздо больший диаметр, чем маленькие водовороты вокруг отверстия резервуара. Например, на широте Ленинграда, при скорости течения 1 м/с, диаметр такого вихря должен достигать 18 м, при скорости 0,5 м/с — 9 м (и т. д. — пропорционально скорости течения).

Скажем еще несколько слов об ожидаемом влиянии земного вращения на работу водяных турбин. Теоретически можно доказать, что всякое вращающееся колесо побуждается вращением Земли занять такое положение, при котором ось колеса параллельна оси нашей планеты, а направление вращения обоих тел одинаково.[1] «Все тела, вращающиеся вокруг оси, — пишет Перри в своей знаменитой книге о волчке, — пока находятся в движении, постоянно стремятся повернуть свою ось по направлению к Полярной звезде; стремление это остается тщетным, хотя вращающиеся тела и рвутся со своих подставок к объекту своих стремлений».

Действие земного вращения имеет величину того же ничтожного порядка, как и в случае водяной воронки в опоражниваемом резервуаре; другими словами, действие земного вращения менее 100 000-й доли силы тяжести. Следовательно, малейшая неоднородность в корпусе вращающейся части турбины, практически совершенно неизбежная, должна сказываться гораздо сильнее и затушевывать влияние вращения Земли. Не приходится возлагать поэтому никаких надежд на то, чтобы вращение Земли «заставить помогать нашим вращающимся механизмам в их работе», как писал академик Д. Граве в упомянутой заметке.

## 81. В половодье и в межень

Изогнутость водной поверхности реки в половодье и в межень объясняется тем, что средняя, осевая часть («стрежень») текущей водной массы имеет бо́льшую скорость, чем краевые: река на стрежне течет быстрее, чем у берегов. Поэтому в половодье, когда вода прибывает с верховья, она притекает вдоль стрежня в большем количестве, чем у берегов; по оси ежесекундно прибывает больше воды, чем по краям;

---

[1] Интересующимся могу указать на статью Otto Baschin «Влияние вращения Земли на вращающиеся колеса» (в журнале «Naturwissenschaften», 1923, № 52).

естественно, что река вздувается посередине. Наоборот, в межень, когда вода убывает, отливая в низовье, она вдоль стержня спадает значительнее, чем у берегов — и поверхность реки становится вогнутой.

Рассматриваемое явление особенно заметно на длинных и широких реках. «На Миссисипи, — пишет Э. Реклю в «Земле», — поперечная выпуклость реки во время разлива равна средним числом одному метру. Дровосекам хорошо известен этот факт: они знают, что сплавляемый лес, спущенный в реку во время разлива, выбрасывается на берега (соскальзывает с водной выпуклости), а при спаде воды плывет всегда посередине реки» (скопляется в водной низине).

## 82. Волны прибоя

Загибание гребней волн, набегающих на пологий берег, объясняется тем, что скорость распространения волн по поверхности неглубокого водоема зависит от глубины этого водоема, а именно — прямо пропорциональна квадратному корню из глубины. Когда волна бежит над мелким местом моря, гребень ее возвышается над дном больше, чем долина волны; следовательно, гребень должен двигаться быстрее, чем идущая впереди нее долина, и, обгоняя ее, загибаться вперед.

Этим же объясняется и другое явление, замечаемое на берегу моря во время волнения: гряды волн, разбивающихся о берег, всегда стремятся принять положение, ему параллельное. Причина в том, что когда к берегу приближаются волны, идущие параллельными рядами под углом к берегу, то часть волны, которая раньше других оказывается в мелком месте близ берега, замедляет свое движение. Нетрудно сообразить, что вследствие этого ряд волн должен поворачиваться по направлению к берегу до тех пор, пока не станет параллельным ему.

# III. СВОЙСТВА ГАЗОВ

## 83. Третья составная часть воздуха

Многие и теперь еще продолжают «по инерции» считать третьей *постоянной* составной частью воздуха после азота и кислорода — углекислый газ. Между тем уже давно обнаружен в составе воздуха газ, количественное содержание которого раз в 25 больше, нежели углекислого газа. Это *аргон*, один из так называемых благородных газов. Его содержится в воздухе по объему около 1% (точнее 0,94%), между тем как содержание углекислого газа всего 0,04%.

## 84. Самый тяжелый газ

Неправильно считать самым тяжелым газообразным элементом хлор, который тяжелее воздуха в 2,5 раза. Существуют газообразные элементы, гораздо более тяжелые. Если не принимать в расчет крайне недолговечный *радон*, или *нитон* (эманацию радия), который тяжелее воздуха в 8 раз, то на первое место по весу надо поставить газ *ксенон*: он тяжелее воздуха в $4\frac{1}{2}$ раза. Ксенон содержится в атмосферном воздухе в ничтожном количестве: 1 $см^3$ ксенона в 150 $м^3$ воздуха.

Если бы требовалось назвать не газообразный элемент, а вообще газообразное тело, то к числу наиболее тяжелых газов надо было бы отнести *четыреххлористый кремний*, $SiCl_4$, который в $5\frac{1}{2}$ раз тяжелее воздуха, *никель-карбонил*, $Ni(CO)_4$, — в 6 раз тяжелее воздуха и, наконец, *шестифтористый вольфрам* ($WF_6$). Этот бесцветный газ, точка кипения которого +19,5°, является самым тяжелым из всех известных нам газообразных тел: он тяжелее воздуха в 10 раз.

Среди *паров* превосходят хлор по весу пары брома, которые в $5\frac{1}{2}$ раз тяжелее воздуха, и ртути — даже в 7 раз. (Читатель, конечно, помнит существенный признак, отличающий пар от газа: газ имеет температуру выше критической, пар — ниже).

## 85. Давит ли на нас 20 тонн?

Традиционное утверждение многих учебников и популярных книг, что человеческое тело испытывает со стороны атмосферы давление в 20 *т*, — лишено всякого смысла. Проследим, откуда появляются эти двадцать тонн давления. Расчет ведется так: на каждый кв. сантиметр поверхности тела давит 1 *кг*, всех же кв. сантиметров в этой поверхности имеется 20 000; «следовательно, общее давление равно 20 000 *кг*». Совершенно упускается из вида, что силы, приложенные здесь к *разным* точкам тела, действуют в *различных направлениях*, а складывать *арифметически* силы, направленные под углом одна к другой — операция бессмысленная. Складывать силы, конечно, можно, но по правилу сложения векторов — и тогда получится совсем не то, о чем говорилось выше: получится то, что равнодействующая всех давлений равна весу воздуха в объеме тела. Кто желает охарактеризовать не величину этой равнодействующей, а величину *давления* на поверхность тела, тот может лишь утверждать, что тело находится под давлением 1 *кг/см*$^2$: вот все, что можно сказать вразумительного о давлении, испытываемом нашим телом со стороны атмосферы.

Давление это переносится легко потому, что уравновешивается равным давлением изнутри, и еще потому, что по абсолютной величине оно в сущности не так уж велико: 10 *г/мм*$^2$. Сравнительная незначительность давления объясняет, почему клеточные стенки тканей нашего тела не раздавливаются двусторонним давлением.

Внушительные числа для величины давления атмосферы мы получили бы законно тогда лишь, когда поставили бы самый вопрос иначе, — например, спросили бы:

1) С какою силою верхняя часть нашего тела придавливается атмосферой к нижней?

2) С какою силою правая и левая части нашего тела придавливаются атмосферой одна к другой?

Для ответа на первый вопрос нужно рассчитать общее давление на площадь горизонтального сечения, или горизонтальной проекции нашего тела (около 1000 *см*$^2$), получилась бы сила в 1 *т*. Во втором случае следовало бы определить общее давление на площадь вертикальной проекции тела (около 5000 *см*$^2$); результат — 5 *т*. Но столь поражающие числа означают, в сущности, не более того, что мы знали, приступая к расчету, а именно, что на 1 *см*$^2$ сечения нашего тела приходится сила в 1 *кг*. Это лишь различные выражения одной и той же мысли.

Переводить удельное давление в общее в подобных случаях бесцельно. Это уместно, например, тогда, когда общее давление оказывается силой движущей, как, например, давление пара на поршень в цилиндре паровой машины. В применении же к человеческому телу подобные арифметические упражнения так же бесполезны, как лишены смысла иллюстрации вроде воспроизведенной на рис. 37 (она взята из превосходной немецкой книги Ф. Кана «Жизнь человека»).

## 86. Сила выдоха и дуновения

Спокойно *выдыхаемый* нами воздух имеет избыток давления над наружным воздухом примерно в 0,001 *ат*.

*Выдувая* воздух, мы сжимаем его гораздо больше, доводя избыток давления над наружным до 0,1 *ат*. Это соответствует 76 *мм* ртутного столба. Такова сила нашего дуновения. Она наглядно проявляется тогда, когда, вдувая ртом воздух в одно колено открытого ртутного манометра, мы поднимаем уровень ртути в другом: надо довольно сильно напрячь мускулы груди, чтобы добиться разницы уровней в 7—8 *см*. (Впрочем, опытные стеклодувы могут поднять ртуть в приборе до 30 и более сантиметров.)

## 87. Давление пороховых газов

Снаряды современных артиллерийских орудий выбрасываются пороховыми газами под давлением до 7000 *ат*; это соответствует давлению водяного столба в 70 *км*.

## 88. Единица атмосферного давления

Выражение величины атмосферного давления в миллиметрах ртутного столба или в килограммах на кв. сантиметр в настоящее время уже устарело. На Западе и у нас в метеорологической практике употребляется теперь для этого другая мера, килопаскаль, сменившая применявшуюся ранее меру «миллибар», относившуюся к абсолютной системе мер.

Миллибар, как видно из названия (*милли-*), есть тысячная часть другой единицы — *бара*. Бар — единица давления, равная 100 *кПа*.[1] Понятно, что миллибар, который в 1000 раз меньше, равен 0,1 *кПа*. Паскаль — единица давления метрической системы мер, 1 *Па* — давление, вызываемое силой 1 Ньютон, равномерно распределенной по поверхности 1 $м^2$. Нормальное давление атмосферы (отвечающее 760 *мм* ртутного столба) равно 101,3 *кПа* или 1 013 миллибар.

## 89. Вода в опрокинутом стакане

Ошибочно полагать, будто в стакане имеется только вода, а воздуха нет вовсе, так как бумажка прилегает к воде вплотную. Там безусловно есть и воздух. Если бы между двумя соприкасающимися плоскими предметами не было прослойки воздуха, мы не могли бы приподнять со стола ни одной вещи, опирающейся на стол плоским основанием: пришлось бы пре-

---

[1] Бар не следует смешивать с *барией*, равной 0,1 *Па*.

одолевать атмосферное давление. Накрывая поверхность воды листком бумаги, мы всегда имеем между ними тонкий слой воздуха.

Проследим за тем, что происходит при перевертывании стакана дном вверх. Под тяжестью воды бумажка выдается слегка вниз, если вместо бумажки взята пластинка, то она несколько оттягивается от краев стакана.

Так или иначе, для небольшого количества воздуха, которое имелось между водой и бумажкой (или пластинкой), освобождается некоторое пространство под донышком стакана; пространство это больше первоначального; воздух, следовательно, разрежается, и давление его падает.

Теперь на бумажку действуют: снаружи — полное давление атмосферы, изнутри — полное атмосферное давление плюс вес воды.

Оба давления, наружное и внутреннее, уравновешиваются. Достаточно поэтому приложить к бумажке небольшое усилие в $1^1/_2 - 2$ *г,* чтобы преодолеть силу прилипания (поверхностное натяжение жидкой пленки) — и бумажка отпадет.

Выпячивание бумажки действием веса воды должно быть ничтожно. Когда пространство, заключающее воздух, увеличится на 0,01, на такую же долю уменьшится давление воздуха в стакане. Недостающая сотая доля атмосферного давления покрывается весом 10 *см* водяного столба. Если слой воздуха между бумажкой и водой имел первоначально толщину в 0,1 *мм,* то достаточно увеличения его толщины на 0,01 × 0,1, т. е. на 0,001 *мм* (один микрон), чтобы объяснить удерживание бумажки у краев перевернутого стакана. Нечего и пытаться поэтому уловить непосредственно глазом это выпячивание бумажки.

В некоторых книгах при описании рассматриваемого опыта высказывается требование, чтобы стакан был налит водою непременно до самого верха — иначе опыт не удастся: воздух будет находиться по обе стороны бумажки, давление его с той и другой стороны уравновесится, и бумажка отпадет силою веса воды. Проделав опыт, мы сразу же убеждаемся в неосновательности этого предостережения: бумажка держится не хуже, чем при полном стакане. Чуть отогнув ее, мы увидим воздушные пузыри, пробегающие от отверстия через слой воды. Это с несомненностью показывает, что воздух в стакане разрежен (иначе внешний воздух не врывался бы через воду в пространство над нею). Очевидно, при перевертывании стакана слой воды, скользя вниз, вытесняет часть воздуха, и остающаяся часть, занимая больший объем, разрежается. Разрежение здесь значительнее, чем в случае полного стакана, о чем наглядно свидетельствуют пузыри воздуха, проникающего в стакан при отгибании бумажки. Соответственно большему разрежению прижимание бумажки бывает сильнее.

Чтобы покончить с этим опытом, который, мы видим, далеко не так прост, как представляется сначала, рассмотрим еще один вопрос: для чего вообще нужна в данном случае бумажка, закрывающая опрокинутый стакан с водою? Разве атмосферное давление не может действовать непосредственно на воду в стакане и мешать ей вытекать?

Отчасти роль бумажки уже выяснена соображениями, которые были раньше изложены. К сказанному прибавим следующее.

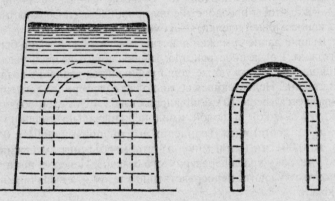

Рис. 100—101. Пояснение к опыту с водою в опрокинутом стакане.

Вообразим изогнутую сифонную трубку с коленами одинаковой длины (рис. 101). Если такая трубка наполнена жидкостью и открытые концы трубок находятся на одном уровне, то выливания не будет; но стоит слегка наклонить сифон, чтоб началось выливание жидкости из того конца, который расположен ниже; раз начавшееся выливание будет все ускоряться, так как разность уровней возрастает в процессе выливания.

Теперь легко объяснить, почему свободная поверхность жидкости в опрокинутом стакане должна быть строго горизонтальна (что возможно лишь при наличии бумажки), если мы желаем удержать в нем жидкость. В самом деле: пусть в одной точке поверхность жидкости ниже, чем в другой, тогда мы можем (следуя проф. Н. А. Любимову[1]) «эти места рассматривать, как концы воображаемого сифона, в котором жидкость не может остаться в равновесии»; вода из такого стакана должна вся вылиться (рис. 100).

## 90. Ураган и пар

Самый опустошительный ураган, вырывающий с корнем вековые дубы и опрокидывающий каменные стены, давит не только не сильнее, чем пар в цилиндре машины, но во много раз слабее. Давление его на кв. метр (точнее: избыток его давления над атмосферным) — 300 *кг*. Переводя на кв. сантиметр, получаем

$$300 : 10\,000 = 0{,}03 \ \textit{кг/см}^3 = 0{,}03 \ \textit{ат.}$$

Цифра весьма скромная: давление пара в цилиндре машины достигает десятков атмосфер, если даже не иметь в виду машин сверхвысокого давления. Можно сказать поэтому, что самый сильный ураган давит в сотни раз слабее, чем пар в машине.

Еще более поразительный вывод получим, если сопоставить эту цифру с величиной давления в струе воздуха, выдуваемого ртом (см. следующий вопрос 91). Мы дуем в несколько десятков раз быстрее сильнейшего урагана, и только незначительное *количество* приводимого нами в движение воздуха лишает нас возможности наподобие сказочных великанов дуновением двигать корабли.

## 91. Тяга заводской трубы

Глядя на высокую заводскую трубу, невольно поддаешься впечатлению, что сила тяги ее должна быть огромна. В действительности же засасывающая сила заводских труб имеет весьма и весьма скромную величину: выдувая воздух изо рта, мы гоним его с гораздо большей силой.

Нетрудно убедиться в этом, проделав следующий расчет. Сила тяги измеряется разницей веса двух столбов воздуха — наружного и заключенного в трубе (при равной высоте и одинаковой площади основания). Воздух внутри трубы нагревается

---

[1] «Начальная физика». 1873.

до температуры не свыше 300 °С; легко рассчитать, что вес его при этом уменьшается примерно вдвое; значит, вес кубометра воздуха в трубе вдвое меньше веса кубометра наружного воздуха. Так как высота трубы 40 *м,* то разность веса упомянутых столбов воздуха, нагретого и холодного, равна весу 20-метрового столба наружного воздуха. Известно, что атмосферный воздух в 10 000 раз легче ртути; вес 20-метрового воздушного столба равен весу ртутного столба высотою

$$20\ 000 : 10\ 000 = 2\ \text{мм.}$$

Мы узнали, что тяга в заводской трубе измеряется всего 2 *мм* ртутного столба. Сила, которая гонит воздух в такой трубе, меньше 3 *г/см²*. Между тем, избыток давления воздуха, выдуваемого ртом, — около 70 *мм,* т. е. в 35 раз больше. Дуновением мы сообщаем воздуху бо́льшую скорость, чем быстрота течения газов в самой высокой заводской трубе. Даже простое выдыхание воздуха создает течение, правда, раза в три слабее, чем в заводской трубе, но безусловно более сильное, чем в дымовой трубе трехэтажного дома.

Эти неожиданные результаты способны внушить сомнение. Как может столь незначительная сила породить тот энергичный приток воздуха к топке, который наблюдается при тяге? Но не будем забывать, что в данном случае малая сила приводит в движение очень небольшую массу (литр нагретого в трубе воздуха весит 0,65 *г*); поэтому ускорение получается значительное.

С другой стороны, естественно поставить вопрос: неужели для получения тяги в 2 *мм* ртутного столба стоит возводить такие сооружения, как заводская труба? Ведь самый несовершенный вентилятор порождает гораздо бо́льшую тягу. Соображение правильное. Но без трубы куда деть вредные для дыхания топочные газы? Их необходимо отвести подальше от человека, домашних животных, растений. Заводские трубы строятся не только ради тяги (это можно было бы достичь проще и дешевле), но и для того, чтобы удалять вредные топочные газы от тех мест, где находятся люди, животные, растения. Развевая вредные газы в высоких слоях воздуха, заводские трубы значительно ослабляют непосредственный вред от вдыхания продуктов горения топлива.

## 92. Где больше кислорода?

В воздухе, которым мы дышим, кислород составляет по объему 21%. Установлено, что в воде растворяется кислорода вдвое больше, чем азота. Это приводит к обогащению растворенного воздуха кислородом: воздух, растворенный в воде, содержит 34% кислорода. (Углекислоты же в атмосфере 0,04%, в воде — 2%.)

## 93. Пузырьки в воде

Пузырьки, появляющиеся в холодной воде при нагревании, — воздушные: выделяется часть воздуха, растворенного в воде. В отличие от растворимости твердых тел, растворимость газов с повышением температуры уменьшается. Поэтому при нагревании вода уже не может удерживать в растворе прежнее количество воздуха, и избыток газов выделяется пузырьками.

Вот относящиеся сюда числовые данные:

|  | в литре воды содержится |
|---|---|
| при 10 °C (водопроводная вода) . . . . | 19 $см^3$ воздуха |
| при 20 °C (комнатная температура) . . . | 17 $см^3$ воздуха |

2 $см^3$ воздуха в каждом литре воды должны выделиться. Так как стакан = $^1/_4$ литра, то из целого стакана в указанных условиях выделится 500 $мм^3$ воздуха. При среднем диаметре пузырька 1 $мм$ это составляет тысячу пузырьков.

В том случае, если вода взята прямо из водопроводного крана, к сейчас указанной причине появления пузырьков присоединяется и другая. Вода в трубках водопроводной сети находится под давлением выше атмосферного, а потому количество растворенного в ней воздуха увеличено. Поступая под нормальное давление, вода освобождает от раствора соответствующий избыток воздуха: в воде появляются воздушные пузырьки.

## 94. Почему облака не падают?

«Потому что водяной пар легче воздуха», — отвечают нередко. Водяной пар действительно легче воздуха, это бесспорно; однако облака не состоят из пара. Водяной пар невидим; если бы облака состояли из пара, они были бы совершенно прозрачны. Облака и туман (это одно и то же) состоят из воды в раздробленном *жидком*, а не в газообразном состоянии. Но тогда еще непонятнее, почему облака держатся в воздухе, а не падают на землю.

Не так еще давно господствовал взгляд, — введенный в науку Лейбницем и успевший широко распространиться, — что облака состоят из мельчайших водяных *пузырьков*, наполненных паром. Теперь это представление отвергнуто: облака и туман состоят не из пузырьков, а из сплошных водяных капелек, диаметром в 1—2 сотых доли миллиметра, зачастую даже 0,001 *мм*.[1] Такие шарики, конечно, тяжелее сухого воздуха в 800 раз. Но, обладая по сравнению с своей массой весьма большой поверхностью, водяные шарики при падении в воздухе встречают настолько значительное сопротивление, что опускаются вниз крайне медленно. Они отличаются, как говорят, значительною «парусностью». Например, капельки радиусом в 0,01 *мм* падают равномерно со скоростью всего 1 *см/с*. Облака в сущности не плавают в воздухе — они *падают*, но падение это происходит чрезвычайно медленно; достаточно самого слабого восходящего течения воздуха, чтобы не только удержать облако от падения, но и поднять его вверх.

Итак, фактически облака падают, но медленное падение их либо остается незамеченным, либо скрадывается восходящим воздушным течением.

По той же причине держатся в воздухе и пылинки, хотя вес многих из них — например, металлических — больше веса воздуха в несколько *тысяч* раз.

### 95. Пуля и мяч

Наивно думать, что стремительно летящая пуля не может встречать сколько-нибудь заметной помехи своему движению со стороны такой легкой среды, как воздух. Как раз наоборот: именно быстрота движения обусловливает весьма значительное сопротивление воздуха полету пули. Мы знаем, что пуля современной винтовки залетает в лучшем случае на расстояние 4 *км*. А как далеко залетала бы она, если бы сопротивления воздуха не было? Буквально в 20 раз дальше! Это кажется невероятным; полезно для убедительности привести расчет.

Пуля покидает ствол винтовки со скоростью около 900 *м/с*. Наибольшая дальность полета брошенного тела в пустоте дос-

---

[1] Таких капелек (с диаметром 0,001 *мм*) содержится по несколько миллионов в каждом кубическом сантиметре облака.

тигается, как известно из механики, в том случае, когда тело брошено под углом 45° к горизонту; дальность определяется тогда формулой:

$$L = \frac{v^2}{g},$$

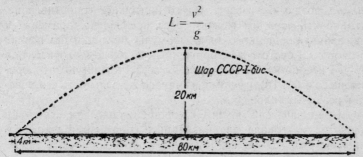

Рис. 102. Как влияет воздух на полет пули; вместо 80 км, пуля залетает только на 4 км.

где $v$ — начальная скорость, $g$ — ускорение тяжести. В нашем случае $v = 900$ *м/с*, $g \approx 10$ *м/с²*. Подставляя, имеем:

$$L = \frac{900^2}{10} = 81\ 000\ \text{м} = 81\ \text{км}.$$

Причина такого сильного влияния воздуха на полет пули кроется в том, что величина сопротивления среды растет

Рис. 103. Как влияет воздух на полет мяча: вместо параболы (пунктирная линия) он летит по баллистической кривой (сплошная линия).

пропорционально не первой, а *второй* (и даже несколько выше второй) *степени* скорости. Вот почему полету мяча, который получает от руки человека обычно скорость всего около 20 *м/с,* воздух оказывает до того ничтожное сопротивление, что практически им можно вовсе пренебречь, применяя к движению брошенного мяча формулы механики без всяких оговорок. В пустоте мяч, брошенный под углом к горизонту в 45° со скоростью 20 *м/с,* упал бы в расстоянии 40 *м* от бросающего ($20^2$ : 10), и примерно такова же дальность его полета в реальных условиях.

Преподаватели механики хорошо бы сделали, если бы в качестве материала для численных упражнений пользовались не столько движением пуль и артиллерийских снарядов, сколько полетом брошенного мяча: результаты будут гораздо ближе отвечать реальной действительности, чем те в сущности фантастические числа, к которым приводит игнорирование сопротивления воздуха при движении пуль и снарядов.

### 96. Почему газ можно взвесить?

Учебники и даже большие курсы физики не уделяют внимания этому простому вопросу, естественно возникающему в уме учащегося и способному породить недоумение. Между тем вопрос допускает совершенно элементарное рассмотрение.

Вопрос сводится к тому, чтобы объяснить, почему газ, заключенный в сосуд близ земной поверхности, давит на дно резервуара сильнее, чем на верхнюю его стенку, и почему избыток давления как раз равен сумме весов всех молекул, находящихся в сосуде.

Причина кроется в том, что плотность газа в сосуде не строго одинакова в нижней и в верхней его частях: она уменьшается с высотой, как и в свободной атмосфере. Газ более сжатый давит соответственно сильнее, и этим объясняется увеличенное давление газа на нижнюю стенку по сравнению с давлением на верхнюю.

На конкретном примере покажем, что величина избытка давления в точности равна весу заключенного в сосуде воздуха. Возьмем цилиндрический сосуд высотою 20 *см* и сечением 1 *дм*$^2$ (т. е. 100 *см*$^2$). Согласно формуле Лапласа, в воздухе обычной температуры плотность и давление с поднятием на каждые 20 *см* понижаются на $^1/_{40\,000}$ долю. Если в нашем сосуде заключен воздух при обычной температуре, то плотность газа у дна должна поэтому быть на $^1/_{40\,000}$ больше, чем у верхней стенки. Такова же должна быть и разница давлений. Пусть наш воздух взят под давлением *n* технических атмосфер. Он давит на $дм^2$ ($100\ см^2$) с силою веса

$$1000 \times n \times 100 = 100\,000\ n\ г.$$

Избыток давления на дно составляет одну 40 000-ную долю этой величины, т. е.

$$\frac{100\,000\ n}{40\,000} = 2,5 \times n\ г.$$

Но именно такова масса газа в сосуде, потому что вместимость его равна 2 *л,* а литр воздуха под давлением одной атмосферы весит при обычной температуре около 1,25 *г;*

$$1,25 \times n \times 2 = 2,5\ n.$$

Согласие получается полное.

### 97. По примеру слона

В древности и в средние века полагали, что такой способ погружения в воду является превосходным разрешением водолазной проблемы. «Полагали, — пишет Г. Гюнтер в своей книге «Завоевание глубин», — что достаточно забраться под воду в непроницаемом костюме и сообщить его рукавом с надводным миром; тогда возможно будет оставаться под водой сколько угодно времени, с удобством расхаживая по дну. Сохранились рисунки XV века, иллюстрирующие эту мысль. Впрочем, намек на нее находим еще у Аристотеля (350 лет до н. э.), который сравнивает хобот слона с воздушным рукавом водолаза.

«Если бы действительно было так, водолазное дело не представляло бы никаких затруднений. Опыт сурово опроверг это убеждение. Из скудных сообщений о ранних водолазных опытах видно, что у водолазов выступала кровь изо рта, носа и ушей и каждый опыт кончался тяжелым заболеванием.

Отчего это происходит, ясно показывают обстоятельные исследования д-ра Р. Штиглера (Вена), выполненные незадолго до мировой войны с целью научно осветить обстоятельства ныряния.

Берут в рот довольно широкую трубку длиною около 30 *см,* зажимают себе пальцами нос и погружают голову под воду, дыша через выступающую над водою трубку. Кто проделает этот опыт, тот убедится, что дыхание сильно затрудняется уже тогда, когда уровень воды находится всего на несколько сантиметров выше головы. Если удлинить трубку с целью установить, как глубоко можно погружаться под воду, прежде чем дыхание сделается совершенно невозможным, то окажется, что водяного столба в 1 м достаточно для полного прекращения дыхания. При дальнейших опытах Штиглера выяснилось, что на глубине 60 см возможно оставаться только $3^3/_4$ минуты, на глубине 1 м — 30 секунд и на глубине $1^1/_2$ м — 6 с. Попытка Штиглера дышать помощью трубы на глубине 2 м вызвала через несколько секунд расширение сердца, приковавшее его на три месяца к постели.

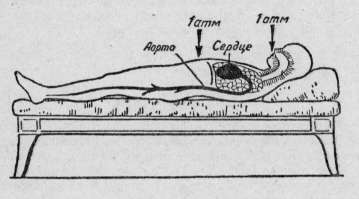

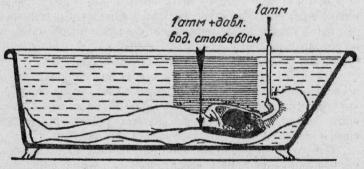

Рис. 104. Что происходит в организме человека под действием атмосферного давления, когда он окружен воздухом (вверху) и когда он погружен в воду (внизу). Рисунок объясняет, почему человек не может дышать под водой, как слон (рис. 40).

Какими же явлениями в организме все это объясняется? Нетрудно понять. В грудной полости погруженного с трубкой, в его легких и на поверхности сердца господствует давление наружного воздуха. На поверхность же тела давит, сверх того, слой воды, равный глубине погружения. Это давление воды затрудняет как дыхание, так и кровообращение; а именно, оно вытесняет кровь из брюшной полости и ног, причем соответствующие сосуды так сильно сдавливаются, что сердце не может нагнетать в них кровь.

Последствия этого Штиглер изучал на опытах с животными. Оказалось, что уже сравнительно незначительный избыток давления на поверхность тела влечет за собой усиленную работу сердца.

Спустя короткое время, — пишет он, — наступает ухудшение кровообращения, выражающееся в неправильном пульсе и временном его прекращении. Дальнейшее возрастание избытка наружного давления влечет за собой застой крови в сердце и легких при заметно выраженном обескровливании органов брюшной полости и конечностей. Наконец, грудная клетка животного вдавливается. Дыхание даже и при незначительной разнице давлений становится настолько слабым, что практически отсутствует.

При вскрытии животного, подвергавшегося опыту, обнаруживалось, что живот почти обескровлен; надрез здесь вызывает лишь весьма слабое кровотечение: кровеносные сосуды брюшной полости почти не содержат крови. Напротив, вскрытие грудной клетки показывает необычную переполненность ее органов кровью: сердце, как и большие сосуды, распираются кровью; такую же картину представляют и легкие.

Отсюда ясно, почему при некотором избытке наружного давления у водолазов лопаются сосуды в легких и кровь выступает изо рта и носа. Кровотечение из ушей объясняется тем, что избыток давления вгоняет кровь в барабанную полость, где господствует более низкое давление, чем на поверхности тела».

Почему же, — спросит, вероятно, читатель, — можем мы всё-таки нырять на большую глубину и оставаться там довольно долго без вреда для здоровья? Потому, что при нырянии условия совершенно иные. Перед тем как броситься в воду, ныряющий набирает в легкие возможно больше воздуха; по мере погружения тела в воду воздух этот все сильнее сдавливается напором воды, оказывая в каждый момент давление, равное давлению окружающей воды. Нет причины поэтому для переполнения сердца кровью. В таких же условиях, как ныряющий, находится и водолаз в своем костюме (давление воздуха, подводимого накачиванием в шлем скафандра, равно давлению окружающей воды), а также рабочие в кессонах.

Остается еще вопрос — о слоне: почему не погибает слон, оставаясь под водою с выступающим наружу хоботом? Потому, что он слон: обладай мы крепостью слонового организма, могучей его мускулатурой, мы тоже могли бы безнаказанно погружаться на подобную глубину.

### 98. Давление в гондоле стратостата

Совершенно верно, что сила, стремящаяся разорвать гондолу, весьма велика, — но это не значит, что гондола должна разорваться. Рассчитаем, какое разрывающее усилие приходится в этом случае на каждый кв. сантиметр сечения оболочки. Сила, стремящаяся разорвать шарообразную гондолу на два полушария, равна

$$0,93 \times \frac{\pi}{4} \times 240^2 \approx 42\,000 \; \textit{кг}$$

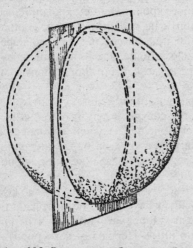

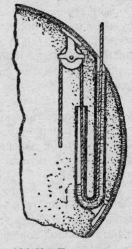

Рис. 105. Разрез шарообразной кабины стратостата по большому кругу.

Рис. 106. Как Пикар ввел клапанную веревку в кабину.

324

(надо учитывать не поверхность полушара, а лишь ее проекцию на плоскость, т. е. площадь большого круга). Сила эта приложена к площади кругового кольца, по которому полушария соприкасаются (рис. 105). Толщина стенки шарообразной гондолы 0,8 *мм* = 0,08 *см*, поэтому площадь кольца (приближенно) составляет

$$\pi \times 240 \times 0,08 \approx 60 \ см^2.$$

На 1 *см*$^2$ приходится

$$42\,000 : 60 = 700 \ кг.$$

Между тем, материал стенок, сталь, разрывается при нагрузке 4500—10 000 *кг/см*$^2$ (45000—100000 *Н/см*$^2$). Мы имеем здесь 7—15-кратную безопасность.

## 99. Ввод веревки в гондолу стратостата

Для ввода клапанной веревки в герметически закрытую гондолу высотного аэростата проф. Пикар придумал следующее простое приспособление, примененное также и для советских стратостатов. Внутри кабины устроена сифонная трубка, длинное колено которой сообщается с наружным пространством. В трубку налита ртуть. Так как давление внутри кабины не может превышать наружного больше чем на 1 *ат*, то уровень ртути в длинном колене будет возвышаться над уровнем ее в коротком не более чем на 76 *см*. Через ртуть проводят клапанную веревку, которая при своем движении не нарушает установившейся разности уровней ртути. Благодаря этому, можно тянуть за веревку, не опасаясь выпустить воздух из гондолы: канал, по которому скользит веревка, все время закупорен ртутью.

## 100. Барометр, подвешенный к весам

Глядя на барометрическую трубку, подвешенную к чашке весов, можно подумать, что изменение уровня ртути в трубке не должно никак влиять на равновесие чашек: ведь ртутный столб опирается на ртуть в нижнем сосуде, а на точку привеса не оказывает давления. Так оно и есть, и тем не менее всякая перемена барометрического давления будет нарушать равновесие весов.

Объясним почему. Сверху на трубку давит атмосфера, и ее давление не встречает никакого противодействия изнутри трубки: над ртутью пространство пусто. Следовательно, гири на другой чашке весов уравновешивают не только стеклянную трубку барометра, но и давление на нее атмосферы; а так как давление атмосферы на сечение трубки в точности равно весу ртутного столба в ней, то выходит, что гири как бы уравновешивают ртутный барометр целиком. Вот почему всякая перемена в величине барометрического давления (т. е. всякое колебание уровня ртути в трубке) должна нарушать равновесие чашек.

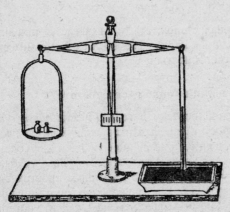

Рис. 107. К ответу на вопр. 100.

На этом принципе устроены так называемые *весовые барометры*, к которым удобно присоединить механизм, записывающий их показания (например, барограф Секки, Вильда, Шпрунга, Неклеевича, применяемый у нас. Подробнее о весовом барометре см. А. В. Клоссовский «Основы метеорологии», изд. 3-е, стр. 116—117).

## 101. Сифон в воздухе

Задача сводится к тому, чтобы заставить жидкость подняться в трубке сифона выше уровня ее в сосуде и дойти до изгиба сифона. С того момента, когда жидкая нить перекинется через изгиб, сифон начнет действовать. Добиться этого нетрудно, если воспользоваться следующим простым, хотя и малоизвестным свойством жидкости, о котором мы сейчас расскажем.

Возьмем стеклянную трубку такой толщины, чтобы просвет ее можно было плотно закрыть пальцем. В таком виде погрузим ее в воду. Вода в трубку, конечно, не проникнет; но при отнятии пальца жидкость сразу войдет в трубку, и мы увидим, что в первый момент она поднимется в трубке *выше, чем в сосуде*; лишь затем уровни жидкости в трубке и вне ее сравняются (рис. 108).

Объясним, почему жидкость вначале переходит в трубке за уровень ее в сосуде. В момент отнятия пальца жидкость в трубке обладает в нижней точке скоростью, согласно формуле Торичелли, $v = \sqrt{2gH}$, где $g$ — ускорение тяжести, $H$ — глубина конца трубки под уровнем жидкости в сосуде. При дальнейшем подъеме жидкости в трубке скорость эта не уменьшается действием тяжести, так как движущаяся порция жидкости опирается все время на нижние слои ее в трубке. Здесь не происходит того, что мы наблюдаем, подбрасывая вверх мяч. Подброшенный мяч как бы участвует в двух движениях — восходящем с постоянною (начальною) скоростью и нисходящем, равноускоренном (порождаемом силою тяжести). В нашей трубке нет этого второго движения, так как жидкость, поднимаясь, все время подпирается снизу порцией восходящей жидкости.

В итоге жидкость, вступившая в трубку, достигает уровня жидкости в сосуде с начальною своею скоростью $v = \sqrt{2gH}$. Нетрудно сообразить, что теоретически она должна взлететь вверх еще на такую же высоту $H$. Трение заметно уменьшает высоту этого подъема. С другой стороны, можно и увеличить подъем, если сузить верхнюю часть трубки.

Легко догадаться, как может быть использовано описанное явление для пуска в действие сифона. Закрыв плотно пальцем один конец сифона, погружают другой в жидкость возможно глубже (для увеличения начальной скорости: чем больше $H$, тем больше и $v = \sqrt{2gH}$). Затем быстро отнимают палец от трубки: жидкость поднимется в ней выше наружного уровня, перельется через изгиб в другое колено — и сифон начнет работать.

Практически очень удобно применять указанный прием к сифонам, форма которых приспособлена специально для этой цели. На рис. 109 слева вы видите такой самодействующий сифон. После сделанных разъяснений работа его понятна сама собою. Чтобы возможно было поднять повыше второй изгиб. соответствующую часть сифонной трубки устраивают несколько меньшего диаметра (рис. 109 справа). Тогда жидкость, поступая из широкой трубки в узкую, поднимается выше.[1]

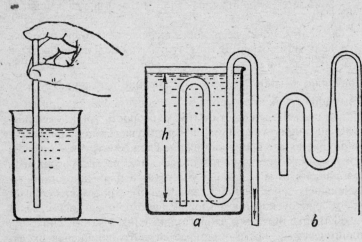

Рис. 108. К ответу на вопр. 101.

Рис. 109. Сифоны, действующие без предварительного засасывания воды

## 102. Сифон в пустоте

На вопрос: «Может ли сифон переливать жидкость в пустоте?» отвечают обычно категорически «нет». Такой ответ получал и я от учащихся, и от преподавателей средней школы, и иной раз от профессоров высшей.[2] Большинство школьных учебников и значительная часть университетских[3] безоговорочно считают давление воздуха единственной причиной, обусловливающей переливание жидкости сифоном.

Между тем это — физический предрассудок. «Жидкость в сифоне отлично течет в пустоте. В принципе сифон с жидкостью работает совершенно без давления воздуха», — читаем

---

[1] Сифоны описанного образца придуманы немецким инженером Нейгебауэром.

[2] В их числе был не кто иной, как О. Д. Хвольсон; он был крайне удивлен, узнав от меня, что этот ответ неверен.

[3] Даже и таких первоклассных ученых, как Г. А. Лоренц, Гольдгаммер. Милликен.

мы у проф. Р. В. Поля в его талантливой книге «Введение в механику и акустику» (1930 г.).

Как же объяснить работу сифона, не опираясь на давление атмосферы? Позволяю себе привести соответствующие строки из моей «Технической физики» (1927 г.):

«Так как правая половина жидкой нити сифона длиннее, а следовательно, и тяжелее левой, то она перетягивает и заставляет жидкость все время течь в трубке по направлению к длинному концу. Это наглядно поясняется сопоставлением с веревкой, перекинутой через блок» (рис. 110).

Остановимся теперь на роли воздушного давления в рассмотренном явлении. Оно лишь поддерживает непрерывность жидкой нити, препятствуя ей выливаться из колен сифона. Но целость жидкой нити может быть обеспечена при известных условиях и без участия внешних сил, одним только сцеплением жидкости.

«В безвоздушном пространстве действие сифона обыкновенно прекращается, особенно если в верхней его точке имеются воздушные пузырьки. Но если на стенках трубки нет ни малейших следов воздуха и вода в сосуде также свободна от него, то при осторожном обращении сифон продолжает действовать и в пустоте. В этом случае сцепление воды препятствует разрыву водяного столба» (Гримзель, «Курс физики», ч. I, § 106).

Категоричнее других говорит о том же проф. Поль в упомянутой выше книге: «В элементарном обучении часто изображают действие сифона как следствие давления воздуха. Это верно лишь с большими оговорками. *Принцип сифона ничего общего не имеет с давлением воздуха*». Приводя известное уже читателю сравнение с перекинутой через блок веревкой, Поль продолжает: «То же справедливо и для жидкостей. Ведь и они, как и тела твердые, обладают прочностью на разрыв.[1] Жидкость должна

---

[1] Прочность жидкостей на разрыв огромна, достигая для воды, например, десяти тысяч атмосфер. Значит, жидкость нисколько не уступает в этом отношении твердым телам; вода имеет ту же прочность на разрыв, что и стальная проволока. Ходячее представление о легкости, с какой жидкости разделяются на части, нисколько не противоречит сказанному. Наблюдая разделение жидкости на части, мы видим лишь поверхностное переливание, но не внутренний разрыв. «Тот факт, — говорит Эдзер в «Общей физике», — что такое переливание жидкости происходит легко, не опровергает существования сцепления между ее частицами, подобно тому, как легкость, с какой можно разорвать надрезанную с края бумажную полоску, не противоречит прочности такой же ненадрезанной полоски при равномерном ее растягивании».

лишь быть достаточно свободна от пузырьков газа»... Далее тот же автор описывает такую постановку опыта переливания жидкостей помощью сифона, когда роль атмосферного давления играют два нагруженных поршня или напор другой жидкости с меньшей плотностью: давление их препятствует разрыву жидкой нити, даже если она и содержит воздух (рис. 111).[1]

Рис. 110. Наглядное пояснение действия сифона.

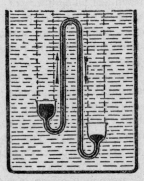

Рис. 111. Опыт переливания ртути сифоном, погруженным в масло. Целость ртутной нити в сифонной трубке поддерживается давлением масла, которое в этом случае играет роль атмосферного давления, препятствующего образованию воздушных пузырьков в воде.

---

[1] Здесь у читателя легко может возникнуть ложное представление, на которое обратил мое внимание иллюстратор книги. А именно, может появиться мысль, что так как над низшим сосуде (рис. 111) стоит более длинный столб масла, чем над верхним, то ртуть должна вытесняться из нижнего сосуда в верхний. При этом упускается из виду, что кроме масла на ртуть давит — в противоположном направлении — также и ртуть, находящаяся в соединительной трубке; это давление для нижнего сосуда значительнее, чем для верхнего. В конечном итоге приходится сравнивать разность давлений обоих столбов масла с разностью давлений обоих столбов ртути. Разность высот столбов, как легко сообразить, для обоих жидкостей одинакова, но так как ртуть гораздо тяжелее масла, то решающее значение имеет давление ртути. (Заменив мысленно масло воздухом, получаем обычное объяснение действия сифона.)

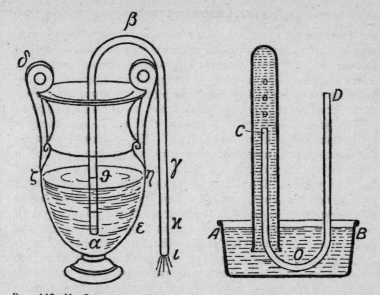

Рис. 112. Изображение сифона из книги Герона Александрийского.

Рис. 113 Сифон для переливания воздуха.

Поистине ничто под Луной не ново: оказывается, что правильное объяснение работы сифона в сейчас изложенном духе дано еще 2000 лет назад александрийским механиком и математиком Героном (I век до н. э.), не подозревавшим, правда, о весомости воздуха, но потому и не впавшим в ошибку физиков нашей эпохи. Поучительно привести его подлинные слова:

«Если свободное отверстие сифона находится на одной высоте с уровнем жидкости в сосуде, то вода из сифона не будет выливаться, хотя он и полон воды. Как и на весах, вода в этом случае будет находиться в равновесии. Если же свободное отверстие ниже уровня воды, то вода из сифона вытекает, так как вода в участке $\chi\beta$ (рис. 112) более тяжелая, нежели на участке $\beta\vartheta$, перевешивает и перетягивает».

Герон предусматривал и возможное возражение, состоящее в том, что при подобном объяснении можно ожидать перетягивания воды в сторону короткого колена сифона, если оно достаточно широко. Доводы его изложены в «Исторической физике» Лакура и Аппеля (т. I, § 210).

## 103. Сифон для газов

Переливать газы сифоном возможно. В этом случае участие атмосферного давления является уже условием необходимым, так как газы лишены внутреннего сцепления. Газы, более тяжелые, чем воздух, — например углекислый, — переливаются сифонной трубкой совершенно так же, как и жидкости, если один сосуд с углекислотой помещен выше другого. Но можно переливать сифоном и воздух — при следующей, например, обстановке (рис. 113). Короткое колено сифона вводят в широкую пробирку, наполненную водой и опрокинутую над сосудом с водой так, что отверстие лежит ниже ее уровня. Чтобы при введении сифона в пробирку в него не проникла вода, другой конец $D$ сифона плотно закрывают пальцем. Открыв потом отверстие $D$, мы увидим пузыри воздуха, проникающего через сифон в пробирку: сифон для воздуха начнет работать. Чтобы объяснить, почему он переливает наружный воздух внутрь, обратим внимание на то, что на жидкость у $C$ давит снизу полная атмосфера; сверху же вниз давит атмосфера минус вес столба воды между уровнями $C$ и $AB$. Избыток давления и гонит наружный воздух внутрь пробирки.

## 104. Подъем воды насосом

В большинстве учебников утверждается, что вода может быть поднята всасывающим насосом на высоту не свыше 10,3 м над ее уровнем вне насоса. Мало где отмечается при этом, что высота 10,3 м — чисто теоретическая, на практике неосуществимая. Не говоря уже о том, что через скважины между поршнем, и стенками трубы неизбежно проникает воздух, надо считаться еще с тем, что при обычных условиях в воде растворен воздух (в количестве 2% ее объема [1]); выделяясь при работе насоса в разрежаемое пространство под поршнем, воздух этот своим давлением препятствует подъему воды на теоретические 10,3 м и понижает высоту поднятия на целых 3 м: выше 7 м вода в колодезных насосах не поднимается.

Примерно та же предельная высота — 7 м — существует на практике и для сифона, когда им пользуются при проведении воды поверх плотин или через холмы.

---

[1] См. ответ на вопрос 93.

## 105. Истечение газа

Может казаться, что газ, сжатый вчетверо сильнее, должен вытекать заметно быстрее. Между тем, оказывается, что скорость его истечения в пустоту не зависит от давления, под которым он находится. Сильно сжатый газ вытекает с такою же скоростью, как и сжатый слабо.

Этот физический парадокс объясняется тем, что в случае сжатого газа имеется больший напор, но и плотность газа, увлекаемого этим напором в движение, также больше и притом в такой же пропорции (закон Мариотта). Другими словами, масса газа, приводимого в движение, возрастает с повышением давления во столько же раз, во сколько раз увеличивается движущая сила. А известно, что ускорение, приобретаемое телом, прямо пропорционально силе и обратно пропорционально массе. Поэтому ускорение (и обусловленная им скорость) вытекания газа не должно зависеть от его давления.

## 106. Проект дарового двигателя

Предположение, что работа накачивания воды всасывающим насосом не зависит от высоты ее поднятия, ошибочно. Работа накачивания действительно состоит в одном лишь разрежении воздуха под поршнем, но разрежение требует различной затраты энергии в зависимости от того, какой высоты столб воды поднимается насосом.

Сопоставим работу одного хода поршня при подъеме воды на 7 *м* и на 1 *м*.

В первом случае на поршень давит сверху целая атмосфера, т. е. вес 10 *м* водяного столба (круглым числом). Снизу поршень подпирается атмосферным давлением (10 *м* водяного столба), уменьшенным на вес 7 *м* водяного столба и на упругость скопляющегося под поршнем воздуха (который выделяется из раствора в воде); упругость эта, очевидно, отвечает 3 *м* водяного столба, так как 7-метровая высота поднятия воды — предельная. Значит, при качании надо преодолевать давление водяного столба высотою

$$10\,\text{м} - (10\,\text{м} - 7\,\text{м} - 3\,\text{м}) = 10\,\text{м},$$

т. е. полное атмосферное давление.

Во втором случае, при подъеме воды на 1 *м*, давление на поршень сверху по-прежнему равно атмосферному: снизу же давление на поршень равно

$$10\,\text{м} - 1\,\text{м} - 3\,\text{м} = 6\,\text{м}.$$

Приходится преодолевать давление водяного столба в $10 - 6 = 4\,\text{м}$. Так как длина хода поршня в обоих случаях одинакова, то работа поднятия воды на 7 м больше работы поднятия на 1 м в

$$10 : 4 = 2{,}5 \text{ раза}.$$

Таким образом, заманчивые виды на устройство дарового двигателя рассеиваются.

## 107. Тушение пожара кипятком

Пожарный насос не может засасывать кипящей воды, так как под поршнем вместо разреженного воздуха будет находиться пар упругостью в 1 *ат*.

## 108. Задача о резервуаре с газом

Повышение ртутного столба в манометре указывает, конечно, на то, что давление газа в резервуаре увеличилось. Нетрудно понять, почему именно оно возросло. Когда кран открыли, воздух в резервуаре вследствие быстрого разрежения *охладился* ниже температуры окружающей среды. Когда же, спустя некоторое время, температура газа вновь повысилась, то возросло и его давление (по закону Гей-Люссака).

## 109. Воздушный пузырек на дне океана

Пузырек воздуха на глубине 8000 м должен находиться под давлением около 800 *ат*, потому что каждые 10 м водяного столба приблизительно соответствуют (по весу) одной атмосфере. Закон Мариотта гласит, что плотность газа прямо пропорциональна давлению. Применяя этот закон к данному случаю, можно заключить, что плотность воздуха под давлением 800 *ат* должна быть в 800 раз больше, нежели под нормальным давлением. Окружающий нас воздух в 770 раз менее плотен, чем вода. Значит, воздух в пузырьке на дне океана должен быть плотнее воды и, следовательно, не может всплыть на поверхность.

Однако вывод наш основан на неправильном допущении, что закон Мариотта применим к таким высоким давлениям, как 800 *ат*. Уже под давлением 200 *ат* воздух сжимается не в 200 раз, а только в 190 раз; под давлением 400 *ат* — сжимается в 315 раз. Чем значительнее давление, тем отступление от закона Мариотта больше. При 600 *ат* воздух сжимается в 387 раз. Под давлением выше 1500 *ат* воздух сжимается в 510 раз и при дальнейшем увеличении давления сжимается столь же незначительно, как и жидкость. Например, при давлении в 2000 *ат* плотность воздуха возрастает, по сравнению с нормальной, всего лишь в 584 раза, примерно до $^3/_4$ плотности воды.[1]

Мы видим, следовательно, что на дне самого глубокого океана пузырек воздуха не может приобрести плотности воды. Как бы глубоко под водой ни находился воздушный пузырек, — хотя бы на глубине 11 *км* (наибольшая глубина океана) — он должен непременно всплыть на поверхность.

## 110. Сегнерово колесо в пустоте

Кто думает, что Сегнерово колесо вращается вследствие отталкивания его водяных струй от воздуха, тот естественно должен быть убежден, что в пустоте оно вращаться не будет. Но вращение Сегнерова колеса происходит вовсе не по указанной причине; сила, толкающая трубки прибора, действует не вне его, а внутри: это — разность давления воды на открытую и закрытую части трубки, а также центробежный эффект при повороте струи в трубке. То и другое нисколько не зависит от того, находится ли прибор в пустоте или в воздухе. Поэтому в пустоте Сегнерово колесо должно вращаться не только не хуже, чем в воздухе, но — из-за отсутствия сопротивления среды — лучше. Подобный опыт в видоизмененной форме (пистолет под колоколом воздушного насоса при выстреле приводит во вращение силою отдачи маленькую карусель) был успешно выполнен американским физиком проф. Р. Годдардом.

По той же причине должна ускоренно лететь в пустоте и ракета, движимая силою отдачи, а вовсе не путем отталкивания вытекающих из нее газов от окружающего воздуха, как думали в старину (и продолжает сейчас еще думать много людей, даже среди инженеров, а подчас и физиков, у нас и за рубежом).

---

[1] Как показали опыты самого последнего времени, воздух приобретает плотность, бо́льшую плотности воды, лишь под давлением 5000 *ат*. Это отвечает глубине погружения в 50 *км*!

## 111. Вес сухого и влажного воздуха

Кубический метр влажного воздуха есть смесь кубометра сухого воздуха с кубометром водяного пара. Может казаться поэтому, что кубометр влажного воздуха должен быть тяжелее кубометра сухого воздуха — именно на вес содержащегося в нем пара. Такое заключение, однако, ошибочно: влажный воздух, напротив, оказывается *легче* сухого.

Причина кроется в том, что давление каждой составной части газовой смеси меньше ее общего давления (которое и для сухого и для влажного воздуха одинаково); при уменьшении же давления уменьшается и вес единицы объема газа.

Разъясним подробнее. Обозначим давление пара во влажном воздухе через $f$ атмосфер ($f$ — правильная дробь). Давление сухого воздуха в кубометре смеси выразится через $1 - f$. Если вес куб. метра пара при рассматриваемой температуре и атмосферном давлении обозначим через $r$, а вес куб. метра сухого воздуха через $q$, то при давлении $f$ атмосфер

$1 \, м^3$ пара весит $fr$;

$1 \, м^3$ воздуха весит $(1 - f) q$.

Общий вес кубометра смеси равен

$$fr + (1 - f) q.$$

Легко убедиться, что если $r < q$ (а так в действительности и есть: водяной пар легче воздуха), то

$$fr + (1 - f) q < q,$$

т. е. кубометр смеси воздуха с паром легче кубометра сухого воздуха. Действительно, раз $r < q$, то верны следующие неравенства:

$$fr < fq,$$
$$fr + q < fq + q,$$
$$fr + q - fq < q,$$
$$fr + (1 - f)q < q.$$

Итак, при одинаковом давлении и температуре кубометр влажного воздуха не тяжелее, а *легче*, чем кубометр сухого воздуха.

## 112. Максимальное разрежение

Самая высокая, надежно измеримая степень разрежения, до какой может быть доведен газ посредством современных воздушных насосов, — одна 100-миллиардная атмосферы:

$$1 : 100\ 000\ 000\ 000\ \textit{ат}.$$

В старых, долго работавших пустотных электролампочках устанавливается примерно такая степень разрежения воздуха. Чем дольше работает пустотная лампочка, тем сильнее разрежается в ней воздух — после 250 часов горения раз в тысячу (вследствие притяжения образующихся ионов стенками и другими частями колбы).

### 113. Что мы называем «пустотой»

Кто не пробовал вычислять, сколько молекул воздуха остается в литровом сосуде при разрежении в сто миллиардов раз, тот едва ли сможет хоть приблизительно отгадать это число. Сделаем расчет.

В 1 см$^3$ воздуха при давлении в 1 *ат* содержится молекул (число Лошмидта):

$$27\ 000\ 000\ 000\ 000\ 000\ 000 = 27 \cdot 10^{18},$$

В 1 *л* — в 1000 раз больше:

$$27 \cdot 10^{21}.$$

После разрежения в сто миллиардов ($10^{11}$) раз должно оставаться молекул

$$27 \cdot 10^{21} : 10^{11} = 27 \cdot 10^{10} = 270\ 000\ \text{миллионов}.$$

Это в 40 раз больше, чем людей на земном шаре!

Интересен состав молекулярного населения этого так называемого «пустого» сосуда по химическому признаку. Вот он:

| | | |
|---:|:---:|:---|
| 200 000 000 000 | молекул | азота |
| 65 000 000 000 | » | кислорода |
| 3 000 000 000 | » | аргона |
| 450 000 000 | » | углекислого газа |
| 3 000 000 | » | неона |
| 20 000 | » | криптона |
| 3 000 | » | ксенона. |

Не странно ли, что такое многочисленное и разнообразное скопление молекул мы обозначаем нередко словом «пустота»? При распределении этих молекул поровну между всеми жителями Москвы, каждому досталось бы из этой «пустоты» тысяч по 50 молекул азота, тысяч по 15 кислородных молекул, около 700 молекул аргона, сотня молекул углекислого газа и по одной молекуле неона.

Подобная мнимая пустота имеет в хозяйстве Вселенной огромное значение. Туманность Ориона, например, состоит из вещества, которое разрежено еще в миллион раз больше, чем остаток газа в самой совершенной «пустоте» наших лабораторий. Но небесный объект этот так невообразимо обширен, что в его «сверхпустоте» заключается количество материи, достаточное для образования сотен тысяч солнц. «Нечто, в миллион раз меньшее, чем ничто» является подлинной лабораторией мироздания, где зарождаются солнца, и исполинские миры начинают свою медлительную звездную эволюцию.

То, что принято называть пустотой мирового пространства, также нельзя рассматривать как пустоту абсолютную. В кубическом сантиметре ее, по расчетам Эддингтона, содержится количество вещества, отвечающее 10 атомам водорода. Если вообразить во Вселенной шар радиусом в 10 световых лет, то количества межзвездного вещества в этом шаре хватило бы на 30 таких солнц, как наше; между тем реально в указанном объеме менее десятка звезд. «Пустота» межзвездного пространства заключает примерно втрое больше материи, чем все видимые солнца Вселенной, вместе взятые.

## 114. Почему существует атмосфера?

Молекулы воздуха безусловно подвержены силе тяжести, несмотря на то, что находятся всегда в быстром движении (порядка скорости ружейной пули). Притяжение их Землею уменьшает ту слагающую их скорости, которая направлена от земной поверхности, и тем препятствует молекулам атмосферы удалиться в мировое пространство. На вопрос же, — почему молекулы атмосферы не упали все на Землю, — надо ответить, что они беспрестанно и падают вниз, но, как тела абсолютно упругие, отскакивают от встречных молекул и от земной поверхности, а потому оказываются всегда пребывающими на некоторой высоте над Землей. Высота верхней границы атмосферы определяется скоростью самых быстрых молекул. Хотя средняя скорость молекул земной атмосферы равна примерно 500 *м/с,* отдельные молекулы могут приобретать в несколько раз большую скорость. Немногочисленные молекулы достигают семикратной скорости (3500 *м/сек*), при которой они взлетают до высоты

$$h = \frac{v^2}{2g} = \frac{3500^2}{2 \cdot 9,8} \approx 600 \, км.$$

Этим и объясняется присутствие следов атмосферы на высоте 600 *км* над земной поверхностью.

Необходимо остановиться еще на одном пункте, способном вызвать недоумение. Мы рассуждали так, словно молекула пробегает 600-километровый путь от земной поверхности до крайних границ атмосферы без столкновений с другими молекулами. Так, конечно, не происходит. Но ввиду того, что массы молекул элементарного газа одинаковы, молекулы, сталкиваясь, обмениваются скоростями, как упругие шары; иначе говоря, молекулы словно проходят одна сквозь другую. То, что воздух есть смесь разных газов, не меняет существенно картины. Поэтому можно принимать, что одна и та же молекула как бы проносится через всю толщу атмосферы.

### 115. Газ, не заполняющий резервуара

Мы привыкли думать, что газ во всех случаях целиком заполняет предоставленный ему объем. Кажутся поэтому совершенно невозможными такие условия, при которых одна часть резервуара занята газом, другая — пуста. Резервуар, наполовину полный газа, является в нашем представлении физическим абсурдом.

Очень легко, однако, придумать условия, когда такое парадоксальное явление должно осуществиться. Вообразите вертикальную трубу, простирающуюся от земной поверхности на 1000 *км* вверх. Сообщите ее внутреннее пространство с окружающим воздухом. Он займет в трубе нижние 600 *км*, а верхняя часть на протяжении сотен километров будет свободна от газа, — безразлично, открыта ли труба или закрыта. Значит, не всегда газ улетучивается из открытого сосуда, граничащего с пустотой.

С небольшим количеством газа, в особенности газа тяжелого и при весьма низкой температуре, можно было бы получить то же явление в сосуде значительно меньшей высоты, например в несколько десятков метров.

# IV. ТЕПЛОВЫЕ ЯВЛЕНИЯ

## 116. Происхождение шкалы Реомюра

Первоначальный термометр Реомюра был мало похож на нынешний. Он, прежде всего, был не ртутный, а спиртовый. При градуировании его шкалы Реомюр опирался только на одну постоянную точку, именно — на температуру таяния льда, которая обозначена была числом 1000. Спирт подобран был такой крепости, что коэффициент его теплового расширения, равнялся — в современном выражении (т. е. на градус Цельсия) — 0,0008. Приняв объем спирта при температуре таяния льда равным 1000, узнаем, что прибавка объема при нагревании до температуры кипения воды должна была бы (если бы спирт оставался при этом в жидком состоянии) равняться

$$1000 \times 0,0008 \times 100 = 80.$$

Увеличение объема спирта в термометре на 0,001 долю определяло длину одного градуса. При таком счете точка кипения воды должна иметь обозначение на 80 ° выше точки таяния льда, а именно 1080 °. Впоследствии точка таяния была обозначена 0, и тогда точка кипения получила свое современное обозначение: 80 °.

## 117. Происхождение шкалы Фаренгейта

Зима 1709 г. отличалась в Западной Европе исключительной суровостью. Таких сильных и продолжительных морозов не было там уже целое столетие. Естественно, что проживавший в городе Данциге физик Фаренгейт, намечая для изобретенного им термометра постоянные точки, принял тогда за нуль температуры ту степень холода, ниже которой морозы в его городе зимою 1709 г. не достигали. Это был холод, полученный помощью охладительной смеси из льда, поваренной соли и нашатыря.

Для другой постоянной точки термометра Фаренгейт, по примеру ряда своих предшественников (в том числе и

Ньютона), избрал нормальную температуру человеческого тела. В ту эпоху распространено было убеждение, будто температура воздуха никогда не поднимается выше температуры крови человека, — такое нагревание воздуха считалось для человека смертельным (мнение совершенно ошибочное [1]).

Эту вторую постоянную точку Фаренгейт отметил первоначально числом 24; число градусов равнялось числу часов в сутках. Но когда практика показала, что такие градусы слишком крупны, Фаренгейт подразделил их на четверти, и температура человеческого тела оказалась обозначенной числом $24 \times 4 = 96$. Этим определилась окончательно длина одного градуса. Откладывая градусы вверх, ученый получил для точки кипения воды 212 °.

Чем объяснить, что Фаренгейт не взял температуры кипения воды в качестве второй постоянной точки своего термометра? Он воздержался от этого потому, что ему известна была изменчивость температуры кипения (в зависимости от давления воздуха). Температура человеческого тела казалась ему более надежной в смысле постоянства. Любопытно отметить, между прочим, что, как нетрудно вычислить, нормальная температура нашего тела считалась в ту эпоху на целый градус ниже, чем теперь (35,5 °).

## 118. Длина делений на шкале термометра

Длина градусных делений термометра определяется, конечно, величиной коэффициента расширения той жидкости, которая его наполняет. Известно, что с повышением температуры коэффициент теплового расширения всех жидкостей растет. Чем ближе к точке кипения, тем этот рост значительнее.

После сказанного легко понять различие между шкалами ртутного и спиртового термометров в отношении длины их градусных делений. Термометры ртутные обычно предназначаются для температур, довольно далеких еще от точки кипения ртути (357 °C). В интервале 0—100 ° коэффициент расширения ртути возрастает незначительно; а так как вместимость стеклянной трубки термометра также увеличивается с

---

[1] См. об этом статью «Какую жару способны мы переносить?» в моей «Занимательной физике», кн. 2-я.

температурой, то неравномерность видимого расширения ртути в указанном температурном промежутке незаметна. Поэтому градусные деления на шкале ртутного термометра почти одинаковы.

Напротив, спирт применяется в термометре при температурах, близких к точке кипения этой жидкости (78 °С). Увеличение коэффициента расширения спирта при повышении температуры поэтому весьма заметно. Если объем спирта при 0 ° принять за 100, то объем его

при 30 ° равен 103
при 78 ° » 110.

Так как

$$\frac{110-100}{78} > \frac{103-100}{30},$$

то градусные деления на шкале спиртового термометра увеличиваются от нуля вверх.

### 119. Термометр для температур до 750 °

Так как точка кипения ртути 357 ° и стекло размягчается уже при 500—600 °, то, казалось бы, устроить ртутный термометр для температур до 750 ° невозможно. Между тем такие термометры изготовляются. Трубка их делается из кварцевого стекла, весьма тугоплавкого (плавится при 1625 °С), в канале же над ртутью имеется азот. При повышении температуры ртутная колонка сжимает газ и, следовательно, ртуть нагревается под повышенным давлением (50—100 *ат*). Точка кипения от этого повышается, и ртуть остается жидкой при температуре до 750 °. Эти термометры, впрочем, очень дороги.

Точное определение высоких температур имеет для новых технологических процессов исключительно важное значение. Достаточно изменить температуру крекирования нефти с 450 ° до 440 °, чтобы выход бензина уменьшился вдвое. Термическая обработка дюралюминия еще капризнее. Здесь граница между браком и нормальной обработкой определяется в 5—10 °. В синтезе аммиака, протекающем при громадном давлении 300 *ат*, технология требует точного поддержания температуры на уровне 550 °, причем уклонения на единицы градусов уже расстраивают процесс.

## 120. Градусы термометра

Карпентер (а с ним и Л. Н. Толстой, разделявший его мнение) оспаривает в сущности следующее положение, на котором основано устройство шкалы наших термометров:

«Равные интервалы температуры соответствуют *абсолютно* равным приращениям объема термометрического вещества».

Отвергая это положение, критик предлагает заменить его следующим, по его мнению, единственно правильным:

«Равные интервалы температуры соответствуют *относительно* равным приращениям объема термометрического вещества».

Однако спорить о том, какое из этих двух положений правильнее, не приходится. Оба положения — условные допущения, и речь может идти только о том, какое из них целесообразнее, т. е. вносит бо́льшую простоту в учение о теплоте. Положение Карпентера было уже однажды выдвинуто в науке — не кем иным, как знаменитым Дальтоном, и носит название «шкалы Дальтона». На этой шкале, если бы она была принята, не могла бы, между прочим, существовать точка абсолютного нуля; вообще все учение о теплоте претерпело бы значительные изменения. Такое преобразование не упростило бы, а напротив, крайне усложнило бы выражение законов природы. Поэтому шкала Дальтона, которую Карпентер с Толстым невольно пытались возродить, была в свое время отвергнута.

Следует отметить здесь, что существует и такая шкала температур, которая совершенно не зависит от расширения какого бы то ни было вещества. Это так называемая *термодинамическая* шкала, предложенная в середине прошлого века лордом Кельвином. Нуль ее определяется как температура тела, использование которого в качестве холодильника тепловой машины позволило бы полностью превратить тепловую энергию в механическую (т. е. ее к. п. д. равнялся бы 1). За градус же шкалы принимается такая разность температур, при которой $\dfrac{1}{\text{КПД}}$ тепловой машины с указанной разностью температур нагревателя и холодильника равно (по числовой величине) температуре нагревателя.

Термодинамическая температура, как установлено опытом, совпадает с температурой, указываемой водородным или гелиевым термометрами. Это подтверждает целесообразность употребляемой системы измерения температуры.

## 121. Тепловое расширение железобетона

Коэффициент теплового расширения бетона (0,000012) совпадает с коэффициентом расширения железа; при изменениях температуры они расширяются согласно и потому не отделяются друг от друга.

## 122. Наибольшее тепловое расширение

Из *твердых* тел сильнее всех расширяется *воск*, превышая в этом отношении многие жидкости. Коэффициент теплового расширения воска, в зависимости от сорта, — от 0,0003 до 0,0015, т. е. в 25—120 раз больше, чем железа. Так как коэффициент расширения (объемного) ртути 0,00018, а керосина 0,001, то воск, коэффициент *объемного* расширения которого равен 0,0009—0,0045, расширяется безусловно сильнее ртути, а в некоторых сортах — сильнее даже керосина.

Из жидкостей сильнее других расширяется *эфир* с коэффициентом 0,0016. Но это не рекордное расширение: существует жидкость, расширяющаяся в 9 раз сильнее эфира, — именно жидкая углекислота ($CO_3$) при 20 °. Ее коэффициент расширения равен 0,015 — в 4 *раза больше, чем у газов*. Коэффициент расширения жидкостей вообще быстро растет с приближением к критической температуре, превосходя во многих случаях коэффициент расширения газов.

## 123. Наименьшее тепловое расширение

Наименьшим коэффициентом теплового расширения обладает *кварцевое стекло*: 0,0000003 — в 40 раз меньше, чем железо. Кварцевую колбу, накаленную до 1000 ° (кварцевое стекло плавится при 1625 °) можно смело опускать в ледяную воду, не опасаясь за целость сосуда: колба не лопается. Малым коэффициентом расширения, хотя и бо́льшим, чем у кварцевого стекла, отличается также алмаз: 0,0000008.

Из металлов, наименьшим коэффициентом теплового расширения обладает сорт стали, носящий название *инвар* (от латинского слова, означающего «неизменный»). Это — сталь, содержащая 36% никеля, 0,4% углерода и столько же марганца. Коэффициент расширения инвара 0,0000009, а некоторых сортов 0,00000015, т. е. в 80 раз меньше, чем обыкновенной стали. Есть даже такие сорта инвара, которые в определенном температурном промежутке вовсе не расширяются.

Благодаря ничтожному расширению, инвар с успехом применяется при изготовлении частей точных механизмов (часовых маятников), а также эталонов (образцов единиц) длины.

## 124. Аномалия теплового расширения

На вопрос, какое тело от охлаждения расширяется, отвечают не вдумавшись: лед, — забывая, что аномальным расширением вода отличается только в жидком состоянии. Лед при охлаждении не расширяется, а, как и большинство тел природы — сжимается.

Существуют, однако, твердые тела, которые при охлаждении ниже определенной температуры расширяются. Это *алмаз, закись меди, смарагд*. Алмаз начинает расширяться при довольно значительном холоде, именно при – 42 °С; закись же меди и смарагд обнаруживают ту же особенность при умеренном морозе около – 4 °. Значит, при – 42 ° и – 4 ° названные тела обладают наибольшей плотностью, как вода при +4 °.

Кристаллическое йодистое серебро (минерал иодирит) расширяется от охлаждения при обычных температурах. Тою же особенностью отличается и резиновый стержень, растягиваемый грузом: при нагревании он укорачивается.

## 125. Дырочка в железном листе

Неправильно полагать, что если лист достаточно нагреть, то дырочка закроется вследствие теплового расширения. Никакое нагревание не может дать такого результата, потому что отверстия при нагревании тел вовсе не уменьшаются, а напротив — увеличиваются.

Это ясно из следующего рассуждения. Если бы дырочки не было, то заполняющее ее вещество при нагревании тела расширялось бы в такой же мере, как и окружающий материал: иначе образовались бы либо складки, либо зазор. Между тем известно, что при тепловом расширении однородного тела никаких складок или скважин в нем не возникает. Отсюда ясно, что лист с дырочкой расширяется так, словно бы дырочка была заполнена железом; иначе говоря, при нагревании дыра увеличивается, как равный ей участок железного листа. Поэтому вместимость сосудов, просветы труб, всякого рода полости в телах при нагревании увеличиваются (а при охлаждении уменьшаются); коэффициент этого расширения такой же, как и окружающего вещества.

Итак, добиться закрытия дырочки нагреванием невозможно: дырочка сделается еще больше. Не достигнута ли будет цель путем *охлаждения*? Возможно ли настолько охладить железный лист, чтобы дырочка в нем исчезла?

Конечно, нет. Это можно утверждать для всякого вещества, каков бы ни был коэффициент его теплового расширения. Дырочка, мы знаем, сжимается при охлаждении так же, как и материальное тело одинаковых с ней размеров; но материальное тело, как бы мало оно ни было, не может быть доведено до исчезновения никаким охлаждением; значит, не может закрыться и самая маленькая дырочка при понижении температуры.

В случае дырочки в железном листе размеры ее не могут быть охлаждением даже сколько-нибудь заметно уменьшены. Так как коэффициент расширения железа 0,000012, а наибольшее охлаждение равно −273 °, то ясно, что дырочка не может уменьшить диаметра своего просвета более чем на 0,000012 · 273, т. е. примерно на 0,003.

## 126. Сила теплового расширения

Тепловое расширение и сжатие происходят, как известно, с весьма значительной силой. В опыте, придуманном Тиндалем и воспроизводимом в школьных физических кабинетах, железный брусок, сжимаясь при охлаждении, переламывает чугунный стерженек в палец толщиной. Популярен также рассказ о выпрямлении покосившейся каменной стены здания Консерватории искусств и ремесел в Париже при Наполеоне I, — рассказ, входивший прежде в школьные хрестоматии в упрощенной передаче Льва Толстого.[1] У многих сложилось поэтому

---

[1] Приводим этот рассказ из «Первой книги для чтения» Л. Н. Толстого:

*«Как в городе Париже починили дом* (быль). В одном большом доме разошлись врозь стены. Стали думать, как их свести так, чтобы не ломать крыши. Один человек придумал. Он вделал с обеих сторон в стены железные ушки, потом сделал железную полосу такую, чтоб она на вершок не хватала от ушка до ушка. Потом загнул на ней крюки по концам так, чтобы крюки входили в ушки. Потом разогрел полосу на огне; она раздалась и достала от ушка до ушка. Тогда он задел крюками за ушки и оставил ее так. Полоса стала остывать и сжиматься и стянула стены».

Подлинный способ выпрямления стены в этой передаче сильно искажен. Как происходило дело в действительности, описано в моей книге «Физика на каждом шагу».

убеждение, что противостоять силе теплового расширения вообще ничто не может: препятствовать расширению нагреваемого стержня или жидкости кажется немыслимым.

Это представление ошибочно: как ни велики молекулярные силы, порождающие тепловое расширение, как ни могущественны «замаскированные титаны» — молекулы (выражение Тиндаля), сила их вовсе не безгранична. Нетрудно рассчитать, например, с какой силой надо сжимать железный стержень в 1 $см^2$ поперечного сечения, чтобы помешать ему удлиняться [1] при нагревании от 0 ° до 20 °. Для этого достаточно знать коэффициент расширения материала (железа — 0,000012) и меру его сопротивления механическому растяжению, так называемый модуль упругости, или модуль Юнга (для железа 20 000 000 $Н/см^2$; это значит, что под действием силы в 1 $Н/см^2$ (0,1 $кг/см^2$) железный стержень растягивается на 20 000 000-ю долю своей длины, а при сжимании с указанной силой — на столько же укорачивается). Вот расчет. Надо препятствовать удлинению железного стержня сечением 1 $см^2$ на долю

$$0,000012 \times 20 = 0,00024$$

его длины. Чтобы укоротить такой стержень на 2 000 000-ю часть его длины механической силой, требуется сжимающее усилие веса в 1 $кг$. Следовательно, для укорочения на 0,00024 длины понадобится усилие веса в

$$0,00024 : \frac{1}{2000000} = 480 \, кг.$$

Значит, если к концам нашего стержня приложить силы примерно в полтонны, то при нагревании от 0 ° до 20 ° он не удлинится. Это же число ($^1/_2 \, т$) является и мерилом силы, с какой расширяется стержень при указанном нагревании.

Так же можно рассчитать давление, необходимое для того, чтобы помешать столбику ртути в трубке термометра удлиняться при нагревании. Возьмем тот же температурный промежуток — от 0 ° до 20 °.

Коэффициент расширения ртути 0,00018; сжимаемость ее под давлением такова, что 1 $ат$ сокращает ее объем на 0,000003 первоначальной величины. В нашем случае необходимо помешать ртути расшириться на долю:

---

[1] Ничтожным изменением величины сечения вследствие теплового расширения можно при расчете пренебречь.

$$0,00018 \times 20 = 0,0036.$$

Значит, чтобы препятствовать такому расширению, потребуется давление, равное

$$0,0036 : 0,000003 = 1200 \; am.$$

Это показывает, между прочим, что практикуемое иногда заполнение канала термометра азотом, сжатым под давлением 50—100 *am* (см. ответ на вопр. 119), не может оказывать на расширение ртутной колонки сколько-нибудь заметного влияния.

## 127. Нагревание плотничьего уровня

На вопрос задачи нередко отвечают, что пузырек уровня в теплую погоду больше, чем в холодную, так как заключенный в нем газ под действием тепла расширяется. Забывают, однако, что в данных условиях газ не может расширяться: этому препятствует замкнутая в трубке жидкость. Нагреваются все части уровня: твердая оправа, стеклянная трубка, жидкость, газ в пузырьке. Расширение оправы и трубки весьма незначительно; расширение же жидкости больше расширения трубки и потому должно *сжимать* пузырек.

Итак, пузырек уровня в теплую погоду *меньше*, чем в холодную.

## 128. Течения в воздухе

Отрывок написан так, как писали более трехсот лет назад, когда о давлении атмосферы никто еще не подозревал и распространено было, наряду с учением о «боязни пустоты», также разделение тел природы на *тяжелые*, которые падают вниз, и *легкие*, всплывающие вверх. Нельзя представлять себе дело так, что теплый воздух «втягивается» в отдушину, а для заполнения опорожненного места устремляется снаружи свежий воздух. Теплый воздух не поднимается вверх сам по себе, — он *вытесняется* вверх опускающимся холодным воздухом. Причина и следствие в цитированном отрывке переставлены.

Еще Торричелли, положивший знаменитым опытом конец принципу боязни пустоты, остроумно высмеял теорию о стремлении легких тел подниматься вверх. В одном из своих «Академических чтений» он писал:

«Однажды нереиды (морские нимфы) задумали составить курс физики. В самой глубине океана открыли они свою академию и стали излагать основы физики, как делаем в наших школах мы, обитатели океана воздушного. Любознательные нереиды заметили, что из предметов, которыми они пользовались среди воды, одни в воде опускались, другие поднимались вверх. Отсюда они, не задумываясь над тем, что было бы в других средах, заключили, что одни тела, например, земля, камни, металлы — тяжелы, потому что, находясь в море, опускаются; другие, — как воздух, воск, большинство растений, — легки, потому что всплывают на поверхность воды ... Ошибка молодых нимф, которые сочли *легкими* многие тела, нами причисляемые к *тяжелым*, вполне простительна. Я представил себе мысленно обширное ртутное море, в котором я родился и вырос. И вот мне пришло на мысль написать трактат о телах тяжелых и легких. Я стал рассуждать так: живя много лет в глубине этого моря, я постоянно убеждаюсь, что все вещества, за исключением золота, надо держать на привязи, чтобы они не всплыли на поверхность. Значит, все вообще тела *легки* и имеют от природы наклонность подниматься вверх, кроме золота, которое одно опускается в ртути вниз. Совершенно иная была бы физика саламандр (если верно, что они живут в огне): она учила бы, что все тела, не исключая и воздуха, *тяжелы*.

В книге Аристотеля дается следующее определение: тяжел тот предмет, природа которого состоит в стремлении вниз; легок тот, природа которого состоит в стремлении вверх. Не кажутся ли такие определения мало отличающимися от тех, какие даны были нереидами и которые согласны с наблюдениями, но не исправлены разумом?».

Спустя три века, мы не изжили остатков до-Ториччеллиевых воззрений, потому что упоминания о теплом воздухе, «стремящемся вверх», и о холодном, «заступающем его место», еще и теперь попадаются не только в популярных книгах, но и в учебниках.

## 129. Теплопроводность дерева и снега

Снег защищает от потери тепла лучше, чем дерево: теплопроводность снега в $2\frac{1}{2}$ раза меньше. Незначительной теплопроводностью снега обусловлено его «греющее» почву действие; покрывая землю, он замедляет потерю ею теплоты.

Плохая теплопроводность снега обусловлена его рыхлым сложением. Снег заключает до 90% воздуха — не только между снежинками, но и внутри них: в ледяных кристалликах снега имеются воздушные пузырьки.

## 130. Медная и чугунная посуда

Теплопроводность меди в 8 раз больше, чем чугуна; это значит, что в единицу времени через слой меди протекает в 8 раз больше теплоты, чем через слой чугуна такой же толщины при одинаковой разности температур по обе стороны слоя. Отсюда ясно, что в медной посуде, поставленной на огонь, пища должна подгорать легче, чем в чугунной.

## 131. Замазывание рам на зиму

Совет маляров никакого физического основания не имеет и является вредным предрассудком, значительно понижающим пользу замазывания оконных рам. Вставка второй рамы только в том случае уменьшает теплопотери комнаты, если заключенный между рамами слой воздуха совершенно не сообщается ни с комнатным воздухом, ни с наружным. Если же в наружной раме имеется незамазанная щель, то холодный наружный воздух вытесняет собою из междурамного пространства менее холодный воздух, нагревается там и в свою очередь вытесняется новой порцией наружного воздуха. Так как нагревание производится за счет тепла комнатного воздуха, то смена воздуха в междурамном пространстве постепенно охлаждает комнату. Чем лучше замазаны рамы, тем значительнее их теплоизолирующее действие.

Сторонники щели в наружной раме указывают на то, что она способствует вентиляции междурамного пространства, а следовательно и уменьшению влажности находящегося в нем воздуха; благодаря этому стекла предохраняются от обмерзания. Весьма сомнительно, однако, чтобы это обстоятельство сколько-нибудь заметно уравновешивало невыгоды, связанные с неполным выключением междурамного воздуха из конвекции. Правда, вентиляция несколько уменьшает количество водяного пара в пространстве между рамами (на несколько граммов); но на оледенение окон это влияет несущественно. Между тем охлаждение междурамного воздуха, обусловленное конвекцией, вызовет оседание паров комнатного воздуха на стеклах окна: они покроются льдом со стороны, обращенной внутрь комнаты.

## 132. В натопленной комнате

Температура поверхности человеческого тела — от 20 °C (ступни ног) до 35 °C (лицо). Комнатный же воздух имеет температуру не выше 20 °C. Непосредственного перехода тепла из воздуха в наше тело поэтому происходить не может. Отчего же нам в натопленной комнате тепло? Не оттого, что тело наше получает теплоту из воздуха, а оттого, что прилегающий воздух, как плохой проводник тепла, мешает теплоте тела уходить из него, замедляя потерю нашим телом своего тепла. При этом прилегающий слой воздуха нагревается телом и вытесняется вверх более холодным воздухом, который в свою очередь также нагревается, уступает место новой порции воздуха и т. д. Понятно, что воздух теплый должен отнимать от нашего тела при этом процессе меньше тепла, нежели холодный. Этим и объясняется ощущение теплоты в натопленной комнате.

## 133. Вода на дне реки

Часто пишут и говорят, что на дне глубоких рек круглый год господствует одна и та же температура, именно +4 °, потому что при указанной температуре вода имеет наибольшую плотность. Для стоячих пресных водоемов, для озер, это верно. Но в *реках* — вопреки утверждению школьных учебников — господствует другое распределение температур. В речной воде существует не только видимое *продольное* течение, но и незаметные для глаз *поперечные* токи. Вся вода в реке беспрестанно перемешивается; оттого температура ее близ дна такая же, как и на поверхности. «При всех колебаниях атмосферной температуры эти колебания очень быстро проникают до самого дна потока, и точными термометрами не было уловлено разницы в температуре различных слоев воды, даже при значительных глубинах реки». (Проф. М. А. Великанов, «Гидрология суши».)

На поставленный вопрос мы должны поэтому ответить, что близ дна реки вода летом безусловно теплее, нежели зимой.

## 134. Замерзание рек

Реки запаздывают с замерзанием вовсе не потому, как думают многие, что в них частицы воды находятся в движении. Молекулы воды движутся и тогда, когда вода стоит, движутся со скоростью нескольких сот метров в секунду; прибавка в 1—2 *м* ничего по существу изменить не может. К тому же — и это самое важное — движение воды в реке, как продольное, так и вихревое, увлекает водные *массы*, обширные совокупности молекул, и не вносит изменений в движение отдельных молекул относительно друг друга, т. е. не изменяет теплового состояния тела.

Впрочем, в ином смысле запоздание в замерзании рек обусловлено движением воды, но связь здесь не такова, какою ее себе обычно представляют. Быстро текущая вода противостоит

351

замерзанию не оттого, что «мороз бессилен захватить движущиеся частицы», а оттого, что течение перемешивает водную массу реки, от поверхности до самого ложа, выравнивая температуру во всех ее частях. Охлажденные до нуля поверхностные слои реки тотчас смешиваются с ниже лежащими, не охлажденными еще слоями, и температура поверхностного слоя снова становится выше нуля. Замерзание может начаться лишь тогда, когда вся вода реки до самого дна охладится до нуля, а на это требуется время, — тем большее, чем река глубже.

## 135. Почему вверху атмосфера холоднее, чем внизу?

«Нет, быть может, другого вопроса, по поводу которого высказывалось бы столько недоуменья, как по вопросу о причине понижения температуры с высотой», — писал лет сорок назад председатель лондонского метеорологического общества Арчибальд. Слова его можно повторить и сейчас, потому что в наши дни тоже не часто приходится слышать правильное объяснение этого явления.

Обычно при объяснении довольствуются указанием, что атмосфера весьма слабо нагревается лучами Солнца, а получает свою теплоту от нагретой земной поверхности путем теплопроводности.

«Земля нагревается главным образом солнечными лучами. Через воздух эти лучи проходят свободно и не нагревают его. Но, падая на поверхность земли, лучи отдают свою теплоту земле. Уже от земли нагревается и воздух, прилегающий к земле. Поэтому понятно, что верхние слои воздуха холоднее, чем нижние».

Такой ответ дал несколько лет назад один из наших популярно-научных журналов на вопрос своего читателя: «Почему вверху большой мороз»?

Однако в точно таких же условиях находится и вода в кастрюле, подогреваемой на примусе: вода получает теплоту через теплопроводность от нагретого дна посуды, — а тем не менее верхние ее слои имеют ту же температуру, как и нижние. Причина, конечно, в перемешивании нагреваемой снизу жидкости, в так называемой «конвекции». Если бы атмосфера была жидка, то при подогревании снизу она имела бы внизу и вверху одинаковую температуру. В атмосфере газообразной также имеют место течения, обусловленные нагреванием: холодные верхние слои опускаются вниз, вытесняя оттуда теплые, — но все же температура не выравнивается. Почему?

На этот вопрос в некоторых солидных руководствах (например, в учебнике технической физики Лоренца [1]) находим следующий ответ, представляющийся весьма правдоподобным. Воздух, поднимаясь вверх, затрачивает для совершения этой работы энергию, которую он заимствует из своего теплового запаса; каждый килограмм воздуха, поднимаясь в восходящем токе на 400 *м*, должен терять поэтому эквивалентное количество тепла — в данном случае 400 *Дж*. Считая удельную теплоемкость воздуха равной около 1 *Дж*, узнаем, что поднятие на 100 *м* должно сопровождаться понижением температуры на 1 °C. Примерно такое понижение и наблюдается в действительности.

Несмотря на удовлетворительное количественное согласие, изложенное сейчас объяснение совершенно ошибочно. Оно основано на грубо неправильном представлении, будто воздух в восходящем потоке выполняет какую-то работу. Воздух этот столь же мало совершает работы, сколько и всплывающая в воде пробка. Пробка, поднимаясь со дна озера на его поверхность, не охлаждается; не она совершает работу, а *над ней* совершается работа. Точно так же поднимающийся воздух выносится вверх опускающимся холодным течением, которое и совершает работу его поднятия; работа эта выполняется за счет энергии падения холодной массы воздуха. Да и кроме того, разве охлаждается выстреленная вверх пуля, действительно совершающая работу своего поднятия? Нисколько: уменьшение ее кинетической энергии сопровождается увеличением потенциальной; баланс энергии соблюдается без превращения механической энергии в тепловую.

Теперь будет понятна ошибочность еще и другого объяснения холода в высоких слоях атмосферы: молекулы восходящего воздушного течения замедляют под действием силы тяжести свое движение по мере поднятия, а уменьшение скорости молекул и есть ведь не что иное, как понижение температуры. Это тоже ошибка, на которой спотыкались даже иные из подлинных исследователей, хотя от нее предостерегал еще Максвелл в своей «Теории теплоты». «Тяжесть, — писал он, — не оказывает никакого влияния на распределение температуры в столбе воздуха». Не следует упускать из виду, что тяжесть со-

---

[1] Не следует смешивать этого автора с его однофамильцем, знаменитым основателем электронной теории.

общает всем молекулам газа строго одинаковое перемещение, не внося в их *взаимное* расположение никакого изменения: здесь происходит параллельное перенесение всех частиц. Значит движение молекул одной по отношению к другой не меняется под действием тяжести, как не меняется оно при перенесении сосуда с газом на другое место. Тепловое движение молекул остается ненарушенным, а следовательно, не может измениться и температура газа.[1]

Истинная причина охлаждения восходящих токов воздуха заключается в так называемом *адиабатическом* его расширении. Поднимаясь в верхние, более разреженные слои атмосферы, попадая в область пониженного давления, воздух расширяется, совершая работу этого расширения за счет своего теплового запаса. Такое изменение состояния газа, когда он меняет свое давление без заимствования энергии извне (и без отдачи ее вовне), называется «адиабатическим».

Количественная сторона явления такова. Если абсолютная температура воздуха близ земной поверхности $T_0$, а на высоте $h$ она равна $T_h$, соответствующие же барометрические давления $P_0$ и $P_h$, то понижение температуры на высоте $h$ равно

$$T_0 - T_h = T_0 \left[ \left( \frac{P_0}{P_h} \right)^{1-\frac{1}{K}} - 1 \right].$$

Здесь $K$ — отношение теплоемкости газа при постоянном давлении к теплоемкости его при постоянном объеме; для воздуха $K = 1{,}4$, и следовательно $1 - \frac{1}{K} = 0{,}29$.

Вычислим в качестве примера понижение температуры воздуха на той высоте 5,5 *км*, где барометрическое давление

---

[1] Один из рецензентов предыдущего издания этой книги настаивает на правильности именно такого объяснения. «Скорость молекул воздуха, — пишет он, — при поднятии в поле тяжести убывает, и легко видеть, что квадрат средней квадратической скорости, определяющий температуру воздуха, изменяется пропорционально высоте подъема». При таком рассуждении тепловое движение молекул берется по отношению к земной поверхности, между тем как его надо относить к центру массы газа. Если, придерживаясь рекомендуемого рецензентом способа вычисления температуры газа, сделать расчет температуры воздуха с учетом общего движения молекул земной атмосферы вместе с нашей планетой по ее орбите, то получим чудовищный результат: около миллиона градусов. Земля сияла бы ярче Солнца!

*вдвое* ниже, чем у земной поверхности. Ради простоты будем рассматривать случай восхождения воздуха сухого, не содержащего влаги.

Имеем

$$T_0 - T_h = T_0 \, (2^{0,29} - 1) = 0{,}22 \, T_0,$$

откуда

$$T_h = 0{,}78 \, T_0.$$

Если близ земной поверхности температура 17 °C, или 290 K, то

$$T_h = 0{,}78 \times 290 = 226 °.$$

Это составляет по Цельсию –49 ° — 47 °, т. е. около 1 °C на каждые 100 *м* поднятия.

Присутствие водяных паров, от которых воздух почти никогда не бывает свободен,[1] изменяет приведенный расчет: понижение температуры при подъеме на каждые 100 *м*, равное для сухого воздуха 1 °, уменьшается почти до $^1/_2$ ° для воздуха, насыщенного парами.

Итак, перемешивание воздушных масс при нагревании атмосферы снизу не может уравнять их температуры: воздух, поднимающийся вверх, вследствие адиабатического расширения охлаждается; воздух, опускающийся вниз, вследствие адиабатического сжатия нагревается. В итоге — верхние слои имеют более низкую температуру, нежели лежащие близ земной поверхности.

Ради полноты отметим, что перемешивание слоев воздуха происходит лишь в слое так называемой «тропосферы», до высоты 10—17 *км*. Выше, в «стратосфере», вертикальных перемещений воздуха не бывает.

## 136. Скорость нагревания

Следя за ходом нагревания с часами в руках, легко убедиться, что нагревание воды на последние десять градусов длится всегда дольше, чем нагревание ее на первые десять гра-

---

[1] Изредка случаи полного отсутствия влаги в воздухе все же наблюдаются. В мае 1930 г. метеоролог Ретли отметил нуль влажности в Турции, при 20°, на высоте 670 *м* над уровнем моря. Я наблюдал такое же явление в июне 1931 г. в Средней Азии: в Аулие-Ата, на высоте около 700 *м*, мой карманный гигрометр дважды показывал нуль влажности. Никаких болезненных ощущений я и мои спутники при этом не заметили.

дусов; и это несмотря на то, что количество нагреваемой воды постепенно уменьшается, вследствие испарения. Объясняется загадка, помимо расхода тепла на усиленное испарение, еще и тем, что теплота пламени расходуется на покрытие потери водою тепла вследствие излучения. При высоких температурах (90—100 °) вода излучает больше энергии, чем при низкой (10—20 °). Поэтому, несмотря на равномерное подведение тепла к воде, температура ее повышается тем медленнее, чем сильнее вода нагрелась.

## 137. Температура пламени свечи

Мы склонны недооценивать температуру таких, казалось бы, скромных источников тепла, как пламя обыкновенной свечи. Для многих поэтому является неожиданностью, что температура пламени свечи — около 1600 °С (как установил Луммер на основании закона смешения Вина).

## 138. Почему гвоздь не плавится на свечке?

«Потому что пламя свечи недостаточно горячо для этого», — отвечают обыкновенно. Но температура пламени свечи, мы знаем, около 1600 °С, т. е. на сотню градусов выше точки плавления железа. Значит, пламя свечи достаточно горячо, — и все же железо не удается таким пламенем довести до расплавления.

Причина та, что одновременно с получением тепла от пламени гвоздь теряет теплоту путем лучеиспускания и теплопроводности. Чем выше поднимается температура нагреваемого предмета, тем сильнее отдача тепла через теплопроводность и лучеиспускание; потеря тепла растет; наступает, наконец, момент, когда потеря и приход тепла уравновешиваются — и дальнейшее повышение температуры прекращается.

Если бы гвоздь целиком умещался в пламени свечи, точнее — в самой горячей его части, то наивысшая температура гвоздя при нагревании равнялась бы температуре пламени; тогда гвоздь расплавился бы. Но так как обычно в пламени помещается только часть гвоздя, и выступающие части беспрепятственно излучают теплоту, то равенство притока и потери теплоты наступает значительно раньше, чем гвоздь нагреется до температуры свечи и даже до точки плавления железа.

Значит, гвоздь не плавится на свече не оттого, что пламя недостаточно горячо, а оттого, что оно недостаточно *велико* — не окружает гвоздя со всех сторон.

### 139. Что такое калория? *

Количество тепла, расходуемое для нагревания воды на 1 °, не строго одинаково при различных температурах. При нагревании от 0 ° до 27 °C количество это постепенно уменьшается, а начиная с 27 ° — возрастает. Чтобы определение калории было точно, необходимо поэтому указание, при какой температуре началось нагревание на 1 °. По международному соглашению, точное определение калории таково: это — количество теплоты, которое необходимо для повышения температуры килограмма (или грамма — для малой калории) воды с $14\frac{1}{2}$ ° до $15\frac{1}{2}$ ° по водородному термометру. Такая калория, как установлено измерениями, равна *среднему* значению калории, измеренной для температурного интервала от 0 ° до 100 °, — чем и объясняется выбор температуры для «15-градусной» калории. Калория, измеренная для промежутка 0—1 °, меньше 15-градусной на 0,8%.

### 140. Нагревание воды в трех состояниях

Легче всего нагреть водяной пар (уд. теплоемкость меньше 2 *кДж/(кг·К)*), затем лед (уд. теплоемкость 2,11), и всего больше тепла требуется для нагревания жидкой воды.

### 141. Нагревание 1 *см*³ меди

На вопрос о количестве тепла, необходимом для нагревания 1 *см*³ меди на 1 °, нередко ошибочно отвечают: требуется 0,4 *Дж*, потому что такова удельная теплоемкость меди. Забывают при этом, что удельная теплоемкость относится не к единице *объема*, а к единице *массы*, — не к 1 *см*³, а к 1 *г*. Для нагревания 1 *см*³ меди (плотность = 9) требуется поэтому не 0,4 *Дж*, а 9 × 0,4 = 3,6 *Дж*.

---

* Единица измерения количества тепла *калория* подлежит изъятию с 1 января 1980 г. и в настоящее время не применяется. В метрической системе мер 1 калория = 4,1868 Дж. Этот вопрос сохранен ввиду его взаимосвязи с другими вопросами этого раздела, а также потому, что суть его не в определении единицы измерения, а в понимании явлений, связанных с нагреванием. — *ОК.*

## 142. Тела наибольшей теплоемкости

a) Из *твердых* тел всего больше тепла требует для своего нагревания металл *литий*: его уд. теплоемкость = 4,35, вдвое больше, чем у льда.

b) Из *жидкостей* наибольшей удельной теплоемкостью обладает не вода, как многие привыкли думать, а *жидкий водород*: 26,8. Сжиженный аммиак также обладает теплоемкостью, большею, чем вода (хотя и не на много).

c) Наибольшего количества тепла для своего нагревания из всех тел природы — твердых, жидких и газообразных — требует водород. Его уд. теплоемкость в газообразном состоянии (при постоянном давлении) 14,2, а в сжиженном, как уже указано, — 26,8. Гелий в газообразном состоянии обладает более высокой уд. теплоемкостью (5,2), нежели вода.

## 143. Теплоемкость пищи

Вот данные об удельной теплоемкости перечисленных в задаче пищевых продуктов:

| | |
|---|---|
| мясо . . . | 2,9 *Дж* |
| рыба . . . | 2,9 *Дж* |
| яйца . . . | 3,3 *Дж* |
| молоко . . | 3,8 *Дж* |

## 144. Самый легкоплавкий металл

Из числа металлов, твердых при обычной температуре, наиболее легкоплавким многие считают так называемый металл Вуда — сплав из олова (4 части), свинца (8 ч.), висмута (15 ч.) и кадмия (4 ч.); он плавится при 70 °. Существует еще более легкоплавкий сплав, так называемый металл Липовица, отличающийся от Вудовского меньшим содержанием кадмия (3 ч. вместо 4); он плавится при 60 °.

Однако эти сплавы не занимают первых мест в ряду легкоплавких металлов. Самые легкоплавкие металлы — *цезий* (плавится при 28,5 °C) и *галлий*, который плавится при 30 °, т. е. буквально тает во рту. Цезий открыт Бунзеном в 1860 г., но в металлическом виде добыт только в 1882 г. Галлий — 31-й элемент Менделеевой таблицы, открытый в 1875 г., на несколько лет ранее предсказанный Менделеевым как «экаалюминий». Недавно он был в сто раз дороже золота, но в настоящее время в Германии найден удешевленный способ извлечения его из руд, делающий возможным промышленное применение этого металла. Один грамм его стоит теперь около 8 марок.

Галлий ранее находил себе практическое применение главным образом для замены ртути в термометрах (сейчас он применяется в основном для производства полупроводниковых материалов). Плавясь при 30 °С,[1] он кипит только при 2300 °, т. е. бывает жидким в широких температурных границах от 30 ° до 2300 °. Так как существуют сорта кварцевого стекла, плавящиеся при 3000 °, то изготовление галлиевого термометра технически осуществимо. Существуют галлиевые термометры для температур до 1500 ° С.

## 145. Самый тугоплавкий металл

Платина с точкой плавления 1800 °С давно потеряла первое место в ряду тугоплавких металлов. Известны металлы, температуры плавления которых выше, чем для платины, на 500 °, на 1000 ° и более. Это

|  | Точка плавления |
|---|---|
| иридий . . . . . . . . . | 2350 ° |
| осмий . . . . . . . . | 2700 ° |
| тантал . . . . . . . . | 2890 ° |
| вольфрам . . . . . . . | 3400 ° |

Вольфрам является самым тугоплавким из всех известных металлов (он применяется для нитей накала электрических лампочек).

## 146. Нагревание стали

Стальные брусья при высокой температуре теряют значительную часть своей прочности. При 500 ° сопротивление стали на разрыв вдвое менее, чем при 0 °, при 600 ° — втрое менее, при 700 ° — почти в 7 раз менее. (Более точные данные: если прочность при 0 ° принята за 1, то прочность при 500 ° равна 0,45, при 600 ° 0,3, при 700 ° — 0,15.) Поэтому при пожаре стальные сооружения рушатся под действием собственной тяжести.

---

[1] Расплавленный галлий может быть переохлажден почти на 10°, т. е. оставаться жидким даже при 20°.

## 147. Бутылка воды во льду

а) Если бы вода в бутылке замерзла, стекло растрескалось бы под давлением расширяющегося льда. Однако при указанных условиях вода в бутылке замерзнуть не может. Для ее замерзания требуется не только понижение температуры до 0 °C, но и отнятие скрытой теплоты плавления в количестве 320 *Дж* на каждый грамм замораживаемой воды. Между тем, окружающий бутылку лед имеет температуру 0 ° (он тает), и, следовательно, теплота не будет переходить от воды ко льду: при равенстве температур такой переход невозможен. А раз нет отнятия теплоты от воды при 0 °, то вода остается в жидком состоянии. Опасаться за целость бутылки поэтому не приходится.

b) Вода не замерзнет ни в той бутылке, которая во льду, ни в той, которая в воде. Раз температура в обоих случаях равна 0 °, то вода в бутылке охладится до 0 °, но не замерзнет, потому что не может отдать окружающей среде скрытую теплоту плавления: при равных температурах не происходит перехода тепла.

## 148. Может ли лед тонуть в воде?

Так как плотность льда при 0 ° равна 0,917, то при обычных условиях лед на воде плавает. При нагревании воды плотность ее уменьшается; при 100 ° она равен 0,96; в такой воде кусок тающего льда все еще будет плавать. Продолжая нагревать воду (под повышенным давлением), мы при 150 ° доведем ее плотность до 0,917: в этой воде лед может находиться ниже уровня, не опускаясь на дно и не всплывая. При 200 ° мы будем иметь воду с плотностью 0,86, т. е. воду, которая легче льда; лед в такой горячей воде должен тонуть.

Надо заметить, что лед, который мы наблюдаем при обычных условиях, есть лишь один из видов твердой воды; при других условиях (при другом давлении) образуются иные виды льда со свойствами, отличными от обычных. При опытах английского физика Бриджмена над свойствами тел под весьма высоким (до 30 000 *ат*) давлением найдено было шесть различных сортов льда; их обозначают номерами: «лед I», «лед II»» и т. д. Оказывается, что

| лед | I | легче воды | на 10—14 % |
|---|---|---|---|
| лед | II | плотнее воды | на 22% |

360

| лед | III | плотнее воды | на 3% |
| лед | IV | плотнее воды | на 12% |
| лед | V | плотнее воды | на 8% |
| лед | VI | плотнее воды | на 12% |

Значит, из шести известных видоизменений льда только одно может плавать на воде, все прочие в ней тонут.

Льды четных номеров (II, IV, VI) должны тонуть в так называемой «тяжелой» воде, плотность которой 1,11.

## 149. Замерзание воды в трубах

То, что в трубах подвалов вода замерзает часто не в морозные дни, а в оттепель, многим представляется совершенно необъяснимым. Это озадачивающее явление находит себе, однако, естественное объяснение в дурной теплопроводности почвы. Теплота проходит через землю медленно, так что минимум температуры наступает в почве позднее, чем на поверхности земли; чем глубже, тем опоздание больше. Часто случается поэтому, что за время морозов почва на глубине пролегания водопроводных труб, а также подземные помещения не успевают охладиться ниже нуля, — и вода в таких трубах еще не замерзает; лишь потом, когда над землей наступает уже оттепель, достигают под землю отголоски морозов. Самая низкая температура под землей совпадает по времени с повышением температуры воздуха над землей: трубы замерзают, когда над землей уже оттепель.

## 150. Скользкость льда

Противоречие между объяснением явления и результатом расчета произошло оттого, что был преувеличен размер поверхности, по которой лезвие конька соприкасается со льдом. Соприкосновение со льдом происходит не по всей площади, ограниченной контуром опоры, а лишь в немногих выступающих местах, совокупная поверхность которых повидимому не превышает $0,1$ $см^2$ (т. е. $10$ $мм^2$). При таком условии давление веса конькобежца ($60$ $кг$) составляет не меньше $60 : 0,1 = 600$ $кг/см^2 \approx 6\,000$ $Н/см^2$, т. е. величины того порядка, при котором осуществляется требуемое теорией понижение точки таяния.

Точно также, когда сани, весящие с кладью полтонны, опираются полозьями на снег, площадь действительного соприкосновения полозьев со снегом не превышает $^1/_2$ *см*$^2$; получается давление свыше 1000 *ат*.

Если мороз очень силен, то давление коньков и полозьев оказывается недостаточным для понижения точки таяния льда на необходимое число градусов, — и тогда катание на коньках, как и езда на санях, затрудняются: из-за отсутствия водяной смазки заметно возрастает трение.

## 151. Понижение точки таяния льда

Точка таяния льда понижается на $^1/_{130}$ градуса с повышением внешнего давления на одну атмосферу. Не надо думать, однако, что под достаточным давлением можно заставить лед таять при сколь угодно низкой температуре. Понижение точки таяния льда с давлением имеет границу: более чем на 22 ° понизить ее нельзя. Это наступает при давлении в 2200 *ат*.

Следовательно, лед ни под каким давлением не может плавиться при температуре ниже – 22 °. Хорошо кататься на коньках при морозе сильнее – 22 ° невозможно. Это объясняется тем, что под давлением свыше 2200 атмосфер лед превращается в особое видоизменение, более плотное, чем обыкновенный лед, и следовательно, занимающее меньший объем: давление уже не помогает ему переходить в жидкое состояние.

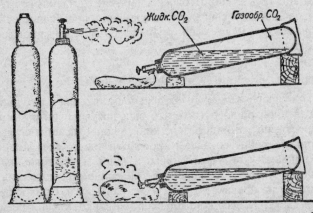

Рис. 114. *Налево*: жидкая углекислота в закрытом толстостенном баллоне; над ней — ее пары. *Правее*: когда кран открыт, жидкость вследствие понижения давления закипает. *Вверху направо*: баллон наклонен, чтобы вылить углекислоту в мешок, подвязанный к крану. *Внизу направо*: мешок окружается конденсированными парами углекислоты, которая внутри него замерзает.

## 152. «Сухой лед»

«Сухим льдом» называют в технике, замерзшую углекислоту. Если жидкую углекислоту, заключенную в баллоне под большим давлением (70 *at*), выпускать в воздух, то она испаряется так интенсивно, что остаток ее замерзает (действием холода при испарении), образуя рыхлую снегообразную массу. Спрессованная в плотную массу, она превращается в сплошное тело, весьма похожее на лед. Замечательная особенность углекислого «льда» та, что при нагревании он не тает в жидкость, а превращается сразу в газ, минуя жидкое состояние. Особенность эта обусловлена тем, что под давлением в одну атмосферу углекислота не может существовать в жидком состоянии. Это представляет большое удобство при пользовании углекислым льдом для охлаждения продуктов: тая, он не смачивает и даже не увлажняет продуктов. Отсюда и название «сухой лед».

Рис. 115. Из мешка с углекислотой высыпается снегообразная масса; будучи спрессована, она дает «сухой лед».

Другое преимущество углекислого «льда» перед обыкновенным состоит в том, что сухой лед холодит сильнее обыкновенного. Испарение его, к тому же, крайне медленно; в Америке вагон с фруктами, охлаждаемый сухим льдом, бывает в дороге по десять дней без смены запаса твердой углекислоты.[1]

## 153. Цвет водяного пара

Большинство людей убеждено, что водяной пар белого цвета, и очень удивляется, слыша, что это неверно. В действи-

---

[1] Пользуясь шариками сухого льда, американцы пересылают мороженое в простых бумажных пакетах, причем продукт бывает в пути до 40 часов. Холодящее действие сухого льда, помимо его низкой температуры (около 80° С), обусловлено еще и тем, что образующийся при его возгонке углекислый газ также довольно холоден (0° С); обволакивая сухой лед, газовый покров этот замедляет таяние. Для продуктов углекислый газ совершенно безвреден; к тому же, он значительно уменьшает пожарную опасность, препятствуя распространению огня.

тельности водяной пар совершенно прозрачен, невидим и, следовательно, не имеет вовсе цвета. Тот белый туман, который в обыденной жизни называют «паром», представляет собой не пар в физическом смысле слова, а воду, распыленную в мелкие капли. Облака также состоят не из водяного пара, а из мельчайших водяных капелек.

## 154. Кипение воды

Задача эта возникла в практике одной из ленинградских столовых и вызвала оживленный спор между ее работниками, которые за разрешением его обратились по телефону ко мне. Между спорившими преобладало мнение, что раньше закипеть должна вода переваренная, на том наивном основании, что вода эта однажды уже кипела. Однако тренировка в этом случае никакого значения не имеет; к тому же, в мире нет ни одной капли воды, которая когда-нибудь в прошлом не находилась бы в парообразном состоянии.

В действительности раньше закипит вода сырая, так как она содержит в растворе воздух. Чтобы разъяснить, почему присутствие растворенного воздуха ускоряет кипение, надо войти в некоторые подробности.

Кипение, в отличие от испарения, состоит в появлении пузырей пара внутри нагреваемой жидкости. Это становится возможным только тогда, когда давление пара достигает величины, не меньшей, нежели давление атмосферы на поверхность, передающееся, по закону Паскаля, внутрь. Известно, что при 100 ° давление насыщающего водяного пара равно атмосферному. Это относится, однако, только к тому случаю, когда пар насыщает пространство над *плоской* поверхностью воды. Давление насыщенного пара внутри пузырька, образовавшегося в воде, должно быть *меньше* атмосферного, — меньше, чем близ плоской водной поверхности при той же температуре. Причина та, что молекулы, покидающие вогнутую поверхность жидкости, легко захватываются ею вновь; значит, уже при сравнительно небольшом числе освободившихся молекул наступает внутри пузырька такое состояние, когда число ежесекундно освобождающихся молекул равно числу захватываемых. Это и есть состояние *насыщения*, когда данное пространство заключает при данной температуре *наибольшее* количество пара, — состояние, при котором давление пара наибольшее. Ясно, что наибольшее давление внутри пузырька меньше, чем над плоской поверхностью воды, где оно равно атмосферному. Чем водная поверхность кривее, т. е. чем меньше радиус пузырька, тем ниже максимальное давление пара. Например, внутри пузырька радиусом в 0,01 микрона давление насыщающего пара при 100 ° равно 705 *мм,* вместо 760.

Отсюда следует, что кипение воды, вообще говоря, должно наступать не при теоретических 100 °, а при более высокой температуре, т. е. тогда, когда пар в воде разовьет более сильное давление, равное атмосферному. Вода, из которой предварительным кипячением выгнан весь растворенный в ней воздух, запаздывает поэтому кипением: кипение начинается позднее; зато, начавшись, оно протекает очень бурно, с большим выделением пара, и быстро доводит воду до нормальной температуры кипения (100 °) вследствие усиленного расхода теплоты на парообразование.

Иначе протекает кипение в воде сырой, содержащей в растворе воздух. Так как растворимость газов с повышением температуры уменьшается, то избыток воздуха должен из нагреваемой воды выделиться. Он и выделяется в виде пузырьков. Первые пузырьки, появляющиеся в нагреваемой сырой воде, заключают не водяной пар, а воздух. С внутренней их поверхности начинают затем освобождаться и молекулы водяного пара. Надо помнить, что всего более затруднено появление в воде *первых,* самых мелких пузырьков пара, так как давление насыщенного пара в мельчайших пузырьках особенно понижено. Когда трудности рождения миновали, т. е. когда пузырьки так или иначе уже появились, дальнейший процесс образования в них пара значительно облегчается и пузырьки быстро разрастаются. Этим и объясняется то, что сырая вода, содержащая в растворе воздух, не запаздывает кипением, как вода переваренная.

Воду, из которой по возможности удален растворенный в ней воздух, удавалось (Максвеллу) при известных условиях перегревать под нормальным давлением до 180 °. При еще более тщательном удалении воздуха можно было бы, вероятно, нагреть воду еще выше, оставляя ее жидкой. Это дало повод одному физику (Грове) утверждать, что «никто еще не наблюдал кипения вполне чистой воды, не содержащей воздуха».

## 155. Нагревание паром

Пар, нагретый до 100 °, может отдавать воде теплоту только при условии, что температура воды ниже 100 °. С момента, когда температуры воды и пара сравнялись, переток тепла от пара к воде прекращается. Отсюда следует, что вода может быть нагрета 100-градусным паром до 100 °, но получить от такого пара скрытую теплоту, необходимую для перехода в парообразное состояние, вода не может. Значит, 100-градусным паром можно довести воду до точки кипения, но не до состояния кипения: вода будет оставаться в жидком виде.

## 156. Кипящий чайник на ладони

Факт, описанный в задаче, верный сам по себе, часто неправильно объясняется. Причину того, что жар кипящего чайника не ощущается рукой, видят в расходе теплоты на поддержание кипения. Теплота эта заимствуется от стенок чайника — в частности от дна — и понижает его температуру. Когда же кипение прекращается, отлив теплоты также прекращается, и рука начинает ощущать жар.

Объяснение это неправильно. Оно не объясняет того, что прикосновение руки к боковым стенкам чайника болезненно, а к дну — проходит безнаказанно. Кроме того, оно не верно и по существу: дно чайника не может вследствие испарения охладиться ниже температуры воды в нем; вода же в чайнике имеет в это время около 100 ° — температура достаточная, чтобы обжечь руку.

Истинная причина явления та, что влага, покрывающая ладонь (пот) приходит при соприкосновении с дном чайника в так называемое *сфероидальное* состояние; дно чайника в первые моменты после снятия с огня достаточно для этого нагрето. Когда же дно охладится ниже 150 °, сфероидальное состояние не осуществляется, и жар становится ощутительным.

Опыт удается только в том случае, если дно чайника гладко и не закопчено: загрязнение и шероховатость металлической поверхности мешает возникновению сфероидального состояния.

## 157. Жарение и варка

Причина того, что жареная пища приятнее на вкус, нежели вареная, заключается не только в прибавлении жира, но главным образом в физических особенностях процессов жарения и варки. Ни вода, ни жир не нагреваются выше температуры их кипения, — но вода кипит при 100 °, жир — при 200 °; хозяйки хорошо знают, как сильны ожоги горячим жиром. Следовательно, жаренье происходит при более высокой температуре, чем варка. Более же высокое нагревание вызывает в органических веществах пищи изменения, улучшающие их вкус. Поэтому жаркое вкуснее вареного мяса, яичница вкуснее вареных яиц, и т. п.

## 158. Горячее яйцо в руке

Вынутое из кипятка яйцо влажно и горячо. Вода, испаряясь с горячей поверхности яйца, охлаждает скорлупу, и рука не ощущает жара. Так происходит лишь в первые мгновения, пока яйцо не обсохнет, после чего его высокая температура становится ощутительной.

## 159. Ветер и термометр

Никакого влияния на термометр ветер оказать не может (если термометр сух), — хотя многим и кажется, что ветер должен его охлаждать. Думающие так смешивают действие ветра на наш организм с действием его на прибор. Мороз в ветреную погоду переносится нами гораздо хуже, чем в тихую. Это объясняется тем, что ветер быстро сгоняет слои воздуха, нагреваемые нашим телом, заменяя их холодными, и кроме того, усиливает испарение влаги нашей кожи, удаляя насыщенные влагой слои, прилегающие к телу. То и другое вызывает усиленный расход теплоты нашим телом, а следовательно, и резкое ощущение холода.

На термометр же ветер никакого действия произвести не может: показания термометра в морозный день не меняются от того, стоит ли погода тихая или дует сильный ветер.

## 160. Принцип холодной стены

Когда переводчик обратился ко мне с просьбой разъяснить выражение «принцип холодной стены», я убедился, что ни в одном из трех десятков имеющихся у меня под рукой русских и иностранных курсов физики принцип этот не упоминается. Мне вспомнилось, однако, что о нем говорилось в том старинном учебнике, в который я часто заглядывал, когда был школьником. Это объемистый французский учебник Гано, переведенный и изданный Павленковым. Теперь он стал книжной редкостью, но можно найти перевод позднейшей переработки этого учебника (Гано-Маневрие, «Полный курс физики»). Параграф о принципе холодной стены в нем уцелел. Вот он:

«*Принцип Уатта, или принцип охлажденной стенки*». Предположим, что у нас есть два сосуда (рис. 116): *A*, содержащий воду при 100 °, и *B*, содержащий воду при 0 °. Пока они не сообщаются, упругость паров в них неодинакова: в *B* — 4,6 *мм*, в *A* — 760 *мм*. Но когда кран *C* открывается, пар из *A* поступает в *B* и там тотчас превращается в воду; поэтому пар в сосуде *A* не может иметь давления больше, чем в *B*. Происходит перегонка из *A* в *B* без увеличения упругости (пара в *B*). Можно формулировать следующий принцип, установленный впервые Уаттом:

«Если два резервуара, заключающие одну и ту же жидкость при различных температурах, сообщаются между собою, то в них устанавливается одинаковая упругость паров, равная максимальной упругости при более низкой из обеих температур».

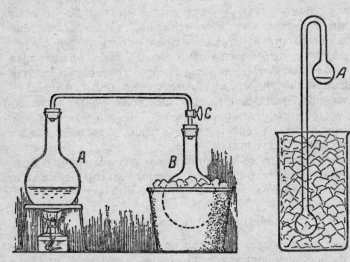

Рис. 116. Опыт для пояснения «принципа холодной стены».

Рис. 117. Криофор: когда охлаждают нижний сосуд, вода в верхнем сосуде замерзает.

Читателю, которому известен поучительный физический прибор, называемый «*криофором*», знаком и принцип холодной стены, так как действие прибора основано именно на этом начале. Прибор состоит из двух полых стеклянных шаров, соединенных трубкой (рис. 117). В приборе имеется немного воды с паром над ней; воздух изнутри выгнан. Перелив воду в верхний шар, погружают нижний в охлаждающую смесь. Согласно «принципу холодной стены», над водою в верхнем сосуде должно установиться низкое давление того сосуда, который погружен в охлаждающую смесь. Под пониженным давлением вода закипает, но образующийся пар конденсируется в холодном нижнем шаре, — и кипение происходит так энергично, что вследствие усиленной потери тепла на парообразование вода в верхнем шаре замерзает, хотя он и не окружен льдом.

Уатт воспользовался этим принципом для устройства своего холодильника: отработанный пар из цилиндра сам устремляется в холодильник и там конденсируется. До Уатта, в машине Ньюкомена, для конденсирования отработанного пара впрыскивали в цилиндр холодную воду. При этом приходилось охлаждать не только самый пар, но прежде всего стенки цилиндра, без чего конденсация не происходила; между тем, при следующем ходе поршня в охлажденный цилиндр впускался горячий пар, первые порции которого конденсировались на стенках до тех пор, пока цилиндр не приобретал температуры пара в котле. Отсюда ясно, как невыгоден был такой способ конденсации; он требовал большого расхода пара и большого количества холодной воды, — иначе говоря, лишнего расхода угля. Вот почему до-уаттовские машины имели такой невероятно низкий коэффициент полезного действия (0,3%). Уатт, в числе других улучшений паровой машины, придумал холодильник, основанный на открытом им «принципе холодной стены». Пар сам покидает цилиндр, оставляя его стенки горячими, и конденсируется вне его, в холодильнике.

Читателя, вероятно, интересует, почему принцип, имеющий, казалось бы, только техническое применение, мог понадобиться в астрономии. Между тем ему принадлежит веское слово в вопросах, связанных с вращением двух ближайших к Солнцу планет — Меркурия и Венеры.

*Меркурий* движется вокруг Солнца так, что его «сутки» равны его «году»: он неизменно обращен к Солнцу одной и той же своей стороной. На этой непрерывно озаряемой Солнцем стороне планеты стоит вечный день и страшный зной; на другой, всегда обращенной к мраку мирового пространства, —

вечная ночь и сильнейший холод, мороз, близкий к температуре мирового пространства, к –264 °.[1] На холодной стороне Меркурия атмосфера должна сгуститься и замерзнуть, даже если она состоит из водорода. Но согласно принципу Уатта, к этой «холодной стене» планеты должна притечь атмосфера с дневной стороны, где установится то низкое давление, которое господствует над сжиженной атмосферой холодной стороны. Перетекшая часть атмосферы при низкой температуре тоже сгустится в жидкость, — и так будет продолжаться до тех пор, пока на холодной стороне Меркурия не соберется атмосферная оболочка всей планеты. Следовательно. Меркурий не может обладать газообразной атмосферой: это неизбежно вытекает из принципа холодной стены при равенстве периодов вращения планеты вокруг оси и обращения вокруг Солнца.

По вопросу о том, какова продолжительность вращения Венеры, мнения астрономов расходятся. Одни полагают, что для этой планеты существует такое же равенство продолжительности «суток» и «года», как и для Меркурия. Другие считают, что период вращения Венеры, ее «сутки», гораздо короче ее «года». Принцип холодной стены склоняет весы спора в сторону короткого периода, так как непосредственными наблюдениями установлено присутствие у Венеры атмосферы: при равенстве «суток» и «года» атмосферу Венеры постигла бы участь атмосферы ее соседа Меркурия.

Принцип холодной стены разрушает и догадки Герберта Уэллса об атмосфере Луны, высказанные в остроумном его романе «Первые люди на Луне». Романист допускает, что атмосфера Луны ночью замерзает, а днем тает и испаряется, становится вновь газообразной. Однако одновременное существование на одной половине Луны сжиженного газа, а на другой — того же вещества в состоянии газообразном, как мы уже знаем, невозможно. «Должна происходить, — писал об этом проф. О. Д. Хвольсон, — непрерывная дестилляция воздуха, и нигде и никогда он не может достигнуть сколько-нибудь заметной упругости».

---

[1] О температуре мирового пространства см. вопрос 201. — Значительная вытянутость орбиты Меркурия обусловливает на границе областей вечного дня и вечной ночи существование промежуточной зоны, куда Солнце заглядывает в течение некоторой части года. Это обстоятельство, однако, не меняет дальнейших выводов.

## 161. Калорийность дров

Весьма распространено мнение, что березовые дрова гораздо «жарче» хвойных и особенно осиновых. Это верно, если сравнивать равные *объемы* тех и других дров: березовое полено при сгорании дает больше тепла, чем осиновое таких же размеров. Но в физике и технике при оценке теплотворной способности топлива сравнивают не объемы, а *массы*. Так как березовая древесина раза в полтора плотнее осиновой, то не следует удивляться, что калорийность березовых дров оказывается одинаковой с калорийностью осиновых. Вообще килограмм древесины, независимо от породы, развивает при сгорании одинаковое количество тепла (если только процент содержания в них влаги одинаков).

Итак, береза кажется нам «жарче» осины только потому, что в обиходе мы сравниваем неодинаковые *массы* этих горючих веществ: берем березовой древесины больше, чем осиновой.

Любопытно, что соотношение цен на дрова всегда довольно близко отвечает отношению удельных весов различных пород. Покупая дрова, мы приобретаем поэтому на каждый рубль одно и то же число калорий, независимо от породы. Когда же такого соответствия цен случайно нет, то нередко выгоднее оказывается покупка осиновых дров, чем березовых.

Однако если разные породы дров при одинаковом весе равноценны в смысле количества теплоты, выделяемой при горении, то они все же не вполне равноценны как топливо. Для паровых котлов важно в топливе не только его теплотворная способность, но и быстрота сгорания. Есть заводы (например стекольные), где быстро горящие осиновые и сосновые дрова предпочтительнее, нежели дрова всех других пород. Напротив, в наших комнатных печах медленно горящие дрова тяжелых пород греют лучше быстро сгорающих более легких пород.

## 162. Калорийность пороха и керосина

Ошибочно полагать, что сильное действие взрывчатых веществ обусловлено огромным количеством заложенной в них энергии, т. е. исключительно высокой теплотворной способностью. Теплотворная способность взрывчатых веществ, напротив, поразительно мала по сравнению с калорийностью промышленных видов горючего. А именно, при сжигании 1 *кг*:

| | получается |
|---|---|
| черного дымного пороха | 3000 кДж |
| пироксилинового | 4000 кДж |
| кордита | 5000—6000 кДж |

Между тем теплотворная способность:

| | |
|---|---|
| керосина, бензина | 45 000 кДж |
| нефти | 44 000 кДж |
| угля донецкого и кузнецкого | 30 000 кДж |
| дров сухих | 13 000 кДж |

Эти данные нельзя, впрочем, непосредственно сопоставлять с предыдущими: надо принять в расчет то, что взрывчатые вещества при сгорании потребляют свой собственный кислород, топливо же заимствует его из окружающего воздуха. Относя выделяемую энергию к массе горючего, следует включить в него также и массу потребляемого кислорода. Эта добавочная масса раза в 2—3 больше, нежели масса самого топлива. Так, 1 кг угля потребляет при сгорании 2,2 кг кислорода (теоретически, на практике же вдвое больше); 1 кг нефти — 2,8 кг кислорода, и т. п.

Но и соответственно измененные цифры теплотворной способности топлива все же превосходят теплотворную способность взрывчатых веществ. Топить печи порохом было бы невыгодно, так как он дает втрое меньше тепла, нежели каменный уголь.

Естественно возникает вопрос: если взрывчатые вещества заключают в себе столь умеренные количества энергии, то чем же следует объяснять тогда их страшное разрушительное действие, их совершенно исключительную силу? Единственно лишь быстротой сгорания, т. е. тем, что сравнительно небольшое количество энергии проявляет себя в ничтожно малый промежуток времени. Сгорая, взрывчатые вещества образуют сразу много газов, которые, будучи стеснены в небольшой зарядной камере, напирают на орудийный снаряд с силою до 4 тысяч атмосфер. Если бы порох горел медленно, то за время, пока снаряд скользит в канале орудия, успела бы сгореть лишь небольшая доля заряда; газов образовалось бы немного, напор их был бы невелик, а скорость снаряда — незначительна. На самом же деле порох сгорает в орудии чрезвычайно быстро. Менее чем в сотую долю секунды он успевает полностью сгореть, а образовавшиеся газы успевают выбросить снаряд с огромной силой.

## 163. Мощность горящей спички

Это не вопрос-шутка, а вполне реальная задача из области физики. При горении развивается тепло, освобождается энергия. Сколько же джоулей энергии развивает горящая спичка в секунду? Другими словами: какова мощность горящей спички в ваттах? Ничего шуточного в постановке вопроса, как видите, нет.

Не надо думать, что энергия спички до смешного мала.

Легко убедиться, что она вовсе не ничтожна. Вот расчет. Спичка весит около 100 *мг* или 0,1 *г* (это можно определить прямым взвешиванием, а при отсутствии чувствительных весов — измерением ее объема, принимая плотность спичечной соломки за 0,5). Теплотворную способность древесины примем равной 12 500 Дж на грамм. Легко определить по часам, что спичка сгорает секунд в 20. Значит, из 1250 Дж (12 500 × 0,1), развивающихся при сгорании целой спички, в одну секунду появляется 1250 : 20, т. е. примерно 63 Дж. Следовательно, мощность горящей спички равна 63 ватта. Значит, горящая спичка по мощности превосходит 50-ваттную электрическую лампочку.

Сходным образом можно рассчитать, что папироса развивает при курении около 20 ватт.[1]

## 164. Выведение пятен утюгом

Устранение с платья жирных пятен нагреванием основано на том, что поверхностное натяжение жидкостей уменьшается с повышением температуры. «Поэтому если температура в различных частях жирного пятна различна, то жир стремится двигаться от нагретых мест к холодным. Приложим к одной стороне полотна нагретое железо, а к другой хлопчатую бумагу, тогда жир перейдет в хлопчатую бумагу» (Максвелл, «Теория теплоты»). Материал, впитывающий жир, надо, следовательно, помещать на стороне, противоположной утюгу.

## 165. Растворимость поваренной соли

Растворимость огромного большинства твердых тел в воде с повышением ее температуры увеличивается; например, сахар в воде при 0 ° растворяется в количестве 64%, а при 100 ° — в

---

[1] Данные для расчета: вес табака 0,6 *г*; теплотворная способность 12500 *Дж* на грамм; время, в течение которого выкуривается папироса, 5 мин.

количестве 83%. Поваренная соль, однако, не принадлежит к таким веществам: ее растворимость в воде почти не зависит от температуры: при 0 ° растворяется 26%, а при 100 ° — 28%. В 40-градусной и в 70-градусной воде растворяется строго одинаковое количество поваренной соли, именно 27%.

# V. ЗВУК И СВЕТ

## 166. Эхо

В стихотворении чередуются эхо двусложные («чаешь», «можно») с односложными («да», «чью»). Стихотворец не задумывался над тем, возможно ли в природе подобное чередование длинных и коротких эхо, и руководствовался, по-видимому, лишь правилами стихосложения. С точки же зрения физики такое явление нереально. Двусложное эхо указывает на вдвое большее удаление источника звука от отражающей преграды, нежели эхо односложное. Для человека, остающегося на месте, такие изменения расстояния невозможны.

В самом деле: когда мы слышим односложное эхо? Вообразите, что вы находитесь от отражающей преграды в расстоянии 33 м. Хлопните в ладоши: звук пробежит до преграды 33 м, затем такой же обратный путь, и вы услышите эхо через 66 : 330 = 0,2 с, потому что звук пробегает в секунду (в воздухе) около 330 м. Звук хлопанья так короток, что успевает прекратиться меньше чем в 0,2 с, т. е. прежде чем приходит эхо. Звук и эхо в этом случае слышны раздельно, не сливаясь. Так как односложные слова мы произносим примерно в 0,2 с, то односложное эхо можно слышать в расстоянии 33 м от преграды. Эхо же двусложного слова при таком удалении от преграды частью сольется с произносимым словом. Легко рассчитать, что двусложное эхо воспринимается четко лишь при удалении от преграды не менее чем на 66 м.

Обращаясь к стихотворению, видим, что при произнесении слова «отвечаешь» эхо донесло только последние два слога — «чаешь», все остальные слились с произносимым словом. Значит, пастух находился от преграды на расстоянии около 60—70 м. Но если так, то при произнесении слова «сюда» эхо должно было откликнуться двумя слогами, а не одним.

# 167. Звук грома

Гром доносится не обычными звуковыми волнами, а особыми так называемыми *взрывными* волнами, характеризующимися весьма значительными амплитудами колебаний. Взрывная волна во многом отлична от звуковой и только в конце своего недолговечного существования распадается на звуковые волны. Взрывные волны распространяются заметно скорее звука, причем скорость их не постоянна, а быстро убывает по мере того, как взрывная волна изменяет свое строение и разрушается. Опыты с распространением взрывных волн в трубах показывают, что скорость их достигает 12—14 *км/с*, т. е. превышает нормальную скорость звука в воздухе раз в 40.

Молния порождает взрывные волны, которые расходятся в атмосфере сначала быстрее звука. В этой стадии они воспринимаются ухом, как треск. Сильные, резкие, без предварительных раскатов, удары грома, которые мы слышим сразу после вспышки молнии (иногда даже одновременно с ней), обязаны своим происхождением взрывной волне, не успевшей распасться. Они свидетельствуют о близости грозового разряда, так как только на близком расстоянии взрывная волна сохраняет свою первоначальную структуру.

Второй род громового удара, сопровождающийся характерными раскатами, попеременным усилением и ослаблением звука, наблюдается спустя некоторый промежуток времени после молнии и говорит об отдаленности их источника. Но совершенно ошибочно распространенное убеждение, будто по числу секунд, протекших между молнией и громом, можно вычислить расстояние до грозового разряда (умножив число секунд на скорость звука). Ошибочно потому, что воздушная волна, приносящая звук грома, не распространялась все время со скоростью звука, а пробежала первую часть расстояния быстрее звука и только конечную часть пути прошла со скоростью звука.

Сказанное о звуке грома не относится к звукам орудийного выстрела: взрывная волна при выстреле из пушки превращается в нормальную звуковую уже в двух метрах от орудия; поэтому определение скорости звука помощью стрельбы из пушек вполне возможно.

# 168. Звук и ветер

Приводим относящиеся сюда соображения из книги Лакура и Аппеля «Историческая физика»:

«Известно, что в направлении, по которому дует ветер, звуки слышатся лучше, чем в противоположном. При этом обыкновенно удовлетворяются объяснениями, что в направлении ветра к скорости звука прибавляется скорость ветра. Что

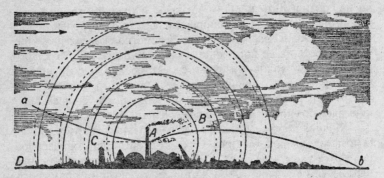

Рис. 118. Как ветер изменяет форму звуковых волн.

это объяснение недостаточно, легко видеть, если припомнить, что движение воздуха со скоростью 10 *м/с* ощущается как довольно сильный ветер: но распространяется ли звук вместо 330 *м/с* со скоростью 340 или 320 *м/с,* смотря по тому, движется ли он по ветру или против него, — это не может, очевидно, иметь значительного влияния на силу звука. Английский физик Джон Тиндаль объяснил это явление следующим образом. Скорость ветра на высоте почти всегда бывает больше, чем непосредственно у поверхности земли. Вследствие этого поверхности волн, которые в спокойном воздухе должны быть шаровыми (пунктирные линии рис. 118), изменяют свои формы, распространяясь в направлении ветра (направление стрелки) быстрее, чем у поверхности земли. Поэтому они принимают формы, обозначенные на рисунке сплошными линиями. А так как распространение звука в каждой точке происходит перпендикулярно к поверхности волны, то звук, исходящий из точки *A* в направлении *AC,* не достигнет наблюдателя, находящегося в точке *D,* но пройдет над ним в направлении *Aa,* и наблюдатель в точке *D* не услышит звука. Напротив того, звук, выходящий по направлению *AB,* распространяется по линии *Ab,* которая повсюду перпендикулярна к поверхности волны. Звук, следовательно, будет услышан наблюдателем в точке *b;* все звуки, исходящие из *A,* по направлению ниже *AB,* будут отклонены подобным же образом и достигнут земной поверхности в различных точках между *A* и *b*. Эта часть земной поверхности получит больше звуков, чем собственно следовало бы, а именно — все звуки, которые при безветренной погоде распространялись бы по всему пространству над *AB*».

Рис. 119. Как действует на звук попутный ветер.

Рис. 120. Как действует на звук встречный ветер.

Итак, причина усиления звука при ветре кроется не в изменении *скорости* звуковых волн, а в изменении их *формы* (в конечном итоге зависящем, впрочем, от изменения скорости).

## 169. Давление звука

Давление (наибольшее) воздушных волн в $\frac{1}{20}$ паскаля дает уже ощутимый звук. При громких звуках давление усиливается в сотни и тысячи раз. Но все же давление звука чрезвычайно мало. Вычислено, например, что шум улицы большого города давит на барабанную перепонку с силой 1—2 паскаля, т. е. одной 100 000-й или 50 000-й атмосферы.

Вот величина давления производственных шумов в различных цехах металлообрабатывающей промышленности (по измерениям Ленинградского института организации и охраны труда):

|                            | *Па* |
|----------------------------|------|
| в холодно-заклепочном      | 2,6  |
| в кузнице                  | 1,9  |
| в прокатном                | 1,85 |
| в железокотельном          | 1,7  |
| в проволочно-гвоздильном   | 1,5  |
| в автоматно-револьверном   | 1,35 |
| в жестяничном              | 0,8  |
| в обрубном                 | 0,75 |
| в полировочном             | 0,7  |

При давлении звука, равном четверти атмосферы, барабанная перепонка подвергается опасности разрыва («критическое» давление звука).

Допустимым в производстве без явного вреда для уха считается шум, оказывающий давление в 0,3 *Па*.

## 170. Почему дверь заглушает звук?

Дверь заглушает звук — как ни странно — потому, что дерево *быстрее* проводит звук, чем воздух. При переходе из воздуха в дерево, т. е. в среду, быстрее проводящую звук, луч звука *удаляется* от перпендикуляра падения. Существует поэтому «предельный угол» падения для звуковых лучей, проникающих из воздуха в дерево, и угол этот, соответственно большому показателю преломления, весьма невелик. Отсюда следует, что значительная часть звуковых волн, падающих из воздуха на поверхность дерева, должна отражаться назад в воздух, не проникая в дерево. В итоге через дерево проходит из воздуха сравнительно небольшой процент энергии волн, падающих на поверхность раздела обеих сред. Сказанным и объясняется заглушающее действие двери.

### 171. Звуковая линза

Устроить преломляющую линзу для звука вполне возможно. Такой линзой может служить полушар из проволочной сетки, заполненный пухом — веществом, замедляющим движение звука. Этот полушар будет действовать на лучи звука как собирательная линза. На рис. 121 видна звуковая диафрагма из листа картона, поставленная впереди линзы и способствующая выделению тех звуковых лучей, которые сосредоточиваются линзой в фокусе $F$. В точке $S$ помещают источник звука (свисток), а в $F$ — чувствительное к звуку пламя. Так обставлял опыт проф. Н. А. Гезехус.

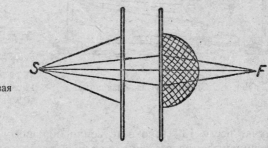

Рис. 121. Звуковая линза из пуха.

Тиндаль устраивал звуковую линзу иным образом:

«Мы составим такую чечевицу, — писал он, — наполнив тонкий шар каким-нибудь газом, который плотнее воздуха. Вот, например, шар из коллодиума (рис. 122), наполненный углекислым газом; стенки его так тонки, что легко уступают каждому толчку, ударяющему их, и передают толчок заключающемуся внутри газу. Затем я вешаю мои карманные часы близ чечевицы, сзади которой на расстоянии около $1\frac{1}{2}$ м помещаю мое ухо, вооруженное стеклянной воронкой.

Двигая головой в разные стороны, я скоро нахожу место, в котором тиканье часов звучит особенно громко. Это место есть «фокус» чечевицы. Если я отодвину мое ухо от этого фокуса, сила звука ослабевает; если ухо остается в фокусе, но самый шар сдвигается со своего места, тиканье также ослабевает; когда шар снова ставят на место, тиканье получает прежнюю силу. Значит, чечевица дает возможность ясно слышать тиканье часов, между тем как оно совершенно не слышно для невооруженного уха».

## 172. Преломление звука

Если станем рассуждать по аналогии с лучом света, то получим неверный ответ на вопрос задачи, так как свет распространяется в воде медленнее, чем в воздухе, а звук, напротив, значительно (в 4 раза) быстрее. Поэтому звуковой луч, вступая в воду из воздуха, удаляется от перпендикуляра падения. По той же причине для прохождения звука из воздуха в воду существует предельный угол, равный в данном

Рис. 122. Звуковая углекислая линза.

Рис. 123. Преломление звука в воде.

случае всего 13 ° (соответственно большому значению коэффициента преломления, который равен отношению скоростей распространения звука в обеих средах). Из рис. 123 видно, как мал конус *AOB*, включающий все направления, следуя которым звук может проникнуть в воду. Звуковые лучи, лежащие за пределами конуса *AOB*, отражаются от поверхности воды, не проникая в нее (полное внутреннее отражение звука).

## 173. Шум в раковине

Шум, который мы слышим, приставив к уху чашку или крупную раковину, происходит вследствие того, что раковина является *резонатором*, усиливающим многочисленные шумы в окружающей обстановке, обычно нами не замечаемые из-за их слабости. Этот смешанный звук напоминает гул моря, — что и подало повод к различным легендам, сложившимся вокруг шума раковины.

## 174. Камертон и резонатор

Когда колебания камертона передаются резонатору, звук становится громче, но зато *длится меньше*. В конечном итоге количество энергии, излучаемое звучащими камертоном и резонатором, одинаково. Никакого избытка энергии не получается.

## 175. Куда деваются волны звука?

Когда звук замирает, энергия звуковых волн превращается в энергию теплового движения молекул воздуха и стен. Если бы воздух в комнате не обладал внутренним трением, а стены были абсолютно упруги, то раз порожденный звук не замирал бы никогда: всякая нота звучала бы в комнате вечно. В комнате обычных размеров звуковые волны отражаются от стен 200—300 раз, передавая им при каждом отражении некоторую долю энергии, и наконец поглощаются целиком, повышая температуру стен. Нагревание это, конечно, неуловимо мало. Чтобы таким путем породить один джоуль, певец должен был бы петь без перерыва почти сутки. «Десять тысяч человек, кричащих во весь голос, обращают в шум столько энергии, сколько хватило бы только на горение одной электролампочки за то время, как длится их энтузиазм», — говорит проф. Ноултон в своей своеобразной «Физике».

Гораздо труднее ответить на вопрос: «куда деваются волны света?», имея в виду свет бесчисленных звезд. Наука пока бессильна разрешить эту загадку.

## 176. Видимость лучей света

Многие люди, даже получившие школьное образование, убеждены, что им не раз случалось видеть лучи света. Такие очевидцы будут весьма изумлены, узнав, что лучей света они ни разу не видели и видеть не могли по той простой причине, что световые лучи вообще невидимы. Каждый раз, когда нам кажется, что мы видим лучи, мы в действительности видим нечто другое — видим тела, освещенные световыми лучами. Свет, делающий все видимым, совершенно невидим сам. Очень выпукло писал об этом Джон Гершель, сын великого астронома и сам выдающийся астроном и физик:

«Свет, хотя и является причиной зрения, сам по себе *невидим*. Говорят, правда, что солнечный луч виден, когда он проходит в темную комнату сквозь отверстие в стене, либо когда в облачном небе световые полосы или лучи прорываются в промежутки туч, расходясь из (невидимого) места Солнца, как из точки, в которой сходятся перспективно все параллельные линии. Но то, что мы в этих случаях видим, есть не свет, а бесчисленные частицы пыли или тумана, отражающие небольшую часть света, подобно тому, как в густом тумане выпуклое стекло фонаря словно изливает обширный световой конус, в сущности состоящий из освещенной части тумана. Месяц виден благодаря солнечному свету, озаряющему его. Там, где нет месяца, мы не видим ничего, хотя мы убеждены, что, когда в своем движении он дойдет до места, на которое мы смотрим, мы его увидим, и что, если бы наши глаза могли быть перенесены на место Луны (в какой бы части неба она ни находилась, только бы не была заслонена), мы оттуда увидели бы Солнце. Следовательно, в каждом таком месте постоянно есть солнечный свет, хоть и невидимый как объект. Он существует тут в виде *процесса*. То, что справедливо относительно Солнца, столь же справедливо и относительно звезд; поэтому, когда мы смотрим на небо темною ночью, то хотя и убеждены, что все пространство беспрестанно перекрещивается во всех направлениях линиями, вдоль которых пробегает свет, и что все темное пространство вокруг нас (вне земной тени), так сказать, залито солнечным светом, мы, однако, видим только мрак, исключая тех направлений, по которым линия нашего зрения встречает звезду».

Сказанному как будто противоречит тот факт, что мы ясно видим лучи света, испускаемые звездами и вообще световыми точками, а прищурив глаза, различаем луч света, протягивающийся к нам от далекого светила. Это, однако, заблуждение. То, что мы считаем лучами звезд, на самом деле является следствием лучистого расположения волокон хрусталика нашего глаза. Если, по совету Леонардо да Винчи, будем смотреть на звезды через маленькое отверстие, проколотое острой иглой, мы никаких лучей у звезд не увидим: они покажутся яркими пылинками, потому что в таком случае в глаз пропускается через центральную часть хрусталика тонкий световой пучок, и лучистое строение хрусталика проявиться не может. Что же касается луча, видимого прищуренными глазами, то это — следствие дифракции света в ресницах.

### 177. Восход солнца

1) Представляется как будто совершенно бесспорным утверждение, что при мгновенном распространении света мы

должны были бы наблюдать восход Солнца 8 минутами раньше, чем теперь, когда луч Солнца странствует до нас 8 минут. Такой ответ я и получал от большинства опрашиваемых, в том числе и от видных физиков. Интересно, как ответили бы они, если бы вопрос поставлен был не о восходе Солнца, а о восходе Сириуса, удаленного от нас на десять световых лет. Рассуждая согласно прежнему, они должны заключить, что мы ежедневно видели бы восход этой звезды десятью годами раньше, — утверждение, лишенное всякого смысла...

В действительности мгновенное распространение света не изменило бы момента восхода небесных светил. Лучи, которые поступают в глаз, когда мы видим восходящее Солнце (т. е. когда вращающаяся Земля выносит нас из конуса земной тени в залитое Солнцем пространство), покинули Солнце уже 8 минут назад, и нам не приходится ожидать 8 минут, пока они пробегут расстояние от Солнца до Земли. Поэтому при мгновенном распространении света восход Солнца замечался бы нами в тот же самый момент, что и теперь, а не на 8 минут раньше.

Задача рассмотрена нами при условии, что Земля вращается относительно неподвижного Солнца. Как изменится решение при обратном допущении: Солнце обходит в 24 часа вокруг неподвижной Земли?

Отвечая на этот вопрос, легко придти к неверному заключению, что замена гелиоцентрической точки зрения геоцентрической приводит к иному решению задачи. Чтобы не запутаться в рассуждениях, надо с полною ясностью представить себе обстановку явления. Движется ли свет последовательно или распространяется мгновенно, картина освещения мирового пространства одна и та же: мир пронизан солнечными лучами на биллионы световых лет,[1] озарен ими всюду, *кроме конуса земной (и планетных) теней*. Для данной точки земной поверхности восход Солнца наступит в тот момент, когда рассматриваемая точка окажется на границе теневого конуса. В случае вращающейся Земли точка эта движется к границе тени; в случае неподвижной Земли — граница тени движется к точке. Так как сближение точки земной поверхности и границы теневого конуса происходит в обоих случаях с одинаковой скоростью, то восход Солнца должен наблюдаться в один и тот же момент.

Итак, допущение неподвижности Земли не вносит в решение задачи никакого изменения.

---

[1] Будем иметь в виду, что Солнце светит уже миллиарды лет.

Надо заметить, однако, что Солнце, которое мы видели бы восходящим при мгновенной передаче света, было бы не строго тождественно с тем, которое мы наблюдаем теперь: оно выплывало бы из-под горизонта помолодевшим на 8 минут.

2) Если бы свет в пустом пространстве и в вещественной среде распространялся мгновенно, то не было бы *преломления*. Причиной преломления является изменение скорости света при переходе из одной среды (или из пустоты) в другую; где эта скорость не меняется, там не может быть и преломления. При отсутствии же преломления световых лучей в глазу (и в стеклах оптических приборов) на сетчатке не получается четкого изображения внешних предметов.

Из оптических приборов можно было бы пользоваться только телескопом-рефлектором, в котором окуляр заменен небольшим отверстием; увеличение такого прибора было бы незначительно, но он дал бы возможность различать форму тел, между тем как без него глаз наш различал бы только свет и темноту.

### 178. Тень проволоки

Длина полной тени, отбрасываемой проволокой при солнечном освещении, определяется пересечением общих внешних касательных, проведенных к окружности солнечного шара и к кругу сечения проволоки. Из рис. 124 видно, что угол $A$ встречи касательных равен тому углу, под каким земному наблюдателю виден диск Солнца, т. е. $^1/_2°$. Отсюда легко определить длину тени проволоки: она равна диаметру проволоки, умноженному на $2 \times 57$, так как предмет, видимый под углом в $1°$, удален на 57 своих поперечников. Если толщина проволоки, на которой подвешен фонарь, равна $^1/_2$ *см,* то длина тени

$$\frac{1}{2} \times 114 = 57 \ \textit{см,}$$

расстояние, значительно меньшее, чем высота фонаря над мостовой. Поэтому тень (полная) от проволоки не достигает мостовой.

Тень же самого фонаря (в пространстве) значительно длиннее, соответственно большему поперечнику. Если поперечник фонаря 30 *см,* то длина отбрасываемой им в пространстве тени равна

$$0,3 \times 114 \cong 34 \ \textit{м.}$$

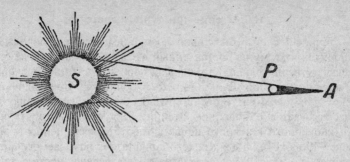

Рис. 124. Почему тень PA от проволоки P очень коротка.

Эта тень даже при довольно низком стоянии Солнца должна достигать мостовой, так как фонарь подвешивается на высоте не более 10 *м.*

### 179. Тень облака

Облако, как и фонарь в предыдущем вопросе, отбрасывает суживающийся к Земле конус полной тени (а не расширяющийся, как часто утверждают). Длина конуса, ввиду значительных размеров облака, весьма велика. Если поперечник облака только 100 *м,* то длина тени — свыше 11 *км.*
Интересно вычислить величину укорочения тени на Земле по
сравнению с величиной отбрасывающего ее облака. Возьмем
пример: облако плавает на высоте 1000 *м,* и лучи Солнца
встречают почву под углом 45 °; длина части конуса тени ме-
жду облаком и почвой = $1000\sqrt{2} \approx 1400$ *м.* Стороны угла в $^1/_2^{\circ}$
расходятся в таком расстоянии от вершины на $\dfrac{1400}{115}$ *м,* т. е.
около 12 *м.* Если облако само меньше 12 *м,* оно совсем не
отбросит на Землю полной тени. При больших размерах облако в указанных условиях дает на Земле полную тень, которая на 12 *м* короче соответствующего протяжения облака.
Для облаков значительной величины такая разница относительно невелика, и полная тень облака, обрисовывающаяся
на Земле, практически мало отличается по размерам от самого облака. Поэтому можно считать их одинаковой величины, хотя обычно думают, что тень больше облака. Это дает
возможность легко определять размеры облаков в длину и в
ширину.

## 180. Чтение при лунном свете

Лунный свет субъективно воспринимается как довольно сильный; поэтому на поставленный в задаче вопрос многие отвечают утвердительно. Кто, однако, пробовал читать книгу при освещении полной Луны, тот мог убедиться, что различать текст при таком свете очень трудно (хотя в иных романах и рассказывается о подобном чтении). Для свободного чтения обыкновенного книжного шрифта требуется освещенность не менее 40 люксов,[1] а для мелкого шрифта, так называемого «петита» — не менее 80 люксов. Между тем, освещенность в полнолуние при безоблачном небе — всего только одна десятая доля люкса. (Полная Луна дает такое освещение, как одна свеча с расстояния 3 *м*). Ясно, что лунное освещение далеко не достаточно для чтения книжного шрифта без напряжения.

## 181. Черный бархат и белый снег

Ничто, казалось бы, не превосходит черного бархата в черноте и белого снега — в белизне. Однако эти давнишние классические образцы черного и белого, темного и светлого, предстают совершенно иными, когда к ним подходят с беспристрастным физическим прибором — фотометром. Тогда оказывается, что, например, самый черный бархат под лучами Солнца *светлее*, чем самый чистый снег в лунную ночь.

Причина та, что черная поверхность, какой бы темной она ни казалась, не поглощает полностью всех падающих на нее лучей видимого света. Даже сажа и платиновая чернь — самые черные краски, какие нам известны, — рассеивают около 1—2% падающего на них света. Остановимся на цифре 1% и будем считать, что снег рассеивает все 100% падающего на него света (что безусловно преувеличено).[2] Известно, что освещение, даваемое Солнцем, в 400 000 раз сильнее освещения Луны. Поэтому 1% солнечного света, рассеиваемый черным бархатом, в тысячи раз интенсивнее 100% лунного света, рассеиваемого

---

[1] 1 *люкс* — степень освещения, даваемого 1 свечой с расстояния 1 *м*, если лучи света падают перпендикулярно к освещаемой поверхности. Или, точнее, освещенность поверхности площадью 1 $м^2$ при световом потоке 1 *люмен*, т. е. таком световом потоке, какой дает точечный источник света силой в 1 *канделу* на телесном угле 1 стерадиан (1 кандела = 1 свеча).

[2] Свежевыпавший снег рассеивает только около 80% падающего на него света.

снегом. Другими словами, черный бархат при солнечном свете во много раз светлее снега, озаренного Луной.

Сказанное относится, конечно, не только к снегу, но и к самым лучшим белилам (наиболее светлые из них титановые белила $TiO_2$ и литопон $BaSO_4+ZnS$). Так как никакая поверхность, если она не раскалена, не может отбрасывать больше света, чем на нее падает, а Луна посылает в 400 000 раз меньше света, нежели Солнце, то немыслимо существование такой белой краски, которая при лунном свете была бы объективно светлее самой черной краски в солнечный день.

## 182. Звезда и свеча

Обыкновенная свеча светит в сотни тысяч раз ярче, чем звезда: надо удалить свечу на 500 *м*, чтобы освещение, даваемое ею, сравнялось с освещением звезды первой величины. Значит, в тех условиях, какие указаны в вопросе, оба источника дают одинаковую степень освещения (а именно 0, 000 004 люкса).

## 183. Цвет лунной поверхности

Луна рассеивает только 14-ю долю того света, который падает на ее поверхность. Поэтому астрономы с полным правом называют поверхность нашего спутника *серою*. Причина того, что Луна тем не менее представляется нам с Земли белой, понятно объяснена Тиндалем в его лекциях о свете:

«Свет, падающий на тело, разделяется на две части, из которых одна отражается от его поверхности (рассеивается). Этот отраженный свет сохраняет тот цвет, какой имели падающие лучи. Если падающий свет был белый, то и отражающийся от поверхности будет белым. Солнечный свет, например, отраженный даже от черного предмета, остается белым. Самый черный дым из трубы, когда он освещается снопом солнечного света, проникающим в темную комнату сквозь отверстие в ставне, отражает на всем протяжении белый свет от своих мельчайших частиц. Луна представляется нам, по выражению поэта:

В бархат одетая, загадочно-прекрасная...

Но если бы Луна действительно была обтянута самым черным бархатом, она и тогда сияла бы на небе серебристым диском».

Большую роль играет, конечно, и контраст с темным небом, на фоне которого даже слабые источники света кажутся яркими.

## 184. Почему снег белый?

Снег имеет белый цвет по той же причине, по какой кажется белым толченое стекло и вообще всякие измельченные прозрачные вещества. Растолките лед в ступке или наскребите его ножом — и у вас получится порошок белого цвета. Цвет этот обусловлен тем, что лучи света, проникая в мелкие кусочки прозрачного льда, не проходят сквозь них, а отражаются внутрь на границах льдинок и воздуха (полное внутреннее отражение). Поверхность же, неравномерно рассеивающая во все стороны падающие на нее лучи, воспринимается глазом как белая.

Значит, причина белого цвета снега — его раздробленность. Если промежуток между снежинками заполнить водой, снег утрачивает белый цвет и становится прозрачным. Такой опыт нетрудно проделать: если вы насыплете снега в банку и нальете туда воды, снег на ваших глазах из белого сделается бесцветным и прозрачным.

## 185. Блеск начищенного сапога

Ни черная вязкая вакса, ни щетка не заключают как будто ничего такого, что могло бы создавать блеск. Поэтому блеск начищенного сапога представляет для многих своего рода загадку.

Рис. 125. Для человека, уменьшенного в 10 000 000 раз, полированная пластинка была бы холмистой местностью.

Чтобы разгадать ее, надо уяснить себе, чем отличается блестящая полированная поверхность от матовой. Обычно думают, что полированная поверхность «гладка», а матовая — «шероховата». Это неверно: шероховаты и та и другая поверхности. Абсолютно гладких поверхностей не существует. Если бы мы могли рассматривать полированную поверхность в микроскоп, мы увидели бы картину вроде той, какую представляет под микроскопом лезвие ножа; для человека, уменьшенного в десять миллионов раз, поверхность гладко отполированной пластинки казалась бы холмистой местностью. Неровности, углубления, царапины имеются на всякой поверхности — матовой и полированной. Все дело в *величине* этих неровностей. Если они меньше длины волны падающего на них света, то лучи отражаются «правильно», т. е. сохраняя углы взаимного наклонения, какие составляли до отражения. Такая поверхность дает зеркальные изображения, она блестит, и мы называем ее полированной. Если же неровности больше длины волны падающего света, то лучи разбрасываются без сохранения первоначальных углов взаимного наклонения; такой «рассеянный» свет не дает ни зеркальных изображений, ни бликов, и мы называем поверхность матовой.

Отсюда следует, между прочим, что поверхность может быть полированной для одних лучей и матовой для других. Для лучей видимого света, средняя длина волны которых равна полумикрону (0,0005 *мм*), поверхность с неровностями менее указанного размера будет полированной; для лучей инфракрасных, с более длинной волной, она тоже, конечно, полированная; но для ультрафиолетовых, имеющих более короткую волну, она — матовая.

Возвратимся к прозаической теме нашей задачи: почему начищенный сапог блестит? Непокрытая ваксой поверхность кожи имеет бугристое строение с неровностями более значительных размеров, чем длина волн видимого света: она матовая. Вязкое вещество ваксы, наносимое тонким слоем на шероховатую поверхность кожи, сглаживает ее неровности и укладывает торчащие ворсинки. Растирание щетками, удаляя излишки ваксы на выступах и заполняя промежутки, уменьшает неровности до таких размеров, при которых бугры становятся меньше длины волн видимых лучей, и поверхность из матовой превращается в блестящую.

Что касается блеска тканей (например, сатина), то здесь причина сложнее. Подробное рассмотрение этого вопроса читатель найдет в книге Уильяма Брэгга «Старая техника и новые знания», в главе «Ткацкое дело» (есть русский перевод, ГИЗ, 1928).

### 186. Число цветов в спектре и радуге

Общая уверенность, что в солнечном спектре и в радуге именно 7 цветов — одно из рутинных заблуждений, всеми повторяемое и никем не проверяемое. Если ленту спектра рассматривать без предвзятой мысли, внушаемой учебниками, можно различить в ней только *пять* основных цветов:

красный, желтый, зеленый, голубой, фиолетовый.

Они не имеют резких границ, а переходят один в другой постепенно, так что, кроме перечисленных основных цветов, различаются следующие промежуточные оттенки:

красно-желтый (оранжевый),
желто-зеленый,
зелено-голубой,
фиолетово-голубой (синий).

Значит, в спектре либо 5 цветов, если ограничиваться только основными, либо 9, если брать также промежуточные.

Почему же установился обычай насчитывать *семь* цветов? Ньютон первоначально различал только пять. Описывая свой знаменитый опыт (в «Оптике»), он говорит:

«Спектр оказался окрашенным и притом так, что часть наименее преломленная была *красною*; верхняя же, наиболее преломленная часть у конца окрашена в *фиолетовый* цвет. Пространство между этими крайними цветами имело *желтую*, *зеленую* и *голубую* окраску».

Но позднее, стремясь создать соответствие между числом цветов спектра и числом основных тонов музыкальной гаммы, Ньютон к пяти перечисленным цветам спектра добавил еще два. Это необоснованное пристрастие к числу семь представляет собой в сущности отголосок астрологических верований [1] и древнего учения о «музыке сфер» (как и поговорка о «седьмом небе»).

---

[1] Английский физик Хаустен в книге «Свет и цвета» пишет по этому поводу следующее:

«Семь планет (древние причисляли к планетам также Солнце и Луну) считались божествами, и эта идея проходила красной нитью через всю средневековую астрологию: влияние Солнца на урожай и на погоду было настолько очевидно, что казалось естественным допустить влияние других планет на человеческие дела, быть может не столь очевидное, но не менее важное... Подразделение месяца на недели было сделано в честь планет. И несомненно благодаря тем же семи планетам число семь получило священный характер в библии; в алхимии было семь основных металлов, в октаве — семь нот, в спектре — семь цветов».

В той же книге (изданной также по-русски) читатель найдет подробное описание знаменитого опыта Ньютона с призмами и ряд интересных исторических сведений.

Что же касается *радуги*, то здесь не может быть и речи о различении *семи цветов*; не удается заметить даже и пяти оттенков. Обычно мы видим в радуге только *три цвета*: красный, зеленый и фиолетовый; иногда едва различается желтый; в других случаях радуга заключает довольно широкую белую полосу.

Надо удивляться тому, как крепко засело в умах учение о «семи» цветах спектра даже в наши дни экспериментального метода обучения физике. Впрочем, семицветный спектр сохранился лишь в учебных книгах средней школы; из университетских курсов предрассудок этот уже вывелся.

Строго говоря, даже и те пять основных цветов спектра, которые мы перечислили раньше, до известной степени условны. Можно считать, что лента спектра расчленяется только на три главные части: на

красную,
желто-зеленую,
сине-фиолетовую.

Если же учитывать каждый поддающийся различению оттенок цвета, то в спектре, как показали опыты, можно рассмотреть их свыше 150.[1]

### 187. Радуга

1) Радуга видна лишь тогда, когда высота Солнца над горизонтом не превышает 42°. Между тем высота полуденного Солнца на широте Москвы в день летнего солнцестояния (22 июня) равна $90° - 56° + 23^{1}/_{2}° = 57^{1}/_{2}°$. Значит, Солнце стояло на небе выше, чем необходимо для возможности видеть радугу.

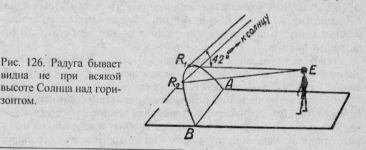

Рис. 126. Радуга бывает видна не при всякой высоте Солнца над горизонтом.

---

[1] Способность человеческого глаза к различению вообще цветовых оттенков может быть развита до чрезвычайности. Мозаичные мастера древнего Рима насчитывали, как утверждают специалисты, свыше 10 000 различных цветов и их оттенков.

2) Видеть радугу, поместившись у одного ее конца, нельзя ни при каких условиях. Глаз наблюдателя всегда находится на прямой линии, соединяющей центр радуги с центром солнечного диска (поэтому, между прочим, двое наблюдателей никогда не видят одну и ту же радугу).

## 188. Сквозь цветные стекла

Зеленое стекло способно пропускать только зеленые лучи и задерживает все прочие; красные цветы посылают одни красные лучи и почти никаких других. Глядя через зеленое стекло на красный цветок, мы не получим от его лепестков никаких лучей света, так как единственные лучи, ими испускаемые, задерживаются этим стеклом. Поэтому красный цветок будет казаться через такое стекло *черным*.

Черного цвета будет, как легко понять, также и синий цветок, рассматриваемый через зеленое стекло.

Проф. М. Ю. Пиотровский — физик, художник и тонкий наблюдатель природы, делает по этому поводу ряд интересных замечаний в своей книге «Физика в летних экскурсиях»:

«Наблюдая цветник через *красное* стекло, мы легко заметим, что чисто красные цветы, например герань, представляются нам столь же яркими, как чисто белые; зеленые листья кажутся совершенно черными с металлическим блеском; синие цветы (аконит, «рыцарские шпоры») черны до такой степени, что их на черном фоне листьев едва можно найти; цветы желтые, розовые, сиреневые представляются более или менее тусклыми».

Взяв *зеленое* стекло, мы видим необычайно яркую зелень листьев; на ней еще более ярко выступают белые цветы; несколько бледнее — желтые и голубые; красные представляются густо черными; сиреневые и бледнорозовые — тусклыми, серыми, так что, например, светлорозовые лепестки шиповника оказываются темнее, чем его густо окрашенные листья».

Наконец через *синее* стекло красные цветы снова кажутся черными; белые — яркими; желтые — совершенно черными; голубые, синие — почти столь же яркими, как и белые».

Отсюда нетрудно понять, что красные цветы посылают нам, действительно, гораздо больше красных лучей, чем всяких других, желтые — приблизительно одинаковое количество красных и зеленых, но очень мало синих; розовые и пурпуровые — много красных и много синих, но мало зеленых, и т. д.».

Подобное же изменение окраски наблюдается и при освещении цветным светом. На этом основан ряд неожиданных эффектов, демонстрируемых в «Доме занимательной науки» в Ленинграде.

## 189. Изменение цвета золота

Чтобы золото утратило свой характерный желтый цвет, надо рассматривать его в свете, из которого желтые лучи исключены. Ньютон достигал этого тем, что задерживал желтый цвет спектральной ленты, а все прочие пропускал дальше, соединяя их затем помощью собирательной чечевицы. «Если, — писал он, — до входа в чечевицу задержать желтые лучи, то золото (освещенное прочими лучами) кажется белым, как серебро».

## 190. Дневное и вечернее освещение

В свете электрической лампочки гораздо меньше синих и зеленых лучей, чем в свете Солнца. Поэтому лиловый ситец, освещенный электрической лампой, не посылает в глаз почти никаких лучей, — единственные лучи, которые этот ситец способен посылать, им самим не получаются. А всякая поверхность, не посылающая глазу лучей света, представляется нам черной.

## 191. Цвет неба

> Небо только благодаря земле сине и лучезарно.
> *И. С. Тургенев.*

Солнце заливает земную атмосферу белым светом, но в наш глаз, когда мы смотрим на небо, попадают только те лучи, которые рассеиваются молекулами воздуха и взвешенными в нем мельчайшими пылинками. Молекулы же воздуха и пылинки рассеивают, т. е. отбрасывают, лучи с *короткими* волнами — именно синие, голубые; более длинные волны обтекают мелкие частицы и следуют дальше. Поэтому в свете, рассеиваемом воздухом, преобладают лучи синие, а в свете, прошедшем сквозь атмосферу, имеется избыток красных лучей.

Днем мы получаем от неба рассеиваемые им лучи и потому видим небо синим или голубым. Утром же и вечером, при восходе или закате Солнца, в наш глаз попадают лучи, прошедшие сквозь толщу воздуха, — и небо близ горизонта мы видим красного цвета. Точно также во время полного лунного затмения Луна окрашивается в красноватый цвет лучами, прошедшими через земную атмосферу.

Механизм этого явления очень наглядно описан Джинсом в его «Движении миров»:

«Представьте себе, что мы стоим на морской пристани и наблюдаем за бегущими волнами, ударяющими о железные столбы пристани. Большие волны, как бы совсем не замечая столбов, лишь на мгновение разделяются ими, затем снова сходятся и продолжают свой путь так же, как если бы столбов не существовало вовсе.

Но для коротких волн и ряби столбы пристани являются серьезным препятствием. Короткие волны, наскакивая на столбы, отражаются обратно и распространяются в виде новой ряби во всех направлениях. Употребляя технический термин, они «рассеиваются». Препятствие, представляемое железными столбами, почти не оказывает действия на длинные волны, но рассеивает рябь.

Это движение волн может послужить нам моделью того, каким образом солнечный свет пробивается через земную атмосферу. Между Землей и межзвездным пространством находится земная атмосфера с бесчисленными препятствиями в виде молекул воздуха, пылинок и мелких капель воды, — они и представлены на модели столбами пристани. Морские же волны как бы изображают собою солнечный свет. Мы знаем, что солнечный свет является смесью света многих цветов. Мы знаем также, что свет состоит из волн и что разные цвета света вызываются волнами различной длины: красный свет — длинными волнами, а синий — короткими. Смешанные волны, из которых состоит свет, должны пробираться через препятствия, встречаемые ими в атмосфере, также, как смешанные волны морского прибоя должны проходить через столбы пристани. Длинные волны, образующие красный свет, едва затрагиваются этими препятствиями; короткие же волны, порождающие синий свет, рассеиваются во всех направлениях.

Таким образом земная атмосфера на разные составные части солнечного света оказывает различное действие. Волна синего света может быть рассеяна и отброшена со своего пути мельчайшей пылинкой. Спустя некоторое время другая пылинка снова отбрасывает ее с пути и так далее, пока, наконец, эта волна попадет в наши глаза по зигзагообразному пути. Поэтому голубые лучи солнечного света попадают в наши глаза со всех сторон: вот почему небо выглядит голубым. Красные же волны идут к нам прямо, не сворачивая из-за атмосферных препятствий, и сразу попадают, в наши глаза».

Различные оттенки вечернего неба известный американский метеоролог Гэмфриз объясняет следующим образом:

«Цвет неба зависит от относительной яркости доходящих до наблюдателя различных цветных лучей, а эта яркость, в свою очередь, зависит от рассеяния, которое обусловливается размером и числом пылевых частиц в атмосфере... Если эти частицы сравнительно немногочисленны и малы, то цвет неба бывает голубым. Напротив, когда увеличивается их число и размеры (например, в сухие ветреные дни), или увеличиваются только размеры (вследствие гигроскопичности частиц при увеличении влажности атмосферы), — тогда лучи с короткой волной ослабляются более значительно, и небо принимает цвет, отвечающий большей длине волны: зеленый, желтый, даже красный. Наконец, если частицы настолько велики, что отбрасывают лучи всех цветов, небо делается беловатым.

После сказанного понятно, почему вечером и утром небо часто бывает окрашено в различные цвета: близ горизонта — в красный, повыше — в оранжевый и желтый, еще выше — в зеленый и голубовато-зеленый. Здесь сказывается влияние высоты, а следовательно и уменьшения числа и размеров пылинок в тех атмосферных слоях, которые пронизываются солнечными лучами, прежде чем они достигнут от границ атмосферы до рассматриваемой части неба и отсюда до глаза наблюдателя».

Цвет вечернего неба, заметим кстати, является одним из местных признаков предстоящей погоды. Красное вечернее небо указывает на то, что в ближайшие сутки дождя не будет. Желтый или зеленоватый оттенок близ западного горизонта увеличивает шансы на хорошую погоду. Если же вечернее небо покрыто однородным серым налетом, вероятен дождь.[1]

## 192. Распространение жизни в мировом пространстве

Нельзя говорить о переносе зародышей солнечными лучами на Землю с Марса или с Нептуна, потому что давление световых волн направлено от Солнца, а не к Солнцу, как утверждает учебник. В книге Аррениуса мы и не находим подобных утверждений. Он пишет:

«Нарисуем картину того, что должно было бы произойти, если бы микроорганизм, отделившись от Земли, был отброшен давлением солнечных лучей в пространство. Орбиту Марса такое тельце перейдет уже через 20 дней, орбиту Юпитера через 80 дней, орбиту Нептуна через 14 месяцев».

Числа те же, но относятся они к явлению, протекающему в обратном направлении.

---

[1] См. В. Гэмфриз, «Народные приметы и парадоксы погоды».

## 193. Красный сигнал

Красные лучи, как лучи с большей длиной волны, рассеиваются частицами, взвешенными в воздухе, слабее, нежели лучи иных цветов. Лучи красного цвета проникают поэтому дальше, нежели всякие другие. А возможно более дальняя видимость сигнала остановки является на транспорте обстоятельством первостепенной важности: чтобы успеть остановить поезд, машинист должен начать торможение на значительном расстоянии от препятствия.

Большая прозрачность атмосферы для красных лучей используется теперь при выборе источника света для маяков. Ярко-красный свет неоновой лампы пронизает туман на 4 км, в то время как белый свет проходит в тумане лишь 2 км.

На большей прозрачности атмосферы для длинноволновых лучей основано, между прочим, употребление астрономами инфракрасного светофильтра для фотографирования планет (в особенности Марса). Подробности, незаметные на обычном фотоснимке, отчетливо выступают на фотографии, снятой через стекло, которое пропускает только инфракрасные лучи; в последнем случае удается заснять самоё поверхность планеты, между тем как на обыкновенном снимке фотографируется лишь ее атмосферная оболочка.

Фотографирование в инфракрасных лучах находит себе применение и в практике военно-летного дела. Оно «позволяет получать снимки, находясь вдали от неприятельской полосы, а также производить съемки с больших высот на самолете». («Оптика в военном деле», под ред. акад. С. И. Вавилова).

## 194. Преломление и плотность

Часто приходится слышать, что показатель преломления вещества тем больше, чем оно плотнее. Утверждают, что «при переходе луча из среды менее плотной в среду более плотную он приближается к перпендикуляру падения». Так нередко и бывает, но далеко не всегда.

Известно, что отношение показателей преломления двух сред обратно отношению скоростей света в этих средах. Поэтому интересующий нас вопрос можно поставить и в другой форме, более удобной для рассмотрения:

Верно ли, что скорость света тем меньше, чем плотнее среда, в которой он распространяется?

Уже из сопоставления трех сред — пустоты, воздуха и воды — ясно, что подобной простой зависимости не существует. Если плотность воздуха принять за единицу, то плотность этих трех сред выразится числами:

| пустота | 0 |
|---------|---|
| воздух | 1 |
| вода | 770 |

Если же принять скорость света в воздухе за единицу, то скорости света в рассматриваемых средах будут таковы:

| в пустоте | 1 |
|-----------|---|
| в воздухе | 1 |
| в воде | 0,7 |

Ожидаемой зависимости, как видим, нет. Мало того, существуют вещества одинаковой плотности, в которых свет распространяется с различною скоростью (т. е. показатели преломления этих веществ различны). Таковы хлороформ и цинковый купорос в надлежащем разбавлении. И наоборот, можно назвать вещества с одинаковым показателем преломления, но различной плотности: плотность стекла вдвое больше плотности кедрового масла, но скорость света в них одинакова (стеклянная палочка в кедровом масле не видна).

В одном лишь случае имеет место обратная пропорциональность между показателем преломления и плотностью: когда речь идет *об одной и той же среде* при различных температурах или давлении. Во всех прочих случаях правило неприменимо, и ему не место в учебниках физики.

Источником недоразумений является в подобных случаях неправильное понимание слова «плотность» в применении к оптической среде. Здесь имеется в виду не обычная, а так называемая «оптическая» плотность, под которой разумеют не что иное, как степень преломляемости: из двух сред оптически плотнее та, которая обладает бо́льшим показателем преломления.

## 195. Две линзы

Линзы одинаковых размеров и формы, но отличающиеся показателем преломления (1,5 и 1,7), разнятся между собой длиной главного фокусного расстояния; линза с бо́льшим показателем преломления имеет более короткое фокусное расстояние (в данном случае на 28%).

Погруженные в жидкость с показателем преломления 1,6, стекла будут действовать на лучи света различно: линза с показателем 1,5, т. е. *меньшим*, чем у жидкости, будет действовать как слабо рассеивающая линза, а линза с большим показателем — как слабо собирающая.

## 196. Светила близ горизонта

Новые детали различаются в объекте лишь в том случае, когда он рассматривается под большим углом зрения. Если бы поэтому Луна, находясь близ горизонта, усматривалась под бóльшим углом зрения, нежели тот, под каким она видна высоко в небе, мы безусловно заметили бы на диске ее близ горизонта новые подробности (считая, что меньшая прозрачность атмосферы не ухудшает условий зрения). Но угловая величина Луны, когда она близ горизонта, нисколько не больше, чем когда она высоко в небе. Луна ведь не приближается к наблюдателю, видящему ее у горизонта: напротив, легко сообразить, что в таком положении она даже несколько *дальше* от наблюдателя, чем когда висит высоко в небе.

Хотя нет нужды касаться здесь сложного вопроса о том, чем собственно обусловлено кажущееся увеличение светил близ горизонта, не излишне отметить попутно, что в этом явлении атмосферная рефракция, на которую часто ссылаются при его рассмотрении, никакой роли не играет. Насколько распространено это ошибочное представление, видно хотя бы из следующего места воспоминаний М. П. Чехова о его знаменитом брате — писателе:

«Как-то раз, когда в летний, тихий, безоблачный вечер Солнце красным громадным кругом приблизилось к горизонту, среди нас возник вопрос, почему, когда Солнце садится, то бывает красное и гораздо бóльших размеров, чем днем. После долгих дебатов решили, что в такие моменты Солнце уже всегда находится под горизонтом, но так как воздух представляет собою для него то же, что и стеклянная призма для свечи, то, преломляясь сквозь призму воздуха, Солнце становится для нас видимым из-под горизонта уже потерявшим свою естественную окраску и гораздо бóльших размеров».

Не более правильны, чем это дилетантское объяснение, те мало вразумительные соображения, которые напечатаны были недавно в одном ленинградском популярно-научном журнале; привожу их дословно:

«Солнце и Луна кажутся на горизонте бо́льшими, чем когда они высоко стоят на небе, потому, что на горизонте преломление света атмосферой сильно меняется с небольшой даже высотой поднятия. Кроме того, преломление света на горизонте самое большое. Результатом всего этого и получается Солнце и Луна на горизонте в виде большого красного диска».

В действительности рефракция не только не увеличивает, но даже, напротив, уменьшает вертикальный диаметр светила близ горизонта, сообщая дискам Солнца и Луны вид эллипсов (рис. 127). Настоящая причина увеличения светил у горизонта окончательно еще не выяснена, но, какова бы она ни была, она нисколько не связана с атмосферной рефракцией.

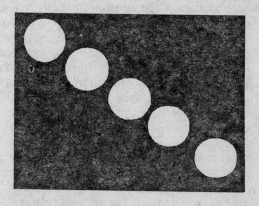

Рис. 127. Сжатие солнечного диска близ горизонта действием атмосферной рефракции.

Переходя к нашей задаче, мы должны подчеркнуть, что наблюдаемое близ горизонта увеличение светил не имеет ничего общего с тем, которое дает телескоп или микроскоп. Оптические приборы так изменяют направление лучей, вступающих в глаз, что изображение на сетчатке увеличивается. В этом и состоит сущность увеличивающего действия оптических инструментов: они не увеличивают самих объектов, не приближают их (все это лишь фигуральные выражения), а увеличивают изображения объектов, рисующиеся на сетчатке. Изображение растягивается на бо́льшее число нервных окончаний; участки, попадающие без инструмента на одно и то же нервное окончание и оттого сливающиеся в неразличимую точку, оказываются благодаря прибору на разных нервных окончаниях и воспринимаются расчлененно.[1]

_____

[1] См. мою статью «Warum eigentlich vergrössert das Mikroskop» в журнале «Kosmos», 1933, № 4.

Всего этого не происходит при том кажущемся увеличении, которое мы наблюдаем, рассматривая светила у горизонта; Луна не рисуется на сетчатке увеличенной, и потому никаких новых подробностей различить на ее мнимо-увеличенном диске нельзя.

## 197. Лупа из проколотого картона

Мелкий объект, рассматриваемый через тонкий прокол в листке картона, представляется нам явно увеличенным; увеличение это не кажущееся (как увеличение солнечного диска близ горизонта), потому что благодаря подобному приспособлению удается различить в объекте новые подробности. Действие малого отверстия все же отличается от действия лупы. Линза изменяет ход лучей так, что на сетчатке глаза получается увеличенное изображение объекта. Маленькое отверстие также обусловливает появление на сетчатке увеличенного изображения, но не изменением направления лучей, а задержкой тех лучей, которые делают изображение на сетчатке глаза неясным; тем самым отверстие дает возможность значительно приблизить объект к зрачку, без ущерба для отчетливости зрения. Другими словами, отверстие играет роль диафрагмы.

Вполне заменить линзу, однако, маленькое отверстие не может: линза использует гораздо больше света и дает изображения, несравненно более яркие, чем прокол.

В той лупе, которая изображена на рис. 51, объект помещается в 2 *см* от глаза. Так как расстояние ясного зрения для нормального глаза равно 25 *см,* то предмет должен быть виден под углом зрения в $12\frac{1}{2}$ раз бо́льшим, чем при рассматривании без лупы. Иными словами, мы имеем в этом случае линейное увеличение в $12\frac{1}{2}$ раз. Увеличение это, однако, полезно лишь при условии яркого освещения.

## 198. Солнечная постоянная

Солнечная постоянная на всех широтах земного шара и во все времена года одна и та же (~ 8 *Дж* на кв. сантиметр в минуту). Солнце посылает одинаковое количество энергии в течение круглого года на любой кв. сантиметр, выставленный вне атмосферы *под прямым углом к лучам*. Различия в климате и временах года обусловлены тем, что разные части земной поверхности и одна и та же часть ее в различное время года наклонены не под одинаковым углом к солнечным лучам. Сантиметровый квадратик, поставленный под прямым углом к лучам Солнца, всегда и всюду, на Земле получил бы одинаковое число джоулей — зимой и летом, на полюсе и на экваторе. Но перпендикулярных к лучам квадратиков в полярных странах нет; на экваторе они бывают только два дня в году; остальное время поверхность экваториальной зоны составляет с лучами Солнца угол, близкий к прямому, — в отличие от полярной области, где угол, составляемый солнечными лучами с земной поверхностью, гораздо острее.

Строго говоря, «солнечная постоянная» не остается неизменной в течение года — прежде всего вследствие эллиптической формы земной орбиты, обусловливающей различную удаленность Земли от (расположенного в фокусе) Солнца в различные моменты года. Около 1 января земной шар ближе к Солнцу, нежели 1 июля, на $3\frac{1}{2}$%; значит, солнечная постоянная в январе на 7% больше, чем в июле (она изменяется обратно пропорционально квадрату расстояния). Это несколько смягчает зимние холода и летний зной северного полушария.

### 199. Что чернее всего?

Черной называем мы такую поверхность, которая, будучи освещена, не посылает в наш глаз никаких лучей света. Таких тел в природе, строго говоря, не существует: все так называемые черные краски (сажа, платиновая чернь, окись меди и др.) отбрасывают некоторую часть озаряющего их света. Что же чернее всего?

Ответ довольно неожиданный: чернее всего — дыра.

Не всякая, конечно, дыра, а дыра при определенных условиях. Например, дырочка в закрытом ящике, зачерненная внутри; или еще проще — отверстие в жестянке от керосина, когда из нее вынута пробка.

Окрасьте какой-нибудь ящик самой густой черной краской снаружи и внутри; проделайте в его стенке небольшую дырочку — она всегда будет казаться вам чернее стенок, будет выделяться на их фоне. Причина та, что пучок лучей света, проникающий через отверстие внутрь ящика, частью поглощается зачерненными стенками, частью отражается; но отраженная часть попадает не обратно в дырочку, а снова на зачерненную внутреннюю поверхность; здесь она вторично отчасти поглощается, отчасти отражается и т. д. Прежде чем остаток лучей выйдет из отверстия, свет, проникший в ящик, претерпевает столь многократные отражения и поглощения, что ослабляется до неспособности действовать на наш глаз.

Числовая иллюстрация поможет лучше ощутить, в какой прогрессии ослабевает интенсивность светового пучка при многократном отражении. Допустим ради простоты, что черная краска, покрывающая стенки нашего ящика изнутри, поглощает 90% падающего на нее света, а остальные 10% рассеивает. Тогда, после первого отражения, пучок будет нести только 0,1 первоначальной энергии, после второго — 0,1 × 0,1, т. е. 0,01; после третьего — 0,1 × 0,01, т. е. 0,001 и т. д. Легко подсчитать, какова окажется интенсивность пучка после двадцатого, например, отражения: она уменьшится в 1 с 20-ю нулями раз и составит

$$0,000\ 000\ 000\ 000\ 000\ 000\ 01$$

долю первоначальной. Практически это, понятно, равносильно отсутствию света, так как свет столь ничтожной интенсивности не воспринимается нашим глазом. Если первоначальный пучок лучей исходил от Солнца, дающего освещенность в 100 000 люксов, то после 20-го отражения мы получим

$$0,000\ 000\ 000\ 000\ 001\ \text{люкса.}$$

Но уже при 0,000 000 04 люкса мы имеем освещение от звезды 6-й величины — самой слабой звезды, различимой невооруженным глазом. Ясно, что лучи, выходящие из отверстия после 20-го отражения, никакого действия на глаз произвести не могут.

Теперь понятно, что отверстие в закрытом сосуде или ящике должно быть действительно чернее всякой черной краски. Это есть то, что в физике называется «искусственным абсолютно черным телом». (Абсолютно черным телом называется тело, поверхность которого при любой температуре поглощает все падающие на нее лучи.

## 200. Температура Солнца

Вычисление температуры солнечной поверхности основано на законе излучения так называемого «абсолютно черного» тела, т. е. воображаемого тела, поглощающего 100% падающей на него лучистой энергии (все черные тела природы, даже сажа, не абсолютно черны: они рассеивают некоторую часть падающих на них лучей). Физический закон, установленный Стефаном, гласит, что *энергия, излучаемая абсолютно черным телом, пропорциональна четвертой степени его абсолютной температуры.*

Тело (абсолютно черное), нагретое, например, до 2400 ° по абсолютной шкале (2127 °C) излучает энергии больше, чем при 800 ° абс. (527 °C) в $3^4$, т. е. в 81 раз.

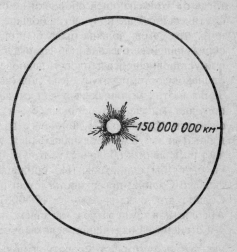

Рис. 128. К расчету температуры Солнца.

Чтобы вычислить на этом основании температуру поверхности Солнца, будем исходить из допущения, что земной шар мало отличается от абсолютно черного тела и что на всей земной поверхности господствует средняя температура в 17 °C, или 290 ° абс. То, что в действительности различные места земной поверхности имеют неодинаковую температуру, отклоняющуюся от средней в обе стороны, несущественно влияет на результат расчета (как и то, что Земля — не абсолютно черное тело).

Геометрически можно вычислить, что солнечный диск занимает 188 000-ю часть полной небесной сферы.[1] Вообра-

---

[1] Вычисления подобного рода можно делать следующим образом. Угловой диаметр Солнца (средний) = 0,53°; следовательно, диск Солнца занимает на небе $\frac{1}{4}\pi \cdot 0{,}53^2 \approx 0{,}2206$ кв. градуса. Сколько же квадратных градусов на полной шаровой поверхности? Радиус в 57,3 раза длиннее дуги в 1°; значит, в радиусе 57,3 таких дуг, а на шаровой поверхности

$$4\pi \cdot 57{,}3^2 = 41\ 252 \text{ кв. градуса.}$$

Разделив 41 252 на 0,2206, узнаем, во сколько раз поверхность полной сферы больше видимой поверхности Солнца.

зим Землю помещенной в центре шаровой оболочки радиусом 150 000 000 км (расстояние от Земли до Солнца), — оболочки, испускающей из каждой единицы своей поверхности столько же энергии, как Солнце. Другими словами, заполним мысленно все небо солнцами; их окажется 188 000. Земля получала бы тогда от этой сияющей оболочки не столько энергии, сколько фактически сейчас получает, а больше в 188 000 раз. Легко понять, что Земля должна была бы тогда принять температуру окружающей ее раскаленной сферы, т. е. температуру Солнца: при установившемся тепловом равновесии все тела принимают одинаковую температуру. Мы должны заключить также, что Земля в этих условиях излучает столько же энергии, сколько получает (иначе она не была бы в тепловом равновесии с сияющей оболочкой, а либо нагревалась бы, либо охлаждалась). Так как Земля получала бы всю ту энергию, какую излучает раскаленная оболочка, то излучения Земли и этой оболочки были бы одинаковы. Но оболочка излучает столько же, сколько Солнце; поверхность Земли излучала бы, значит, как Солнце, а в то же время — в 188 000 раз больше, чем теперь. Абсолютная температура, мы знаем, пропорциональна корню; 4-й степени из излучения; если излучение в 188 000 раз больше, то абсолютная температура больше в $\sqrt[4]{188\,000}$, т. е. в 20,8 раза. Умножив абсолютную температуру земного шара, 290 °, на 20,8, получаем около 6000 °. Такова была бы температура Земли, а так как температура ее равнялась бы тогда солнечной, то тем самым устанавливается и температура поверхности Солнца: около 6000 ° по абсолютной шкале, или около 5700 °C.

Это рассуждение, напоминающее своими вспомогательными построениями доказательство геометрической теоремы, может служить примером того обходного пути, который ведет физиков от теорий к познанию фактов, недоступных непосредственному опыту.

### 201. Температура мирового пространства

Многие не задумываясь употребляют выражение «температура мирового пространства» в беспечной уверенности, что смысл этих слов им известен и понятен. Они твердо убеждены, что температура мирового пространства равна –273 °C и что всякое тело в межпланетном пространстве, за пределами земной атмосферы, должно охладиться до абсолютного нуля.

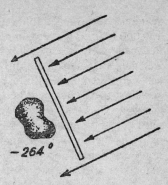

Рис. 129. Тело, помещенное в мировом пространстве в 150 млн. км от Солнца и заслоненное от его лучей, приняло бы температуру – 264 °C.

Ни то, ни другое не верно. Надо помнить, во-первых, что пространство, не заполненное обычной материей, не может обладать никакой температурой. Термин «температура мирового пространства» имеет *условный*, а не буквальный смысл. Во-вторых, если бы все тела в мировом пространстве приобретали температуру –273 °C, то той же участи подлежал бы и земной шар, который представляет ведь собой не что иное, как тело в мировом пространстве; между тем, температура поверхности Земли на 290 ° выше абсолютного нуля.

Что же следует разуметь под выражением «температура мирового пространства»? Это та температура, которую приняло бы абсолютно черное тело, *заслоненное от лучей Солнца и планет*, т. е. нагреваемое только излучением звезд. К определению этой температуры подходили раньше разными путями и получали для нее разнообразные значения: Пулье считал наиболее вероятной величиной –142 °, Фрелих, на основании других соображений, получил –129 °. Наиболее же надежный результат дает расчет, основанный на измерении лучеиспускания звезд и на законе Стефана.[1] Вычисление производится по той же знакомой читателю схеме, по которой определена была температура Солнца.

Установлено измерением, что совокупное излучение всех звезд половины небесной сферы в 5 000 000 раз меньше солнечного. Если бы небесный свод сиял, как Солнце, то излучение его было бы больше звездного в

$$\frac{5\,000\,000 \cdot 188\,000}{2} = 470\,000\,000\,000 \text{ раз.}$$

---

[1] См. ответ на вопрос 200.

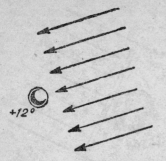

Рис. 130. Металлический сантиметровый шарик, озаряемый Солнцем на расстоянии 150 млн. км, нагрелся бы до +12 °C.

Земля, нагретая только лучами звезд, излучала бы энергии меньше, нежели Солнце, в 470 000 000 000 раз, а так как абсолютная температура пропорциональна корню четвертой степени из излучения, то температура Земли была бы меньше температуры солнечной поверхности в

$$\sqrt[4]{470\,000\,000\,000} = 700 \text{ раз.}$$

Абсолютная температура поверхности Солнца равна, мы знаем, 6000 °, поэтому Земля нагрелась бы звездами на $\dfrac{6000}{700}$, т. е. всего на 9 ° выше абсолютного нуля, или на 264 ° ниже нуля Цельсия. Это и есть температура мирового пространства.

В действительности планета наша имеет среднюю температуру гораздо выше 9 ° абс., — именно, 290 ° абс. Причина та, что Земля нагревается не только звездным светом, но и лучами Солнца. При отсутствии Солнца на земном шаре господствовал бы мороз в – 264 °C.

Понятно теперь, что и всякий предмет, находящийся в межпланетном пространстве, но не заслоненный от солнечных лучей, примет температуру не – 264 °C, а более высокую. Какую именно — зависит от теплопроводности этого тела, от его формы и от свойств его поверхности. Вот ряд примеров (заимствую их из книги проф. Оберта «Пути к звездоплаванию»), показывающие, до какой температуры должны нагреться различные тела при указанных условиях:

а) *Шарик* диаметром 1 *см* из металла, хорошо проводящего теплоту, помещенный на расстоянии 150 миллионов километров от Солнца в мировом пространстве, нагреется до +12 °C.

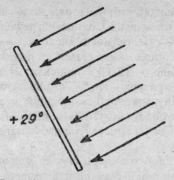

Рис. 131. Тонкая проволока, подставленная перпендикулярно к лучам Солнца, нагрелась бы при тех же условиях до +29 °C.

Рис. 132. Металлическая пластинка в той же обстановке приобрела бы температуру +77 °C.

b) Длинная тонкая проволока круглого сечения, помещенная там же перпендикулярно к лучам Солнца, нагреется до +29 °C. (Та же проволока, поставленная параллельно солнечным лучам, нагреется значительно меньше.) Всякое иное тело вытянутой формы, помещенное поперек солнечных лучей, должно принять, температуру между +12 ° и +29 °C.

c) Тонкая металлическая пластинка, помещенная перпендикулярно к солнечным лучам, нагреется в межпланетном пространстве (на расстоянии Земли) до 77 °C. Если теневая сторона пластинки светлая и полированная, а обращенная к Солнцу — черная и матовая, то температура ее достигнет +147 °C.

Можно спросить, почему же подобный металлический лист на земной поверхности никогда так значительно не нагревается? Потому, что на Земле лист окружен воздухом, и воздушные течения (конвекция) уносят часть тепла, препятствуя его накоплению. На Луне, где атмосфера отсутствует, подобная температура достигается; мы знаем, как значительно нагреваются в течение лунного дня экваториальные части Луны. Если односторонне зачерненную пластинку повернуть темной поверхностью от Солнца, а полированной к Солнцу, температура установится более низкая: −38 °C.

Соображения эти практически важны для учета температурных условий в кабине стратостата и особенно для звездоплавания. Пикар во время первого своего подъема на высоту 16 км в кабине, окрашенной наполовину в черный цвет, наполовину в белый, оказался обращенным черной стороной к Солнцу; и хотя вне алюминиевой кабины стоял мороз в 55 °, ученый жестоко страдал от жары. «Солнце нагревает зачерненную стенку кабины, — отметил он в дневнике. — Внутри ее температура +38 °. Пришлось раздеться до пояса. Очень жарко». Стратонавты нашего «СССР» записали: «На высоте 17,5 *км* наружная температура – 46 °. Температура внутри гондолы +14 °». Подобную же запись находим и в дневнике погибших участников полета «С-ОАХ-1»: «Высота 20500 *м*. Температура внутри +15 °. Температура наружного воздуха –38 °.

В том, что температура тел при солнечном сиянии может достигать высоких степеней даже при весьма низкой температуре окружающей среды, имели также случай убедиться участники экспедиции на Южный полюс 1928—30 гг. «Любопытно отметить, — пишет Бэрд, — что при обычно низкой температуре воздуха, редко выше 18 °C, наш актинометр (прибор для измерения энергии солнечного излучения) показывал температуру иногда около 46 ° выше нуля Цельсия». О том же рассказывал и проф. А. А. Фридман при описании своего подъема на аэростате в июле 1925 г.: «Мы достигли максимальной высоты 7400 *м*. На этой высоте было с лишком 20 ° мороза, но не было нисколько холодно, я летал в пиджаке, и мне было буквально жарко. Солнце жгло не хуже, чем на юге».

Этим пользуются и для промышленных целей. В Ташкенте устроен (геофизиком К. Г. Трофимовым) собиратель солнечного тепла, который без всяких линз и зеркал повышает температуру до 200 °C. В Самарканде тем же способом вода доводилась до кипения лучами Солнца, несмотря на то, что температура воздуха была на 14 ° ниже нуля.

Поразительно высокой температуры может достигнуть в мировом пространстве тело, обладающее избирательным поглощением, т. е. поглощающее не все падающие на него лучи (как абсолютно черные тела), а лишь лучи определенной длины волны. Вычислено, например (французским астрономом Фабри), что тело, поглощающее только синие лучи с длиною волны 0,004 *мм*, помещенное в мировом пространстве на орбите Земли, приобрело бы температуру около 2000 °: платина, покрытая слоем такого вещества, расплавилась бы под действием солнечных лучей. Возможно, что подобными свойствами вещества объясняется свечение комет при их приближении к Солнцу.

# VI. РАЗНЫЕ ВОПРОСЫ

## 202. Магнитный сплав

Металл, намагничивающийся при равных прочих условиях сильнее, чем железо, существует. Это сплав, называемый *перминваром* и состоящий из никеля (45%), кобальта (25%) и железа (30%). Магнитная проницаемость перминвара вдвое больше, чем железа.

Подобными же свойствами обладают также сплавы пермаллой (никель и кобальт с железом) и муметалл (никель с железом и медью). Кроме более сильного намагничивания, названные сплавы отличаются еще той особенностью, что полностью размагничиваются тотчас же после прекращения тока. Оболочка из пермаллоя способствует тому, что подводный кабель передает в единицу времени втрое больше телеграфных сигналов, чем кабель без такой оболочки. Это создает огромную экономию в материале: один кабель с оболочкой из пермаллоя заменяет собою три кабеля обычного типа. Употребление перминвара в динамо и трансформаторах обещает повысить их коэффициент полезного действия на несколько процентов (из-за отсутствия потери на преодоление остаточного магнетизма).

## 203. Деление магнита

Так как сила магнита заметно убывает с приближением к безразличной линии, то можно ожидать, что обломки, взятые из середины магнита, будут намагничены весьма слабо. Это, однако, не оправдывается: части, взятые ближе к середине, оказываются намагниченными сильнее.

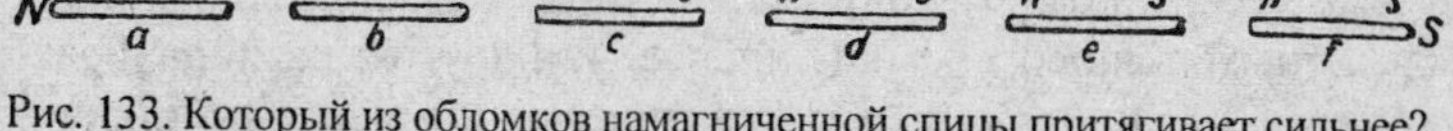

Рис. 133. Который из обломков намагниченной спицы притягивает сильнее?

Причину нетрудно понять, если представить себе длинный магнит разрезанным поперек на несколько частей (рис. 133). Каждая из частей представляет собою магнитик с двумя полюсами, ориентированными, как показано на рисунке. Если бы магнитик *a* был сильнее магнитика *b* (как кажется естественным ожидать), то южный полюс s магнитика *a* с избытком уравновесил бы действие северного полюса *n* магнитика *b*, и вообще все южные полюсы отдельных магнитиков северной половины нашего магнита уничтожили бы действие северных полюсов, и в итоге остался бы некоторый избыток действия *южного* магнетизма. Короче говоря, на этом конце нашего магнита был бы не северный полюс, а южный. Противоречия не получится при допущении, что сила отдельных магнитиков возрастает с приближением к безразличной линии.

## 204. Железо на весах

«Земной шар — гигантский магнит; чашка с железом должна бы поэтому притягиваться Землей сильнее, чем чашка с медной гирей, и, следовательно, масса гири не будет равна массе железного бруска».

Рассуждая так, упускают из виду огромные размеры земного шара по сравнению с размерами бруска и вытекающие отсюда следствия. Магнит ведь не только притягивает железо, но одновременно и отталкивает его: если приблизить к куску железа северный полюс, то на ближайшем к нему конце железного куска возникает южный полюс, *притягиваемый* северным полюсом магнита, а на дальнейшем конце — северный полюс, *отталкиваемый* северным полюсом магнита. Из двух сил — притягивающей и отталкивающей, превозмогает первая, так как расстояние между разноименными полюсами меньше, чем между одноименными. Южный полюс магнита также производит на железо два противоположных действия, но и в этом случае притяжение сильнее отталкивания.

Так происходит, если действует магнит обычных размеров. В случае исполинского магнита, каким является земной шар, дело меняется. Железный брусок, лежащий на весах, в поле земного магнетизма тоже получает два полюса, — но тут нельзя уже утверждать, что один полюс притягивается ближайшим магнитным полюсом Земли сильнее, чем другой: разница в расстояниях так ничтожна, что практически никакого различия в силе взаимодействия обнаружиться не может. Что́ значит расстояние между полюсами железного бруска (несколько сантиметров или дециметров) по сравнению с расстоянием от них до магнитного полюса Земли (несколько тысяч километров).

Итак, железный брусок, уравновешенный на весах, по массе равен гирям. Влияния на точность взвешивания земной магнетизм оказывать не может.

По той же причине намагниченная железная полоска на пробке, положенной в воду, не плывет по направлению к ближайшему магнитному полюсу Земли, а только поворачивается, располагаясь в плоскости магнитного меридиана: *две равные, противоположно направленные параллельные силы не могут сообщить телу поступательного движения, а способны лишь повернуть его вокруг оси.*

## 205. Электрическое и магнитное притяжение и отталкивание

а) То, что бузинный шарик притягивается палочкой, не является верным признаком наэлектризованного состояния палочки. Ненаэлектризованная предварительно палочка также притянет к себе легкий шарик, если он наэлектризован. Притяжение доказывает, что либо палочка, либо шарик наэлектризованы. Напротив, если между шариком и палочкой мы замечаем *отталкивание*, можно с уверенностью заключить, что наэлектризованы *оба* тела: отталкивать друг от друга могут только два одноименно наэлектризованных тела.

b) Подобным же образом обстоит дело и с магнитами. Если железная палочка притягивает иголку, то утверждать, что палочка намагничена, нельзя: ненамагниченное железо также притягивает иголку, если последняя намагничена.

(Любопытно отметить, что свойство магнитов при известных условиях отталкивать друг друга часто забывается по выходе из школы. В широкой публике распространено убеждение, что магниты должны непременно притягиваться. Посетители Павильона занимательной науки в Ленинграде зачастую выражали крайнее недоумение при виде взаимного расталкивания двух цилиндрических магнитов, приложенных друг к другу одноименными полюсами.)

## 206. Электроемкость человеческого тела

Когда человек помещается так, что тело его не находится в соседстве с заземленным проводником (удалено, например, от стен комнаты), то электрическая емкость его равна 30 «сантиметрам». Это значит, что электроемкость человеческого тела при указанных условиях равна емкости шарообразного проводника радиусом 30 *см.*

## 207. Сопротивление нитей накала

В то время как для угольного волоска сопротивление *уменьшается* с повышением температуры, для нити металлической имеет место обратное: сопротивление ее *увеличивается*, и притом весьма значительно. Нить 50-ваттной пустотной лампы в накаленном состоянии представляет сопротивление в 12—16 раз большее, чем холодная.

## 208. Электропроводность стекла

Стекло не всегда изолятор: в накаленном состоянии (300 °) оно становится проводником электричества. Если нагревать на спиртовке участок стеклянной палочки или трубки в 1—$1^1/_2$ *см* длины, включенной в цепь городского электроосветительного тока, то спустя некоторое время, когда стекло достаточно нагреется, через цепь будет проходить ток. Включенная в цепь электролампочка засветится.

Проводимость накаленного стекла была обнаружена около полустолетия назад; это проводимость ионная, как в электролитах, а не электронная, как в металлах. Мы имеем в этом случае редкий пример ионной проводимости в твердом теле.

## 209. Вред от частого включения электролампочек

Частое включение и выключение вредно для лампочек с вольфрамовым волоском. Металлическая нить накала в холодном состоянии поглощает следы газа, оставшиеся в колбочке лампы после откачки. В раскаленном состоянии нить снова выделяет поглощенный газ; вырываясь из нити, газ разрушает ее.

## 210. Яркость электролампочек

Распространено мнение, будто газополные («полуваттные») лампы берут по полватта на каждую свечу; обычно считают поэтому, что 50-ваттная газополная лампа дает силу света в 100 свечей.

Это неверно: «Никогда, — утверждает пояснительная записка к общесоюзному стандарту, — «ваттные» лампы даже лучших заграничных фирм не потребляли ватта на среднюю сферическую международную свечу, так же как никогда «полуваттные» лампы не потребляли на свечу полуватта». 50-ваттная газополная лампа при напряжении в 110—120 вольт дает всего лишь 38, много 43 свечи, и то только пока лампа нова; к концу службы сила ее света падает до 30 свечей.

Термин «полуваттная» лампа является поэтому крайне неудачным, вводящим в заблуждение. В настоящее время специалисты от него отказались, заменив термином «газополная», — в отличие от ламп «пустотных» (прежних «ваттных»).

## 211. Нить накала

Безусловно верно, что в накаленном состоянии нити накала кажутся раздувшимися в десятки раз. Но никак нельзя приписывать столь значительное утолщение нити тепловому расширению. Коэффициент расширения металлов измеряется стотысячными долями; поэтому увеличение поперечника при повышении температуры до 2000 ° может составить всего несколько процентов, т. е. значительно меньше, чем мы замечаем.

В действительности нити накала вовсе и не утолщаются больше чем на несколько процентов. Наблюдаемое утолщение в десятки раз — иллюзия зрения: вследствие так называемой «иррадиации» белые участки кажутся нам всегда больше их истинных размеров. Чем ярче предмет, тем большей величины он нам представляется. Так как яркость раскаленной нити в лампочке весьма велика, то и кажущееся утолщение ее очень значительно: нить, истинный поперечник которой составляет всего около 0,03 *мм*, кажется нам толщиной не менее миллиметра, т. е. как бы раздувается раз в 30.

## 212. Длина молнии

О размере молний редко кто имеет правильное представление. Длина их измеряется не метрами, а километрами. Наблюдался случай, когда молния имела в длину 49 *км*.

## 213. Длина отрезка

Многие привыкли к мысли, что истинная длина измеряемой величины есть средне-арифметическое результатов отдельных измерений. Поэтому на поставленный нами вопрос чаще всего приходится слышать уверенный ответ: истинная длина отрезка равна

$$\frac{42{,}27 + 42{,}29}{2} = 42{,}28 \ \text{мм}.$$

Это неверно: полученная таким образом величина является лишь наиболее *вероятным* значением длины отрезка, а никак не подлинной его длиной. Какова истинная длина — установить по этим данным невозможно; она может, конечно, равняться вероятнейшей длине, но может и отличаться от нее.

## 214. На эскалаторе

В одну секунду эскалатор перемещает свои ступни вверх на 80-ю долю полной высоты подъема. Пассажир на неподвижном эскалаторе ежесекундно взбирается на 240-ю долю высоты подъема. Следовательно, на движущемся вверх эскалаторе пассажир будет подниматься ежесекундно на

$$\frac{1}{80} + \frac{1}{240} = \frac{1}{60}$$

всего подъема. Отсюда получаем продолжительность подъема:

$$1 : \frac{1}{60} = 60 \text{ с.}$$

Пассажир поднимётся в одну минуту.

## 215. Назначение «Дубинушки»

Обычно думают, что «Дубинушка» определяет лишь надлежащий ритм работы, обеспечивая согласное напряжение сил и правильную периодичность работы и отдыха. «Профессор Герман, — читаем мы в «Лекциях по практической механике» проф. Н. Б. Делоне, — приводит следующее наблюдение: 4 работника поднимали за рукоятку бабу в 50 *кг* и опускали ее. Всякий раз поднимали на высоту 1,25 *м*. Производили 34 подъема в минуту; но при этом после каждых 260 секунд работы следовал отдых в 260 секунд. Получилась высокая работа: $A = 178\,520$ *кгм* $= 1\,750\,000$ *Дж*. У нас, вместо 260 секунд, служит песня «Дубинушка».

Теперь копры старого устройства уже не употребляются. Песня сложилась для прежней системы копров, где спуск бабы производился освобождением веревки. При работе такого копра песня играет более важную роль, чем одно лишь регулирование наивыгоднейшего ритма. Она предохраняет рабочих от серьезной опасности. Вспомним, что вес бабы всегда должен быть меньше веса тянущих ее рабочих — иначе она при падении потянет их вверх. Что же может произойти, если рабочие выпустят из рук веревку не все одновременно? Тогда легко может оказаться, что баба перевесит рабочих, держащих веревку, и те, которые не успели вовремя ее выпустить, будут увлечены вверх. Им грозит опасность расшибиться либо при ударе о стойки копра, либо при неизбежном падении с высоты (а чаще всего от обеих причин).

Итак, песня «Дубинушка» определяла сигналом «сама пойдет» тот ответственный момент работы, когда все должны разом освободить веревку, чтобы не быть стремительно поднятыми тяжелой бабой на верхушку копра. В современных ручных копрах баба, дойдя до высшей точки своего подъема, автоматически освобождается от привязи и сама падает вниз. Здесь опасности быть вздернутым вверх нет, и песня утрачивает указанное выше значение.

## 216. Два города

Вопрос является, по-видимому, отголоском задачи, практически вставшей перед Эдисоном в молодости, когда ему понадобилось вступить однажды в переговоры с жителями противоположного берега реки при перерыве телеграфной связи. Эдисон воспользовался тогда акустическим телеграфом, посылая сигналы азбуки Морзе долгими и короткими гудками паровоза.

Весьма простым выходом из положения является также устройство оптического телеграфа — световой сигнализации, дневной или ночной. Если же желательно пересылать через реку почтовые или иные грузы, то возможно устроить подвесную дорогу, перебросив на другой берег конец легкой бечевки помощью ракеты достаточного калибра.

## 217. Бутылка на дне океана

Может казаться совершенно бесспорным, что вместимость бутылки не должна нисколько измениться, так как давление жидкости с равной силой передается на наружную и на внутреннюю поверхность стеклянной оболочки. Между тем, такое заключение оказывается неверным: бутылка *сожмется*, и вместимость ее *уменьшится*. Читатель поймет основания к такому утверждению, если проследит за следующим рассуждением знаменитого физика Г. А. Лоренца в его «Курсе физики». Рассматривая давление газа на полый шар, он пишет:

«Безразлично, каким именно образом производить давление на внутреннюю поверхность шара. Представив себе поэтому, что для осуществления давления мы вводим в полость шара ядро из такого же вещества, как и стенки, и настолько хорошо к ним прилегающее, что оно образует с ними одно целое. Если теперь произведем на наружную поверхность давление $p$, то такое же давление возникнет и во всех точках внутри шара: стенки будут с обеих сторон подвержены одинаковому давлению. Но все измерения тела уменьшаются при этом в отношении, которое можно вычислить по коэффициенту сжимаемости. Мы приходим к следующему заключению:

Если полый шар или сосуд произвольной формы подвергается с наружной и внутренней стороны давлению $p$, то объем полости уменьшается настолько же, насколько уменьшился бы объем ядра из того же вещества, заполняющего полость, если бы мы подвергли его такому же давлению».

Сделаем примерный расчет. Объем тела при всестороннем сжатии уменьшается под действием 1 $Па$ на долю:

$$\frac{3(1-2k)}{E},$$

где $k$ — коэффициент растяжения, $E$ — модуль упругости.

Для стекла $k = 0,3$, $E = 6 \cdot 10^{10}$ (в единицах СИ). Поэтому в случае стеклянной бутылки вместимостью 1 $л$, или $10^{-3}$ $м^3$, уменьшение полости под давлением водяного столба в 1000 $м$ ($10^7$ $Па$) равно

$$10^{-3} \cdot 10^7 \cdot \frac{3(1-0,6)}{6 \cdot 10^{10}} = 0,2 \cdot 10^{-6} \, м^3 = 0,2 \, см^3.$$

Парадоксальный факт уменьшения вместимости сосуда под давлением, одинаково распространяющимся на внешнюю и внутреннюю поверхность, представляется обычно настолько невероятным, что многие не мирятся с ним, даже и ознакомившись с его обоснованием. Нелишним будет, пожалуй, привести здесь поэтому ход рассуждений из превосходного курса «Общей физики» Эд. Эдзера, — по существу тот же, что у Лоренца, но высказанный в несколько иной форме:

«Изменение внутреннего объема сосуда, производимое действием равномерно сжимающей силы $f_1$, отнесенной к единице площади, приложенной внутри и снаружи сосуда (назовем эту силу напряжением), можно определить, сравнивая полый сосуд со сплошным сосудом того же материала и тех же самых размеров, который подвергается внешнему равномерно-сжимающему напряжению $f_1$. Полый сосуд можно мысленно превратить в сплошной, заполняя его сплошным ядром того же материала, как и стенки. Так как сжимающее напряжение действует равномерно во всей толще твердого тела, го величина сжатия каждой частицы будет пропорциональна этому напряжению $f_1$. Ядро сплошь заполняет оболочку, и оно сжато той же силой, как и сама оболочка. Значит, деформация оболочки обусловлена лишь действием напряжения $f_1$, (действующим снаружи и изнутри — от ядра). Итак, деформация оболочки не зависит от того, действует ли на ее внутреннюю поверхность давление, исходящее от ядра, или от наполняющей ее жидкости, и поэтому уменьшение емкости сосуда в точности равно уменьшению объема ядра».

Отмеченный факт приходится учитывать при точных измерениях, — например, при определении модуля объемной упругости жидкости прибором Реньо.

### 218. Плитки Иогансона

При появлении плиток Иогансона их способность прочно держаться вместе объясняли давлением атмосферы. Предполагали, что между приложенными друг к другу гладкими поверхностями нет воздуха. Взгляд этот пришлось оставить, когда измерена была сила, необходимая для отрыва одной плитки от другой, и выяснилось, что сила эта равна 3—6 и более килограммам на кв. сантиметр. Атмосферное давление не может противодействовать такой силе. Истинная причина слипания плиток кроется в молекулярном сцеплении между тесно прилегающими стальными поверхностями, где всегда имеются следы влаги. Прилегающие грани отшлифованы настолько тщательно, что, примкнутые друг к другу, они нигде не отстоят одна от другой более чем на 0,2 микрона (0,0002 *мм*).[1] Абсолютно сухие поверхности, впрочем, не слипаются; но достаточно ничтожных следов влаги (она берется из воздуха), чтобы плитки

---

[1] На заводе «Красный инструментальщик» изготовляются плитки с еще большей точностью — 0,1 микрона! Потребность в столь точных измерительных приборах вытекает из исключительной точности, с какой обрабатываются теперь детали многих машин. Если при обработке даже крупного вала 60-сильного челябинского трактора не допускается отклонение свыше 0,01 *мм* (вал весит около полутонны), то какова должна быть точность обработки частей более тонких механизмов!

В ближайшем будущем плитки Иогансона, как и другие механические измерительные приборы, будут вероятно вытеснены электрическими измерителями, контролирующими точность обработки автоматически.

слипались очень крепко: бруски сечением $1 \times 3{,}5$ *см* разъединяются лишь при усилии 30 и более килограммов и выдерживают удары, не распадаясь.

## 219. Свеча в закрытой банке

Предложенное журналом объяснение опыта — неверно. Оно упускает из виду, что взамен потребляемого при горении кислорода появляются углекислый газ и водяной пар. Хотя пар частью конденсируется на стенках сосуда, все же потребление кислорода пламенем само по себе не уменьшает объема газа в сосуде в такой степени, чтобы возможно было этим объяснить рассматриваемое явление.

Главная причина наблюдаемого явления другая — не химическая, а физическая. Воздух внутри банки действительно разрежается при горении свечи, но не вследствие потребления кислорода, а вследствие нагревания. Часть расширяющегося газа удаляется наружу, пока не установится равенство давлений холодного наружного воздуха и теплого внутри банки. Когда свеча из-за недостатка кислорода гаснет, воздух в банке остывает, давление его уменьшается, и избыток наружного давления прижимает крышку.

Всем известное видоизменение этого опыта, при котором стакан с горящей бумажкой опрокидывается над тарелкой с водой и вбирает в себя воду, также нередко ошибочно объясняется потреблением кислорода.[1] Оно приводится зачастую методистами природоведения в качестве доказательства сложного состава воздуха. Такие авторы утверждают даже, что вода в стакане «всегда поднимается до $^1/_5$ высоты, соответственно содержанию кислорода в воздухе», хотя такого постоянства никто наблюдать не мог.

Насколько распространено это заблуждение, показывает следующий поучительный факт. Историк естествознания Фр. Даннеман в своем труде «Естественные науки в их развитии и взаимной связи» (т. I, 1910 г.) пишет между прочим:

«Рис. 134 изображает всасывающую свечу Филона. В сосуде *a* находятся вода и горящая свеча. Над ними опрокинут сосуд *d.* «Вода, — говорит Филон, — тотчас начинает подниматься. Происходит это оттого, что воздух в *d* выгоняется дви-

---

[1] Правда, при такой постановке опыта часть появляющегося углекислого газа поглощается водою; но все же — не это главная причина явления.

жением огня. Вода поднимается в объеме, отвечающем объему выгнанного воздуха». Что всегда исчезает одно и то же количество воздуха, ускользнуло от наблюдения древнего физика. Тем не менее мы имеем здесь один из тех опытов, которые в XVIII веке сделаны были Шееле и другими для доказательства того, что воздух составлен из двух различных газов».

Как видим, верное по существу объяснение древнего физика объявляется здесь неправильным; а то, что ему противопоставляется, фактически и теоретически неверно. Что же касается упомянутых Даннеманом опытов Шееле, то старинный химик обставлял их иначе, чем Филон, — именно так, что газообразной углекислоты взамен удаляемого кислорода не появлялось, она либо нацело поглощалась, либо же вовсе не получалась: а продуктом реакции было тело твердое (например, при горении фосфора).

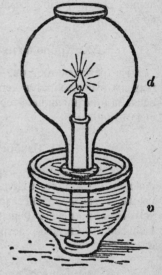

Рис. 134. Опыт Филона с горящей свечой.

Несколько лет назад в журнале «Огонек» рассмотрен был в отделе «Техника всем» следующий вопрос одного из читателей, имеющий непосредственное отношение к сейчас обсуждающемуся опыту:

«Почему горячий мокрый стакан, опрокинутый на клеенку, всасывает ее»?

Напечатанный в журнале ответ может служить иллюстрацией того, что сказано было мною в предисловии о смутности элементарных физических представлений даже у людей, получивших школьную подготовку и старающихся придти с нею на помощь другим:

«В стакане, сполоснутом горячей водой, воздух расширяется, становится менее плотным, часть его вытекает из сосуда. Если такой сосуд плотно закупорить, то по мере его остывания находящийся в нем воздух также будет остывать и стремиться сжаться; внутри сосуда произойдет разрежение (!) воздуха. Все тела испытывают на себе давление атмосферы; воздух нормального давления стремится проникнуть во всякое пространство с разреженным воздухом. Атмосферное давление прогибает гибкую клеенку внутрь стакана — стакан присасывается к клеенке».

Остывающий в плотно закрытом стакане воздух не может ни сжиматься, ни разрежаться, так как всегда заполняет весь стакан; не говорю уже о непостижимости того, как в результате сжатия может происходить разрежение. То, что в закрытом сосуде с понижением температуры газа уменьшается давление, совершенно ускользнуло от автора этого курьезного «объяснения».

## 220. Хронология термометрических шкал

Из трех термометров — Цельсия, Реомюра и Фаренгейта — первым был изобретен термометр Фаренгейта в начале XVIII века. За ним появились термометр Реомюра (в 1730 г.) и Цельсия (в 1740 г.).

## 221. Изобретатели термометров

Так как термометр Фаренгейта получил распространение в Англии и Америке, а Цельсия — во Франции, то многие привыкли считать Фаренгейта англичанином, а Цельсия французом. На самом деле Фаренгейт — немец, живший в Данциге, Цельсий — шведский астроном, Реомюр — французский естествоиспытатель.

## 222. Масса земного шара

Во многих популярных книгах (а иной раз и в учебных) можно встретить именно такое изложение хода определения массы земного шара: сначала нашли среднюю плотность земного шара, а затем, умножением этой плотности на объем нашей планеты, определили ее общую массу.

Но как найдена была средняя плотность Земли? Ведь плотность глубинных слоев земного шара невозможно определить непосредственно. В действительности ход исследования был как раз обратный: сначала определили массу Земли, а затем по массе и объему вычислили среднюю ее плотность. Масса же Земли найдена была из опыта, установившего, с какой силой один килограмм вещества притягивается другим килограммом, находящимся в 1 *м* от него. Зная, что Земля, центр которой удален от ее поверхности на 6 400 000 *м,* притягивает 1 *кг* силою 9,8 Ньютон и что *сила притяжения прямо пропор-*

циональна произведению притягивающихся масс и обратно пропорциональна квадрату расстояния между ними, — можно вычислить массу Земли, без знания ее средней плотности.

Расчет несложен. Один килограмм притягивается другим килограммом с расстояния 1 *м* с силою

$$\frac{1}{15\,000\,000\,000}\text{ ньютона.}$$

Следовательно, масса *M* земного шара, если бы центр его находился от 1 *кг* в расстоянии 1 *м*, притягивала бы этот килограмм с силою

$$\frac{M}{15\,000\,000\,000}\ H.$$

На расстоянии же земного радиуса (шар притягивает так, как если бы вся его масса была сосредоточена в центре), т. е. 6 400 000 *м*, сила притяжения убывает в 6 400 000$^2$ раз и равна

$$\frac{M}{15\,000\,000\,000\cdot 6\,400\,000^2}\ H.$$

Известно, однако, что сила притяжения Землею массы 1 *кг*, расположенной на земной поверхности, равна 9,8 *H*. Поэтому

$$\frac{M}{15\,000\,000\,000\cdot 6\,400\,000^2}=9{,}8,$$

откуда

$$M=15\,000\,000\,000\cdot 6\,400\,000^2\cdot 9{,}8.$$

Выполнив вычисления, находим, что масса земного шара равна, круглым числом,

$$6\cdot 10^{24}\ \textit{кг} = 6\cdot 10^{21}\ \textit{т.}$$

### 223. Движение Солнечной системы

На вопрос этой интересной задачи составитель задачника физики дает следующий ответ:

«В случае движения ускоренного все тела казались бы более тяжелыми на стороне земного шара, обращенной к созвездию Лиры, и более легкими — на противоположной».

Ответ был бы верен, если бы сила, которая приводит в движение небесные тела, не оказывала никакого действия на предметы, на них находящиеся. Но мы знаем природу той единственной силы, которая способна вызвать ускоренное движение планетной системы: это — тяготение. Тяготение же сообщает всем телам *одинаковые* по величине ускорения. Планеты и все тела, находящиеся на них, должны были бы двигаться в каждый момент с одинаковой скоростью — иначе говоря, находились бы в покое одни относительно других. Значит, никакого изменения веса предметов не наблюдалось бы. По явлениям, происходящим на самой Земле, не только невозможно обнаружить, движется ли наша планета по отношению к звездам ускоренно или равномерно, но нельзя установить, движется ли она вообще поступательно.

## 224. К полету на Луну

Возражение совершенно неосновательно, хотя и представляется весьма веским. Безусловно верно, что с астрономической точки зрения масса ракеты может быть приравнена нулю. Но именно поэтому возмущающее действие на нее планет также равно нулю. Ведь взаимное притяжение двух тел прямо пропорционально *произведению их масс*; если одна из масс равна нулю, то притяжение равно нулю, как бы массивно ни было другое тело. При отсутствии массы нет и притяжения.

К тому же заключению можно придти и другим путем. Вообразим два тела, массы которых $M$ и $m$. Сила их взаимного притяжения равна

$$f = \frac{kMm}{r^2},$$

где $k$ — так называемая гравитационная постоянная,[1] а $r$ — расстояние между телами. Ускорение $a$, приобретаемое массою $m$ под действием силы $f$, равно

$$a = \frac{f}{m} = \frac{kMm}{r^2} : m = \frac{kM}{r^2}.$$

Мы видим, что ускорение притягиваемого тела зависит не от его массы ($m$), а от массы *притягивающего* тела. Отсюда следует, что под действием притяжения планет ракета должна приобретать ускорение (значит и перемещение) точно такое же, как и самое массивное тело, — например, земной шар. А известно, как ничтожно возмущающее действие планетных притяжений на земной шар.

---

[1] Это сила взаимного притяжения двух килограммов массы, разделенных расстоянием в 1 *м* (ср. вопрос 222).

Итак, пилот ракетного корабля сможет направлять его бег на Луну, нимало не беспокоясь о притяжении Венеры, Марса или Юпитера.

## 225. Человек в среде без тяжести

Логическая сила довода, приведенного в вопросе, выяснится для читателя, если попробуем применить подобные умозаключения в другой области. Что, например, сказали бы вы о таком рассуждении:

«*Об употреблении алкоголя.* Наш организм очень чутко реагирует на всякое нарушение в этом отношении. Попробуйте выпить целый литр спирта или смеси спирта с коньяком. Наступающие расстройства нервной деятельности бывают очень серьезны. Если так действует изменение дозы или состава спиртных напитков, то как же должно действовать полное воздержание от них?»

Нелогичность вывода заметна здесь сразу. Странным образом, она не всем бросается в глаза, когда та же ошибка облекается в форму, приведенную в вопросе. На лекциях по звездоплаванию мне часто приводили этот довод против возможности существования человека в среде без тяжести; многим почему-то представляется убедительным заключение, что раз человек, вися вниз головой, погибает, то он должен погибнуть и при полном отсутствии тяжести. Из того, что тяжесть при некоторых условиях бывает вредна, выводят, что отсутствие тяжести тоже вредно, и считают это логичным.

В действительности пребывание человека в условиях невесомости должно быть безвредно для его организма. Не вдаваясь в подробности (читатель найдет их в моей книге «Межпланетные путешествия»), укажу хотя бы на то, что перемена положения нашего тела из вертикального в горизонтальное — лежание на кровати — ощущается как отдых. А ведь при горизонтальном положении тела тяжесть должна совершенно иначе действовать на движение крови в сосудах кровеносной системы, чем при вертикальном. Это показывает, что влияние веса крови на ее обращение, очевидно, ничтожно.

Отсюда не следует делать вывода, что невесомость будет совершенно неощутима физиологически. Известные ощущения, конечно, будут, но безвредные для нормального здорового организма.

## 226. Третий закон Кеплера

Обе формулировки тождественны: большая полуось орбиты и есть не что иное, как среднее расстояние планеты от Солнца. Она является арифметическим средним не только между ближайшим и дальнейшим расстоянием планеты от Солнца, но и между всеми расстояниями планеты от Солнца в течение целого ее обхода по орбите. Если (рис. 135) Солнце находится в фокусе $F_1$, а планета последовательно занимает положения $a$, $b$, $c$, $d$ и т. д., то среднее расстояние планеты от Солнца получится, если сложить все расстояния $F_1a$, $F_1b$, $F_1c$, $F_1d$ и т. д. от фокуса $F_1$ до каждой точки орбиты и разделить сумму на число этих расстояний. Нетрудно доказать, что частное равно половине большой оси.

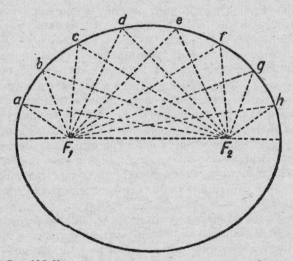

Рис. 135. Как найти среднее расстояние планеты от Солнца.

Вот доказательство. Пусть взято на орбите $n$ положений планеты; имеем, следовательно, $n$ расстояний. Соединим каждое местонахождение планеты с другим фокусом $F_2$. Сумма расстояний каждой точки от фокусов равна большой оси $2a$ эллипса — таково свойство этой кривой. Следовательно

$$a\,F_1 + a\,F_2 = 2a,$$
$$b\,F_1 + b\,F_2 = 2a,$$
$$c\,F_1 + c\,F_2 = 2a$$

и т. д.

424

Сложив правые и левые части равенства, получаем

$$(a\,F_1 + b\,F_1 + c\,F_1 + ...) + (a\,F_2 + b\,F_2 + c\,F_2 + ...) = 2\,an.$$

Если число $n$ бесконечно велико, то ввиду симметричности фигуры эллипса оба выражения в скобках равны, а каждое из них представляет собой сумму всех расстояний планет от фокуса (т. е. от Солнца); обозначим эту сумму через $S$. Имеем:

$$2S = 2an,$$

откуда

$$\frac{S}{n} = a.$$

Но $\dfrac{S}{n}$ есть среднее расстояние планеты от Солнца, $a$ — большая полуось орбиты. Значит, среднее из всех расстояний планеты от Солнца равно большой полуоси орбиты.

## 227. Вечное движение

Физика вовсе не утверждает, что вечное движение невозможно. Отвергается возможность не вечного *движения*, а вечного *двигателя*. Вечный двигатель — механизм, который может двигаться неопределенно долго, *совершая при этом работу*. Существование подобного механизма было бы нарушением закона сохранения энергии, так как машина эта способна была бы произвести неограниченное количество работы, и общее количество энергии в природе перестало бы быть постоянным. Планета, кружащаяся около Солнца, таким механизмом не является; это не вечный двигатель, потому что он не совершает при движении работы; это — вечное движение, существование которого не нарушает законов физики.

Открытая в последние годы возможность существования непрекращающегося электрического тока в так называемых сверхпроводниках (при чрезвычайно низкой температуре) представляется в глазах многих явным нарушением закона сохранения энергии. Хотя явление сверхпроводности и не относится прямо к рассматриваемой нами задаче (потому что ток не есть сквозное движение электронов), отметим все же, что указанным явлением закон сохранения энергии нисколько не нарушается: ток вечно циркулирует в сверхпроводнике лишь при условии, что этим током не совершается никакая работа. Если же заставить его совершать работу, он прекращается.

Совершенно несбыточен поэтому следующий проект, высказанный в одном из вышедших у нас сочинений по звездоплаванию:

«При будущих космических полетах можно было бы представить себе небольшой электрогенератор, работающий вне корабля при температуре абсолютного нуля (?). Будучи раз пущен в ход, он будет доставлять ток все время без перерывов для целей навигации. Ведь подобным же (?) вечным движением уже обладают в холоде абсолютного пространства (?!) Земля, Луна и другие планеты. Почему же в конце концов и человеку не получить такого же вечного двигателя?».

Помимо других ошибочных представлений, в этом проекте надо отметить смешение «вечного движения» с «вечным двигателем».

## 228. Человеческий организм и тепловая машина

Физических оснований уподоблять организм животного тепловой машине не существует. Распространенное убеждение, что между организмом животного и тепловым двигателем есть полная аналогия — грубое заблуждение. Оно основано на чисто поверхностном сходстве: тот и другой потребляют топливо (пищу), порождающее теплоту при соединении с кислородом. Отсюда поспешно заключают, что животная теплота является источником механической энергии организма, как теплота парового котла — источником движения машины.

При этом иной раз высказывают недоумение по поводу того, что мы согреваемся на морозе, когда работаем, и зябнем, оставаясь в бездействии; казалось бы, должно наблюдаться как раз обратное, потому что на механическую работу расходуется теплота, которая сберегается, если мы не работаем.

Между тем, изложенный взгляд на происхождение механической энергии человека и животного находится в непримиримом противоречии с физикой, притом с самой бесспорной ее отраслью — с термодинамикой. Более внимательное рассмотрение вопроса убедит нас, что принципиального сходства между организмом животного и тепловым двигателем нет: организм не есть тепловая машина.

Покажем, почему недопустимо предположение, что механическая энергия живого организма является результатом превращения теплоты сгорания пищи в механическую работу.

Проще говоря, — почему нельзя представлять себе дело так, что в организме сначала из пищи получается теплота, а затем эта теплота преобразуется в работу. Термодинамика установила, что теплота может превращаться в работу только в том случае, когда она переходит от источника высокой температуры (от «нагревателя» — например, топки котла) к источнику более низкой температуры (к «холодильнику»). При этом отношение количества теплоты, превращенной в механическую работу, к количеству теплоты, заимствованному от нагревателя (экономический коэффициент полезного действия машины) равен отношению разности температур нагревателя и холодильника к абсолютной температуре нагревателя:

$$k = \frac{T_1 - T_2}{T_1},$$

где $k$ — коэффициент полезного действия; $T_1$ — абс. температура горячего тела; $T_2$ — абс. температура холодного тела.

Применим эту формулу к организму человека, который попробуем рассматривать как тепловую машину. Известно, что нормальная температура нашего тела $\approx 37\,°C$. Это, очевидно, один из тех двух уровней температуры, наличие которых является необходимым условием работы всякой тепловой машины. Значит, 37 ° — либо высший уровень (температура нагревателя), либо низший уровень (температура холодильника). Рассмотрим последовательно оба случая, исходя из приведенной выше формулы и зная, что экономический коэффициент полезного действия человеческого тела равен приблизительно 0,3, т. е. 30%.

*1-й случай.* 37 °C (310 ° абс.) есть температура $T_1$ «нагревателя». Температура $T_2$ «холодильника» определится тогда из уравнения:

$$0,3 = \frac{310 - T_2}{310},$$

откуда $T_2 = 217$ ° абс., или − 56 °C. Это означает ни мало ни много, что в нашем теле должен существовать участок с температурой на 56 °C *ниже нуля*! Взяв более высокий коэффициент полезного действия, а именно 50%, как указывают некоторые авторы, придем к еще большему абсурду, — что в нашем теле есть область с температурой − 118 °C).

Значит, 37 ° не может быть высшим уровнем температуры в «живой тепловой машине». Не является ли 37 ° низшим уровнем? Посмотрим.

*2-й случай.* 37 ° есть температура «холодильника»: $T_1 = 273 + 37° = 310°$. Тогда (при $k = 30\%$)

$$0,3 = \frac{T_1 - 310}{T_1},$$

откуда $T_1 = 443°$ абс., или 170 °C: в теле нашем должен находиться участок, температура которого + 170 °! (при $k = 50\%$ получим для $T_1$ значение 620 ° абс., или +347 °C).

Так как ни один анатом не обнаружил еще в теле человека области, замороженной при – 56 °C или нагретой до 170 °C, то приходится отказаться от уподобления нашего организма тепловой машине.

«Мышца не представляет тепловой машины в термодинамическом смысле», — пишет проф. Э. Лехер в своей «Физике для медиков и биологов».

В настоящее время можно считать установленным, что в наших мышцах химическая энергия переходит в механическую работу непосредственно.

### 229. Почему светятся метеоры?

Вопрос этот недостаточно разъясняется даже в книгах по астрономии, особенно в популярных, и почти вовсе не затрагивается в учебниках физики. Между тем с ним связан ряд превратных представлений, довольно распространенных.

Напомню на всякий случай, что метеор до вступления в земную атмосферу представляет собою холодное, не самосветящееся тело и только в атмосфере нашей планеты раскаляется до степени яркого свечения. Он, конечно, не горит, так как на тех высотах, где происходит его свечение (около 100 и более километров над земной поверхностью), воздух разрежен в миллион раз.

Отчего же метеор раскаляется? Обычный ответ: от трения о воздух. Но метеор не трется об окружающую среду — он увлекает прилегающие слои воздуха с собою.

Научно-правдоподобным представляется следующее объяснение: метеор нагревается потому, что потерянная вследствие воздушного сопротивления энергия его движения превращается в теплоту. Это представление противоречит и фактам и теории. Если бы утраченная кинетическая энергия метеора прямо превращалась в теплоту, т. е. если бы ускорялось беспорядочное движение его молекул, то метеор нагревался бы целиком во всей его массе. Между тем, всегда наблюдается нагревание только поверхностного слоя метеора, внутри же он остается холодным, как лед. Несостоятелен такой взгляд также и теоретически. Замедление движения тела вовсе не обязательно должно сопровождаться его нагреванием: энергия движения может превратиться и в другие виды энергии. Движение тела, брошенного вверх, замедляется, — однако тело не нагревается: кинетическая энергия переходит в потенциальную энергию поднятого тела. В случае метеора часть потерянной им энергии движения переходит в вихревое движение воздуха, прилегающего к метеору. Остальная часть действительно преобразуется в теплоту, — но каким образом замедление движения молекул может породить то ускоренное беспорядочное их движение, которое называется теплотой? На этот вопрос приведенное объяснение не дает ответа.

На самом деле явление нагревания метеора происходит следующим образом. Нагревается первоначально не сам метеор, а тот воздух, который метеором сжимается впереди при стремительном движении через атмосферу: нагревающийся воздух передает свою теплоту поверхностному слою метеора. Раскаляется воздух при уплотнении по той же причине, по какой разогревается он в воздушном огниве; вследствие *адиабатического* сжатия; воздух сжимается быстро летящим метеором так стремительно, что возникающая теплота не успевает распространиться вовне.[1]

Сделаем примерный расчет того, до какой степени, может нагреться воздух, сжимаемый вторгшимся в атмосферу метеором. Физика установила следующую зависимость между участвующими в процессе факторами:

$$T_k - T_i = T_i \left[ \left( \frac{p_k}{p_i} \right)^{1 - \frac{1}{k}} - 1 \right].$$

---

[1] Здесь имеются в виду те метеоры, которые наблюдаются не выше 80 *км*. На большей высоте атмосфера настолько разрежена, что свободный пробег газовых молекул превосходит размеры метеора; при таких условиях сжатие газа движущимся метеором невозможно. Причина свечения подобных высоких метеоров иная и состоит в ударах отдельных молекул о поверхность метеора. В современной метеорной астрофизике вопрос этот, впрочем, еще не получил окончательного разрешения.

Формула эта представляет видоизменение уже знакомой нам (см. ответ на вопрос 135) формулы для случая адиабатического расширения. Укажем смысл обозначений:

$T$ — абсолютная *начальная* температура газа;

$T_k$ — абсолютная его *конечная* температура;

$\dfrac{p_k}{p_i}$ — отношение конечного и начального давлений газа;

$k$ — отношение двух теплоемкостей газа; для воздуха

$k = 1{,}4$ и $1 - \dfrac{1}{k} \approx 0{,}29$.

Выполняя примерный расчет, примем $T_i$ — температуру воздуха в его высших слоях — равной 200 ° по абсолютной шкале.

Что касается отношения $\dfrac{p_k}{p_i}$, то будем считать, что воздух уплотняется от 0,000001 атмосферы до 100 атмосфер, т. е. указанное отношение $= 10^8$. Подставив эти значения в формулу, получим

$$T_k - 200 = 200 \cdot \left(10^8\right)^{0{,}29} = 40\,000\ °.$$

Расчет наш, опирающийся на предположительные данные, не притязает на точность: он оценивает лишь *порядок* искомой величины.

Итак, мы пришли к заключению, что воздух, уплотняемый метеором, должен нагреться до нескольких десятков тысяч градусов. Оценка, основанная на измерении *яркости* метеоров, приводит к подобному же результату: от 10 000 ° до 30 000 °. Наблюдая метеор, мы, собственно говоря, видим не его самого, — он бывает очень мелок, величиной с орех, с горошину и еще меньше, — а раскаленный им воздух, объем которого во много раз больше.

Сказанное относится по существу и к нагреванию пуль и артиллерийских снарядов: они также уплотняют воздух впереди себя, нагревают его и нагреваются от него сами.[1] Разница лишь в том, что скорость метеора раз в 50 больше. Что касается различия в плотности воздуха на большой высоте и близ земной поверхности, то надо иметь в виду, что величина нагревания зависит только от *отношения* конечной и начальной плотностей, а не от абсолютной их величины.

_____

[1] Давление в воздушной подушке впереди летящего артиллерийского снаряда, по сделанным измерениям, достигает 3 атмосфер.

В нашем изложении механизм явления схематизирован. Современная метеорная астрономия представляет его так:

«Влетая в атмосферу, метеор испытывает столкновения с отдельными молекулами воздуха. В самых верхних слоях атмосфера настолько разрежена, что испытавшая столкновение молекула успеет покинуть пространство впереди метеора до нового столкновения с ним или с другой молекулой; но в более плотных слоях столкновения станут столь часты, что впереди метеора образуется шапка, состоящая из молекул воздуха, частично раздробленных, ионизованных и возбужденных, и из продуктов возгонки метеорного вещества. С момента образования шапки свечение метеора столь усиливается, что он становится видимым — метеор «загорается». (Из доклада С. Г. Натансона и Н. Н. Сытинской на первой Всесоюзной конференции по изучению стратосферы: «Метеоры и стратосфера»).

Остается разъяснить одно обстоятельство: почему собственно нагревается воздух, когда он подвергается сжатию? Рассмотрим конкретно пример воздуха, уплотняемого движущимся метеором. Молекулы воздуха, наталкивающиеся на камень, который движется им навстречу, отскакивают назад со скоростью, большей, нежели первоначальная. Вспомните, что делает теннисный игрок, чтобы заставить мяч отскочить с возможно большей скоростью: он не пассивно ждет удара мяча о ракету, а сам ударяет в летящий мяч, стараясь — как говорят игроки — «бросить на мяч весь свой вес» (следовало сказать — *массу*). Каждая молекула отскакивает от движущегося навстречу метеорного камня, как мяч от ракеты, — она приобретает часть энергии ударяющего тела. Возрастание же кинетической энергии молекул и есть то, что мы разумеем под словами «повышение температуры». Понятно, что газ расширяющийся, молекулы которого отскакивают от отступающей преграды со скоростью меньшей, нежели первоначальная, должен понижать свою температуру: он отдает преграде часть энергии теплового движения своих молекул.

## 230. Туманы в фабричных районах

Частота туманов в фабрично-заводских районах, где воздух засорен частицами дыма, находит себе простое объяснение в законах молекулярной физики. Мы уже говорили (см. ответ на вопрос 154), что давление насыщенного пара близ *вогнутой* поверхности жидкости должно быть *меньше*, чем близ плоской

431

при той же температуре. Подобно этому, давление насыщенного пара близ *выпуклой* поверхности жидкости *больше*, чем близ поверхности плоской. Причина та, что молекулам легче освободиться от жидкости, имеющей выпуклую поверхность, чем покинуть плоскую поверхность жидкости (при одинаковых температурах). Что же должно произойти с очень выпуклой (т. е. имеющей форму крошечного шарика) каплей воды, внесенной в пространство, которое насыщено водяным паром? Она будет испаряться в такой атмосфере, и если капля достаточно мала, то вся превратится в пар, — несмотря на то, что пространство было уже прежде насыщено им; теперь оно сделается пересыщенным.

Легко понять вытекающее отсюда следствие: пар может начать сгущаться в капли только в том случае, если он *пересыщен*. В пространстве, нормально насыщенном водяными парами, молекулы его не могут собираться в капельки, потому что эти первые — разумеется, чрезвычайно мелкие — капли должны были бы тотчас же испариться.

Иначе обстоит дело, если воздух, насыщенный паром, содержит частицы пыли или дыма. Как ни малы эти частицы сами по себе (см. § 231), они велики по сравнению с молекулами; оседая на них, молекулы воды сразу же образуют довольно крупные капли. Такие капли значительного радиуса имеют уже не настолько искривленную поверхность, чтобы вода должна была испариться. Отсюда понятно, почему присутствие частиц дыма в воздухе должно способствовать сгущению пара в капельки, т. е. образованию туманов. Число подобных частиц в воздухе промышленных центров огромно. В то время как в воздухе над вершинами Альп их содержится в куб. сантиметре всего несколько сот, в воздухе Лондона их насчитано до 140 000, а Глазго — даже до 470 000.

### 231. Дым, пыль и туман

Дым, пыль и туман, как естественные, так и искусственные, применяемые, например, в технике обороны (маскирующий дым и т. п.) разнятся по состоянию и размерам частиц, взвешенных в воздухе (или в другом газе). Если частицы эти *твердые* — мы имеем *пыль* или *дым*; если жидкие — имеем *туман*.

Пыль от дыма отличается размерами частиц. Частицы пыли крупнее; их поперечник — около 0,01 и 0,001 *см*. Частицы же дыма бывают поперечником 0,0000001 *см*; такой малости достигают, например, частицы табачного дыма, поперечник которых, следовательно, всего вдесятеро крупнее поперечника атома водорода (а объём — в тысячу).

Другое отличие дыма от пыли, вытекающее из неодинаковости размеров частиц, состоит в том, что пылинки оседают с *возрастающей* скоростью, между тем как частицы дыма или оседают с *постоянной* скоростью (если диаметр их не меньше 0,00001 *см*), или же вовсе не оседают (если диаметр их меньше 0,00001 *см*). В последнем случае скорость так называемого «броуновского» движения этих частиц больше скорости их оседания.

## 232. Луна и облака

Облака действительно исчезают одновременно с появлением Луны на небе, но между этими двумя фактами нет причинной зависимости. В ранние часы летних вечеров облака, опускаясь с нисходящим током воздуха и попадая внизу в более теплый, сухой воздух, испаряются. Это происходит независимо от того, есть ли на небе Луна, или нет. Но при лунном свете исчезновение облаков гораздо заметнее; отсюда и поверье о «поедании» облаков Луной.

Нетрудно объяснить и другое поверье, — будто «поедая облака, Луна полнеет»: Луна бывает на небе рано вечером в своих фазах, когда она растет.

## 233. Энергия молекул воды

Энергия теплового движения молекул данного вещества определяется температурой этого вещества и не зависит от того, в каком состоянии оно находится, — в твердом, жидком или газообразном. Поэтому молекулы водяного пара, жидкой воды и льда при одинаковой температуре обладают одинаковой кинетической энергией, — несмотря на то, что молекулы льда не тождественны с молекулами воды и пара.

## 234. Тепловое движение при – 273 °C

Вот ответ, который, вероятно, представляется многим бесспорно правильным:

«Минус 273 °C есть температура абсолютного нуля. При такой температуре поступательная скорость молекул равна нулю. Следовательно, при – 273 °C водородные молекулы, как и всякие другие, находятся в покое».

Ответ, однако, неверен, — потому что температура абсолютного нуля не – 273 °, а – 273,15 °.

Неужели же эти 0,15 ° могут иметь здесь сколько-нибудь существенное значение? Ведь молекулы при таких низких температурах наверно едва движутся, и разница в 0,15 ° не меняет картины.

Так может казаться, — но расчет не подтверждает этого ожидания. Дело в том, что скорость молекул убывает пропорционально корню квадратному из абсолютной температуры; поэтому оказывается, что даже при весьма низких температурах молекулы движутся еще довольно быстро. Сделаем подсчеты. Известно из кинетической теории газов, что при 0 °C, т. е. при 273 ° абс., молекулы водорода движутся со скоростью 1843 *м/с*. Поэтому средняя их скорость *x*, например при – 270 ° (т. е. при 3,15 ° абс.), определится из пропорции

$$\frac{x}{1843} = \frac{\sqrt{3,15}}{\sqrt{273,15}},$$

откуда

$$x = 198 \; м/с.$$

Молекулы в столь холодном газе мчатся быстрее пули нагана!

Рис. 136. С какой скоростью движутся молекулы водорода при температурах, близких к абсолютному нулю.

Обратимся теперь непосредственно к поставленному нами вопросу: какова скорость водородных молекул при – 273 °C, т. е. при 0,15 ° абсолютной шкалы. Составим пропорцию

$$\frac{z}{1843} = \frac{\sqrt{0{,}15}}{\sqrt{273{,}15}},$$

откуда

$$z = 43 \text{ м/с}.$$

Это составляет около 155 *км/час* — быстрее курьерского поезда. Такую скорость никак нельзя счесть ничтожною, близкою к состоянию покоя.

### 235. Достижим ли абсолютный нуль?

В Лейденской лаборатории холода[1] удалось в 1935 г. приблизиться к точке абсолютного нуля, не достигая его всего на 200-ю долю градуса. Вполне естественна мысль, что скоро будет пройден и этот ничтожный интервал: абсолютный нуль температуры будет достигнут... Так думают в широких кругах, — но это заблуждение. В физике имеются принципиальные соображения, приводящие к обратному заключению: о полной невозможности когда-либо достичь абсолютного нуля. Таково одно из следствий «третьего начала термодинами-

---

[1] Кроме Холодильного института в Лейдене (Голландия), в настоящее время существуют подобные же лаборатории еще в трех местах мира: в Торонто (Канада), в Берлине и в Кембридже (Англия). Последняя холодильная установка устроена для английской Академии наук советским физиком проф. П. Л. Капицей, который в настоящее время осуществляет такую же лабораторию в Харькове, в Украинском физико-техническом институте.

«При осуществлении машины, работающей при температурах, близких к абсолютному нулю, — говорит проф. П. Л. Капица, — возникают две основные трудности: первая из них — это невозможность употребления смазочных веществ, так как все вещества затвердевают значительно ранее достижения температуры жидкого гелия. Вторая трудность — та, что при этих температурах почти все вещества теряют свою пластичность и становятся хрупкими как стекло.

«Первую — главную трудность — удалось обойти тем, что в моей машине поршень не нуждается в смазке, так как он не прилегает плотно к стенкам цилиндра. Вследствие этого газ может утекать из рабочего пространства. Оригинальность метода заключается в необыкновенной быстроте расширения газа, благодаря чему количество газа, теряемое через зазор, ничтожно мало и практически не отзывается на коэффициенте полезного действия машины.

Вторая трудность была преодолена благодаря тому, что удалось найти специальные аустенитовые стали, которые сохраняют достаточную пластичность и вполне пригодны для работы при сверхнизких температурах».

ки» или «тепловой теоремы Нернста». Рассмотрение этого положения выходит из рамок элементарной физики. Ограничусь лишь замечанием, что некоторыми авторами третье начало термодинамики прямо называется «принципом недостижимости абсолютного нуля». За подробностями любознательный читатель может обратиться, например, к «Курсу физики» проф. Берлинера (есть русский перевод), где он найдет довольно доступное изложение предмета.

Поучительно сопоставить здесь три отрицательных вывода (три невозможности), вытекающие из трех начал термодинамики:

*из первого* начала (закона, сохранения энергии) — невозможность вечного двигателя первого рода;

*из второго* начала — невозможность вечного двигателя второго рода;

*из третьего* начала — невозможность достижения абсолютного нуля.

Интересно вычислить, с какой скоростью движутся при наинизшей достигнутой температуре, –273,145 °, молекулы водорода. Производя расчет как в предыдущем параграфе, узнаем, что искомая скорость равна

$$1843\sqrt{\frac{0,005}{273,15}} = 8 \; \text{м/с}.$$

Конница карьером мчится примерно с этой скоростью (29 км/час). Мы видим, что даже в такой близости к точке абсолютного нуля молекулы охвачены еще довольно быстрым движением.

## 236. Что называется вакуумом

Не следует думать, что вакуумом называется всякая высокая степень разрежения газа в сосуде. Газ может быть очень сильно разрежен — и все же физик не назовет такое пространство вакуумом. Признаком вакуума в строгом смысле слова является то, что средняя длина свободного пути молекул больше размеров сосуда.

Поясним это. Молекулы газа в своем тепловом движении миллиарды раз в секунду сталкиваются одна с другой. В промежуток времени между двумя смежными столкновениями молекула успевает, однако, пройти некоторый путь, — путь *свободного* (без столкновений) пробега. Среднюю длину $l$ этого пути мы найдем, если среднюю скорость $v$ молекулы, т. е. путь, проходимый в среднем молекулой за одну секунду, разделим на число $N$ столкновений, претерпеваемых молекулой за одну секунду:

$$l = \frac{v}{N}.$$

Например, в воздухе при 0 ° средняя скорость $v$ молекул равна ≈ 500 *м*, или 500 000 *мм*; число $N$ столкновений в секунду при нормальном давлении = 5 000 000 000. Следовательно, средняя длина $l$ пути молекул воздуха при 76 *см* давления равна

$$l = \frac{v}{N} = \frac{500\,000}{5\,000\,000\,000} = 0{,}0001\,мм.$$

(В действительности ход поисков обратный: из опыта определяют $v$ и $l$, а $N$ находят вычислением. Здесь мы желали установить лишь зависимость между величинами $l$, $v$ и $N$).

Если давление газа в $n$ раз меньше нормального, т. е. если газ разрежен в $n$ раз, то число молекул в куб. сантиметре его объема в $n$ раз меньше; во столько же раз меньше, следовательно, будет и число $N$ столкновений. А так как

$$N = \frac{v}{l},$$

то при неизменной скорости $v$ (она не зависит от давления) длина $l$ будет во столько же раз больше.

При разрежении в миллион раз (т. е. при давлении порядка 0,001 *мм* ртутного столба) средняя длина свободного пути для воздуха равна

$$0{,}0001 \times 1\,000\,000 = 100\,мм = 10\,см.$$

В колбочке электрической лампочки, которая короче 10 *см*, длина свободного пробега при таком разрежении больше размеров самой лампочки. Это значит, что в среднем молекулы движутся в ней от стенки до стенки, не встречаясь с другими молекулами. Так как давление в колбочке лампочки нередко падает до 0,000 000 1 *мм*, то длина свободного пути в ней значительно больше и достигает целых километров. В таком состоянии газ обладает рядом свойств, не присущих газам с соударяющимися молекулами. Поэтому подобное состояние газа и выделяется в физике особым наименованием — «вакуум»

437

В сосуде больших размеров воздух при той же степени разрежения не будет уже в состоянии вакуума: молекулы его будут сталкиваться между собою.

### 237. Средняя температура всего вещества

Вопрос о том, какова средняя температура вещества Вселенной, представляет большой интерес: от ответа на него зависит, изучаем ли мы в наших лабораториях материю в типичном ее состоянии или в исключительном. Оказывается, как увидит читатель, что средняя температура всей мировой материи порядка нескольких миллионов градусов!

Эта неожиданная оценка утратит свою парадоксальность, когда вспомним, что масса всех планет нашей солнечной системы составляет в совокупности только 700-ю долю (0,0013) массы Солнца и что такого же порядка отношение должно иметь место и для систем неподвижных звезд (если они обладают планетами). Значит, около 0,999 всего вещества мира сосредоточено в Солнце и звездах, средняя температура которых исчисляется десятками миллионов градусов. Наше Солнце — типичная звезда; температура на ее поверхности 6000 ° C, в недрах же — не менее 40 000 000 °. И потому за среднюю температуру вещества во Вселенной мы должны принять оценку порядка 20 миллионов градусов.

Дело мало изменится, если стать на ту точку зрения (отстаиваемую Эддингтоном), что межзвездное пространство не абсолютно свободно от весомой материи, а занято веществом в состоянии крайнего разрежения — по десятку молекул на 1 $см^3$ (в 20 миллионов раз меньше, чем в самой «пустой» из пустотных электрических лампочек). При этом допущении общее количество вещества в межзвездных пространствах будет превышать раза в три ту материю, которая сосредоточена в звездах. Так как температура межзвездного вещества примерно порядка минус двести градусов или даже еще ниже, то $^3/_4$ всего вещества мира окажется при – 200 °, а $^1/_4$ при 20 миллионах градусов. Средняя величина для температуры вещества Вселенной получится тогда около 5 миллионов градусов.

Так или иначе, неизбежен вывод, что температура материи мира в среднем не ниже нескольких миллионов градусов, причем часть ее находится при 20 и более миллионах градусов, другая — при минус 200 ° и ниже. На долю тех умеренных температур, которые господствуют в непосредственно окружающей нас природе, приходится исчезающе малая доля вещества.

Итак, типичными для вещества температурами являются крайне низкие, приближающиеся к абсолютному нулю (если оправдается гипотеза Эддингтона), и крайне высокая, исчисляемая десятками миллионов градусов. Наша физика, как видим, есть физика материи в условиях исключительных, а те состояния вещества, которые мы привыкли считать *исключительными*, являются в сущности *типичными*. Физика главной массы мирового вещества нам едва знакома; ее изучение есть задача будущего. Мы имеем очень скудные знания о свойствах вещества при температурах, близких к абсолютному нулю, и вовсе не представляем себе, что такое вещество при десятках миллионов градусов.

Рис. 137. Опыт получения температуры 20 000 °С. Экспериментатор защищен особым костюмом от действия взрывной волны.

Наивысшая температура, какая наблюдалась на Земле, достигнута была в опытах 1920—22 гг., произведенных Андерсеном на обсерватории горы Вильсон, и Вендтом в Чикаго. Через тонкую и короткую проволоку, массой всего 0,0005 *г*, производился мгновенный разряд электрического конденсатора, причем в течение 100 000-й доли секунды проволока получала 125 *Дж*. Она нагревалась, по вычислениям экспериментаторов, до 20 000 ° в одних случаях и до 27 000 ° в других, побивая все рекорды температуры, с которыми физики до тех пор имели дело в своих лабораториях. Свет, испускавшийся проволокой,

439

так нагретой, был ярче солнечного в 200 с лишком раз. Если сосуд, в котором находилась проволока, был наполнен водою, он разлетался при опытах на мельчайшие пылинки, в которых нельзя было узнать стекла. В расстоянии полуметра от места взрыва лицо и руки экспериментаторов испытывали сильный удар взрывной волны, если не были одеты в особый защитный костюм. Волна взрыва распространялась в 10 раз быстрее звука. Молекулярное движение при такой температуре совершается с огромной скоростью: молекулы водорода, например, несутся со скоростью 16 *км/с*.[1]

Температура в 20—27 тысяч градусов превышает температуру поверхности самых горячих звезд, но далека еще от той, какая господствует в их недрах, где она достигает десятков миллионов градусов. Такой жар превосходит все, что может представить себе самое богатое воображение. Джинс (в книге «Вселенная вокруг нас») пишет по этому поводу следующее:

«Выведенные нами температуры в центре звезд порядка от 30 до 60 миллионов градусов уходят настолько далеко за пределы нашего опыта, что трудно себе представить ясно, что они должны означать. Нагреем мысленно 1 миллиметровый кубик обыкновенного вещества до температуры в 50 миллионов градусов, — иными словами, приблизительно до температуры в центре Солнца. Как ни покажется это невероятным, для одного только пополнения энергии, теряемой излучением с его шести граней, потребуется полная энергия машины в 3000 биллионов (3 000 000 000 000 000) лошадиных сил. Эта булавочная головка будет испускать достаточно тепла, чтобы уничтожить всякого, кто решится приблизиться к ней на полторы тысячи километров».

В таком совершенно непредставимом для нас состоянии пребывает, быть может, 999 тысячных (и во всяком случае не менее четверти) всего вещества природы. Физике предстоит еще, как видим, необъятное поле исследования, прежде чем она познает законы, управляющие весомой материей.

---

[1] Почти столь же высокие температуры получены в 1934 г. химическим путем двумя советскими исследователями (В. Н. Лавровым и А. С. Фефером). Они открыли, что при восстановлении золота из его окиси порошкообразным литием развивается (кратковременно) температура в 19 000°. В дальнейших опытах того же рода удалось получить температуру до 25 000° («Техника», 1934, № 41).

Рис. 138.

Вехи на пути к температуре в 20 000 °С.

| | |
|---|---|
| 20 000° С | Добыта в лаборатории |
| 18 000° | Температура поверхности самых горячих звезд |
| 6000° | Температура поверхности Солнца |
| 4000° | Температура вольтовой дуги |
| 3000° | Плавление вольфрама |
| 1800° | Плавление платины |
| 1470° | Плавление никеля |
| 800° | Утрата магнитных свойств |
| 525° | Красное каление |
| 100° | Кипение воды |
| 0° | Таяние льда |
| −273 | Абсолютный нуль |

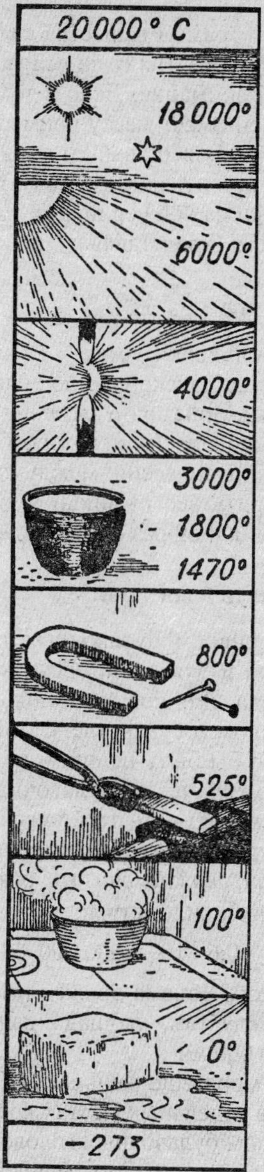

## 238. Десятимиллионная доля грамма

Десятимиллионную долю грамма вещества каждый из нас видел бесчисленное множество раз. Вы сами сейчас только видели ее и остановили на ней внимание. Дело в том, что точка печатного текста или рукописи имеет массу примерно одну десятимиллионную долю грамма. Взвешивание точки выполнено было так: на чрезвычайно чувствительных весах взвесили чистую *бумажку*, затем поставили на ней чернилами точку и снова взвесили. Разница в массах и представляла, конечно, массу точки. Она оказалась равной

$$0,000\ 000\ 13\ \textit{г},\ —$$

чуть больше десятимиллионной доли грамма.

Такое количество вещества далеко еще не является пределом малости для современных приемов измерения массы. Методом электрического взвешивания (при котором заряженная крупинка поддерживается в равновесии между пластинками конденсатора) удается измерить вес пылинки массою в одну $10\ 000\ 000\ 000\ 000$-ю *г* — в миллион раз меньше массы точки.

## 239. Число Авогадро

Ящик с Авогадровым числом булавочных головок при высоте стенок в 1 *км* нечего и думать поместить в пределах даже самого большого города. Для него не нашлось бы места и в целом западно-европейском государстве. Самое обширное из них — Франция — могло бы быть целиком погребено под километровым слоем такого количества булавочных головок.

Так как это кажется невероятным, то произведем расчет, приводящий к указанному результату. Объем, занимаемый в ящике булавочной головкой, можно считать равным 1 *мм*$^3$. $60,6 \times 10^{22}$ *мм*$^3$ превратим в куб. километры:

$$60,6 \cdot 10^{22} : 10^{18} = 60,6 \cdot 10^4 = 606\ 000\ \textit{км}^3.$$

При высоте в 1 *км* слой такого объема должен иметь площадь основания 606 000 *км*$^2$; между тем, площадь, занимаемая современной Францией — 550 000 *км*$^2$.

Площадь Каспийского моря еще меньше (440 000 *км*$^2$), а так как глубина его только в отдельных местах достигает километра, то Авогадровым числом булавочных головок можно было бы с большим избытком засыпать это величайшее в мире озеро.

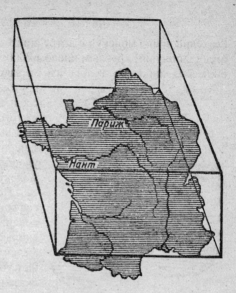

Рис. 139. Ящик с Авогадровым числом булавочных головок при высоте 1 км был бы больше Франции.

## 240. Литр спирта в океане

Этот расчет наглядно уясняет огромность числа молекул в незначительном объеме тела. Чтобы дать ответ на поставленный вопрос, нужно сравнить число молекул спирта в одном литре с числом литров воды в мировом океане. Оба числа подавляют наше воображение, и установить, которое из них больше, без расчета нельзя. Проделаем этот расчет.

Грамм-молекула этилового спирта заключает — как и грамм-молекула любого вещества — $60,6 \cdot 10^{22}$ молекул («число Авогадро»). Масса грамм-молекулы спирта

$$(C_2H_6O) = 2 \cdot 12 + 6 + 16 = 46\ г.$$

Значит, в одном грамме спирта содержится молекул

$$60,6 \cdot 10^{22} : 46 \approx 13,2 \cdot 10^{21}.$$

Литр спирта, имеющий массу 800 г, содержит молекул

$$13,2 \cdot 10^{21} \times 800 = 105 \cdot 10^{23} \approx 10^{25}.$$

Сколько же литров воды в мировом океане? Поверхность, занятая водою, имеет площадь около 370 000 000 $км^2$. Если считать, что средняя глубина океана 4 $км$, то объем всей воды равен $148 \cdot 10^7\ км^3$, или

$$148 \cdot 10^{19} \, \text{л} \approx 15 \cdot 10^{20} \, \text{л}.$$

Разделив число молекул в литре спирта на число литров воды в океане, получим круглым числом 7000. Это значит, что в каком бы месте мирового океана мы ни зачерпнули воды литровой кружкой, в ней найдется в среднем около 7000 молекул из того литра спирта, который был вылит в океан. В каждом зачерпнутом наперстке мы уловили бы 7 штук спиртовых молекул.

Поучительно еще и другое сопоставление: капля воды содержит столько же молекул, сколько в Черном море — мелких капель. Читатель может убедиться в правильности сказанного, самостоятельно проделав расчет наподобие приведенного выше.

Рис. 140. В капле воды не меньше молекул, чем капель в Черном море.

### 241. Расстояние между молекулами газа

Молекулы газа даже при нормальном давлении разделены бо́льшими промежутками, чем обычно думают. Среднее расстояние между молекулами водорода при 0 ° и 76 см равно 0,000 003 см ($3 \cdot 10^{-6}$ см), диаметр же водородной молекулы $2 \cdot 10^{-8}$ см. Разделив первое число на второе,

$$3 \cdot 10^{-6} : 2 \cdot 10^{-8},$$

получим 150. Значит молекулы в нашем газе разделены промежутками в полтораста раз большими, чем их поперечники (Ленинград и Москва разделены относительно меньшим промежутком).

### 242. Масса атома водорода и масса Земли

Так как масса атома водорода равна $1{,}7 \cdot 10^{-24}$ г, а масса земного шара $6 \cdot 10^{27}$ г, то средне-геометрическое между ними составит

$$x = \sqrt{1{,}7 \cdot 10^{-24} \times 6 \cdot 10^{27}} \approx 100 \, \text{г}.$$

## 243. Величина молекул

При увеличении в *миллион* раз верхушка Эйфелевой башни была бы в соседстве с орбитой Луны;

люди имели бы в высоту 1700 *км* ;

мыши достигали бы 100 *км* в длину;

тело мухи простиралось бы на 7 *км*;

каждый волос был бы толщиной 100 *м*;

красные тельца нашей крови имели бы в поперечнике 7 *м*.

А молекулы — были бы величиной с точку типографского шрифта этой книги!

Отметим кстати, что самый сильный микроскоп не может показать нам объекта, поперечник которого меньше 0,0001 *мм*. Между тем кубик, имеющий такое ребро, содержит более миллиона молекул. Значит в микроскоп мы можем видеть только скопления из миллиона и более молекул.

## 244. Электрон и Солнце

Шарик с диаметром, представляющим средне-геометрическое между диаметрами электрона и Солнца, неожиданно мал. Вот расчет:

$$\text{диаметр электрона} \qquad 4 \cdot 10^{-13} \, cm;$$
$$\text{диаметр Солнца} \qquad 14 \cdot 10^{10} \, cm;$$

$$x = \sqrt{4 \cdot 10^{-13} \times 14 \cdot 10^{10}} = \sqrt{0,056} \approx 0,24 \, cm = 2,4 \, мм.$$

Итак, шар, который во столько же раз меньше Солнца, во сколько больше электрона, имеет размеры дробинки.

Весьма показательную иллюстрацию сравнительных размеров тел микромира и макромира предложил проф. А. В. Цингер. Привожу далее выдержку из его письма ко мне:

«Вы без труда можете себе представить шар в 1 *км* диаметром и булавочную головку в 1 *мм*, диаметром. Один шар больше другого линейно в миллион раз. Поместим их рядом и вообразим еще шар, в миллион раз больший большого. Мы получим шар примерно (немного меньше) с Солнце. Итак:

булавочная головка | шар в 1 *км* | Солнце

— одно больше другого в миллион раз.

Продолжим этот ряд в сторону булавочной головки. Шарик, в миллион раз меньший, будет примерно величиной с молекулу несложного соединения; шарик, еще в миллион раз меньший, будет примерно с электрон. Итак, вот простой ряд из пяти членов с линейным отношением в миллион:

электрон
молекула
булавочная головка
шар в 1 *км*
Солнце».

## 245. Масштаб мира

Вопросы подобного рода, касающиеся масштаба мира, весьма удобно разрешать помощью таблицы «Соотношения размеров тел природы от протона до мироздания», приведенной на следующих страницах. В таблице длины отрезков от $10^{30}$ *см* до $10^{-20}$ *см* сопоставлены с размерами соответствующих реальных объектов. К таблице приложен небольшой «подвижной масштаб», который значительно облегчает сопоставление величин объектов на основной таблице. Способ пользования таблицей станет понятен из следующих примеров, которые являются в то же время и ответами на вопрос 245:

a) Бактерия увеличивается до размеров земного шара. «Осуществляем» это тем, что к строке «мельчайшая бактерия» основной таблицы приставляем строку «диаметр Земли» подвижного масштаба. Тогда сразу выяснится такая поучительная картина:

пленка мыльного пузыря имела бы толщину, равную длине железнодорожной ветки,

диаметр водородного атома был бы толщиной с палец,[1]
протон был бы толщиной с волос.

b) Электрон увеличивается до толщины волоса. Приставляем последнюю строку подвижного масштаба к строке «радиус электрона» основной таблицы. Узнаем, что волос увеличился бы тогда в толщину до диаметра земного шара.

c) Диаметр орбиты Нептуна уменьшается до диаметра Земли. Приставляем строку «диаметр Земли» подвижного масштаба к строке «диаметр орбиты Нептуна в основной таблице. Ищем, чему соответствует строка «диаметр Земли» в таблице; находим в подвижном масштабе ответ: «ширина зала».

---

[1] Собственно, с два пальца. Мы пренебрегаем строгой точностью, так как определяем лишь порядок величины объекта.

## СООТНОШЕНИЯ РАЗМЕРОВ ТЕЛ ПРИРОДЫ ОТ ПРОТОНА ДО МИРОЗДАНИЯ

| Длины | | ОБЪЕКТЫ |
|---|---|---|
| $10^p$ см | $p$ | |
| 1 биллион св. лет | 30 | |
| 1 квадриллион км 100 млрд. св. лет | 29 | «Радиус» мира |
| 100 000 трилн. км 10 млрд. св. лет | 28 | |
| 10 000 трилн. км 1 млрд св. лет | 27 | |
| 1 000 трилн. км 100 млн. св. лет | 26 | Расстояние до самой далекой туманности |
| 100 трилн. км 10 млн. св. лет. | 25 | Расстояние до спиральных туманностей |
| 10 трилн. км Единица А | 24 | Расстояние до туманности Андромеды |
| 1 трилн. км 100 000 св. лет | 23 | Расстояние до Магеллановых облаков |
| 100 000 млрд. км 10 000 св. лет | 22 | |
| 10 000 млрд. км 1 000 св. лет | 21 | Среднее расстояние до звезд 10-й величины |
| 1 000 млрд. км 100 св. лет | 20 | Расстояние до звезд Большой Медведицы |
| 100 млрд. км 10 св. лет | 19 | Расстояние до Сириуса |
| 10 билн. км 1 св. год | 18 | |
| 1 билн. км 0,1 св. года | 17 | |
| 100 млрд. км 0,01 св. года | 16 | Афелии комет |
| 10 млрд. км | 15 | Диаметр орбиты Нептуна |
| 1 млрд. км | 14 | |
| 100 млн. км | 13 | Диаметр звезды-гиганта |
| 10 млн. км | 12 | |
| 1 млн. км | 11 | Диаметр Солнца |
| 100 000 км | 10 | Диаметр Юпитера |
| 10 000 км | 9 | Четверть меридиана Диаметр Земли |

| | | |
|---|---|---|
| 1 000 км | 8 | Москва — Сталинград |
| 100 км | 7 | Длина жел.-дор. ветки |
| 10 км | 6 | Ширина города |
| 1 км | 5 | Длина улицы |
| 100 м | 4 | Радиомачта |
| 10 м | 3 | Ширина зала |
| 1 м | 2 | Высота стола |
| 1 дм | 1 | Ширина ладони |
| 1 см | 0 | Толщина пальца |
| 1 мм | — 1 | Толщина проволоки |
| 0,1 мм = 100 μ | — 2 | Толщина волоса |
| 0,01 мм = 10 μ | — 3 | Граница видимости для невооруженного глаза |
| 0,001 мм = 1 мкм (μ) | — 4 | Мельчайшая бактерия |
| 0,0001 мм | — 5 | Граница видимости в микроскоп |
| 0,000 01 мм | — 6 | Тончайшая пленка мыльного пузыря |
| 0,000 001 мм = 1 нм | — 7 | Диаметр молекул |
| 0,000 000 1 мм = 1Å | — 8 | Диаметр атома водорода |
| | — 9 | |
| 1 миллиардная мм | — 10 | Длина волн гамма-лучей |
| Единица «икс» | — 11 | |
| 1 биллионная см | — 12 | Волны космических лучей |
| 1 биллионная мм | — 13 | «Радиус» электрона |
| | — 14 | |
| | — 15 | |
| | — 16 | Радиус протона |
| | — 17 | |
| 1 триллионная см | — 18 | |
| 1 триллионная мм | — 19 | |
| | — 20 | |

d) Диаметр Земли требуется уменьшить до 1 мм; приставляем подвижной масштаб и узнаем, что расстояние до Сириуса равнялось бы тогда поперечнику земного шара. Невообразимая огромность звездных расстояний иллюстрируется этим весьма наглядно.

е) Уменьшив всю солнечную систему до толщины волоса, мы.имели бы для расстояния до туманности Андромеды в том же масштабе величину порядка 100 *км.* Таков масштаб мироздания.

Интересно попытаться иллюстрировать помощью нашей таблицы величину так называемого «радиуса мира» согласно теории относительности Эйнштейна). Найдем, что если бы радиус мира уменьшился до диаметра Земли, то расстояние до звезд Большой Медведицы сократилось бы до толщины пальца, а расстояние до Сириуса — до толщины проволоки. Землю же буквально нельзя было бы видеть даже в сильнейший микроскоп.

## 246. Весомость энергии

То, что не только материя, но и энергия обладают весомой массой, является в настоящее время неоспоримо установленным положением физики.[1] Мы не замечаем, правда, чтобы, например, нагретое тело становилось тяжелее: прибавка тепловой энергии, по-видимому, не увеличивает массы тела. В этом случае прибавка массы ускользает от непосредственного наблюдения, потому что она чрезвычайно мала по сравнению с массой всего тела.

Вообще те массы, с которыми мы имеем дело в обиходе и технике, достаточно велики, чтобы мы ощущали их весомость. Но порции энергии, с которыми сталкивает нас повседневная жизнь, слишком ничтожны для ощутительного проявления их весомости.

Мы представим себе яснее эти соотношения, если обратимся к языку чисел. Паровая машина в 3000 лошадиных сил совершает ежесекундно 2200 тысяч джоулей работы, а в час — около 8000 миллионов таких единиц. Это количество работы на нашу мерку огромно, но массы в нем все же очень мало, около 0,1 *мг.* Чтобы энергия имела массу в 1 *г,* надо взять ее в количестве 90 биллионов джоулей:

$$9 \cdot 10^{13}.$$

Еще пример. Перед нами кубический бассейн глубиною в 6 *м,* наполненный водою при 0 ° (рис. 141). Вы нагреваете воду в нем

---

[1] Не следует думать, что весомость (инертность) энергии вытекает лишь из теории относительности. Положение это, по крайней мере для энергии лучистой, может быть выведено также независимо от учения Эйнштейна — из второго закона термодинамики.

до 100 °. На это расходуется 6 × 6 × 6 × 1000 × 100 = 21 600 000 больших калорий (см. ответ на вопрос 139). А так как одна калория отвечает 4 186 *Дж* работы, то энергия воды в бассейне возросла примерно на 90 000 000 000 *Дж*. Это составляет ровно 1000-ю долю от 90 биллионов джоулей и, следовательно, весит 1000-ю долю грамма — 1 *мг*. Бассейн стал тяжелее на 1 *мг*. Столь ничтожную прибавку веса к 216 *т* обнаружить, конечно, невозможно. (См. также рис. 143.)

Рис. 141. Энергия, нагревающая 216 тонн воды от 0 ° до 100 °, обладает массою в 1 мг.

Понятно теперь, почему мы обычно не замечаем весомости энергии в окружающих явлениях. В практической жизни, в технике мы можем уверенно придерживаться прежнего взгляда на энергию, как на нечто совершенно невесомое. Физика производственных процессов не претерпевает никаких изменений с установлением весомости энергии.

Иначе обстоит дело с грандиозными явлениями во Вселенной, в которых участвуют огромные количества энергии. Солнце, например, посылает так много энергии путем излучения, что потеря его массы должна быть уже заметна. Сделаем подсчет. Каждый кв. метр, поставленный на верхней границе земной атмосферы под прямым углом к солнечным лучам, ежесекундно получает от Солнца 1400 *Дж*. Чтобы учесть полное количество энергии, излучаемое Солнцем во все стороны, вообразим, что дневное светило окружено шаровой поверхностью радиусом, равным расстоянию от Земли до Солнца (150 000 000 000 *м*). Такая, поверхность заключает кв. метров:

$$4 \times 3{,}14 \times 150\,000\,000\,000^2 \approx 28 \cdot 10^{22}.$$

На каждый кв. метр падает 1400 *Дж* энергии, а на указанное количество кв. метров должно упасть $1400 \times 28 \cdot 10^{22} \approx 4 \cdot 10^{26}$ *Дж*. Прежде уже было сказано, что каждые 90 биллионов джоулей энергии обладают массой в 1 *г*. Излучаемое Солнцем ежесекундно количество энергии имеет, следовательно, массу, равную

$$4 \cdot 10^{25} : 9 \cdot 10^{12} \approx 4{,}5 \cdot 10^{12}\ г,$$

около $4^{1}/_{2}$ биллионов граммов, или $4^{1}/_{2}$ миллиона тонн! Вот сколько массы Солнце теряет каждую секунду. Примерно столько же массы в большой египетской пирамиде — самом, тяжелом сооружении мира. Пока вы читали эти строки, не одна сотня таких пирамид унесена была лучами Солнца с огненной его поверхности (рис. 142).

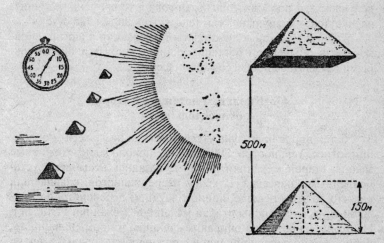

Рис. 142. Сколько массы теряет ежесекундно Солнце путем излучения

Рис. 143. Энергия, способная поднять Хеопсову пирамиду на высоту 500 м, обладает массою в 2,4 г.

Если Солнце непрерывно теряет столько своей массы — 30 миллионов египетских пирамид в год, — то не угрожает ли это устойчивости нашей планетной системы? Не расстраивает ли это установившегося в ней порядка, не нарушает ли расчисленного бега планет? Да, такое нарушение безусловно должно быть. Но масса Солнца так невообразимо велика, что указанная потеря для него мало ощутительна. Вычислено, что вследствие уменьшения солнечной массы Земля должна медленно удаляться от Солнца; орбита ее с каждым годом расширяется на 1 *см. Миллион* лет пройдет, прежде чем продолжительность года увеличится вследствие этого на 4 секунды. Как видим, практически изменение ничтожно.

В отдаленные эпохи существования Земли, когда Солнце было горячее и посылало со своими лучами больше энергии, потеря солнечной массы была значительнее, а соответственно этому были заметнее и вытекающие отсюда последствия. Если вспомним, что Земля родилась около 2000 миллионов, лет назад, то придем к заключению, что в связи с потерей солнечной массы орбита нашей планеты в ту отдаленную эпоху была теснее, а продолжительность года — соответственно короче. При допущении, что интенсивность солнечного излучения в раннюю эпоху существования Земли была в 1000 раз больше, мы получаем для продолжительности года в те времена величину, на 40 суток меньшую, нежели теперь: год длился 325 суток.

Таковы некоторые из следствий весомости энергии. Незаметные в обыденной обстановке, они становятся ощутительными в масштабе процессов космических.

## 247. Школьная механика и теория относительности

С тех пор, как в науке утвердился так называемый «принцип относительности» Эйнштейна, поколебались основные законы старой механики, которые казались незыблемо установленными навсегда. В кругу неспециалистов, слышавших кое-что об этом революционном научном перевороте, возникло мнение, что основы старой механики, механики Галилея и Ньютона, на которую опираются техника и промышленность, окончательно уже устарели и должны быть сданы в архив науки. То, что положения старой механики продолжают еще в наши дни фигурировать в школьных учебниках, что ими проникнута по-прежнему вся техническая литература, вызывает у малоосведомленных людей серьезное недоумение. В прессе приходится встречать даже выражения возмущения «закоренелой отсталостью» наших технических авторов, которые продолжают опираться в своих расчетах на «метафизический закон независимости действия сил», установленный Галилеем, на закон неизменности массы, провозглашенный Ньютоном, и т. п.

Чтобы установить, насколько подобные нарекания обоснованы, рассмотрим один из основных законов старой механики: закон сложения скоростей, являющийся следствием упомянутого сейчас закона независимости действия сил. Согласно этому закону, правило сложения скоростей $v$ и $v_1$, направленных в одну сторону, математически выражается так:

$$U = v + v_1$$

Теория относительности отвергла этот простой закон и заменила его другим, более сложным, согласно которому скорость $U$ всегда меньше $v + v_1$. Старый закон оказался неверен. Но насколько неверен? Можем ли мы практически пострадать от того, что продолжаем применять старое правило? Вникнем в новую формулу сложения таких скоростей. Вот она:

$$U = \frac{v + v_1}{1 + \dfrac{v v_1}{c^2}}.$$

Здесь буквы $U$, $v$ и $v_1$ имеют прежнее значение, а буквой $c$ обозначена скорость света. Новая формула отличается от старой только присутствием члена $\dfrac{v v_1}{c^2}$, который при небольших скоростях $v$ и $v_1$ очень мал, так как скорость света ($c$) чрезвычайно велика. Это станет яснее из конкретного примера.

Сделаем расчет для наибольших скоростей, с какими имеет дело современная техника. Самая быстроходная машина — паровая турбина. При 30 000 оборотах в минуту и 15 *см* диаметра вращающегося колеса мы имеем окружную скорость 235 *м/с*. Большей скорости достигают только артиллерийские снаряды — круглым счетом 1 *км/с*. Возьмем $v = v_1 = 1$ *км/с* и подставим в обе формулы — старую и новую; $c$ — скорость света — равна 300 000 *км/с*.

Старая формула $U = v + v_1$ дает для $U$ величину 2 *км/с*. Новая формула даст

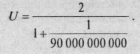

$$U = \cfrac{2}{1 + \cfrac{1}{90\,000\,000\,000}}.$$

Вычислив это выражение, мы получим в результате

$$U = 1{,}999\,999\,999\,977 \; км/с.$$

Разница безусловно есть, но буквально на тысячную долю поперечника мельчайшего атома! Вспомним, что самые точные измерения длины не идут далее 7-й цифры результата, а в технике обычно довольствуются 4—5 цифрами; у нас же отступление от истинного результата сказывается только на 12-й цифре, потому что оно равно 0,000 000 000 003.

Результат почти не изменится, если, заглянув в будущее, позаимствуем оттуда еще большую скорость — именно скорость полета ракетного корабля для межпланетных путешествий, которая превышает скорость пушечного снаряда в десятки раз.

Итак, закон независимости действия сил, лежащий в основе старого правила сложения скоростей, не сделался «метафизическим» для практической техники: он по-прежнему властвует над всеми производственными движениями. И только для скоростей, в тысячу раз больших, нежели скорость межпланетной ракеты, т. е. для скоростей в десятки тысяч километров в секунду, начинает сказываться неточность старого правила сложения скоростей. С такими огромными скоростями техника не имеет дела — это область теоретической и отчасти лабораторной физики, которая и работает в таких случаях с новой формулой.

Обратимся теперь к закону постоянства массы. Старая механика, механика Ньютона, основана на том, что масса присуща данному телу независимо от того, движется оно или покоится. Новая механика, механика Эйнштейна, утверждает противное: масса тела не остается постоянной; у тела движущегося она больше, нежели у неподвижного. Раз так, то не будут ли ошибочны все обычные технические расчеты?

Установим на примере летящего снаряда, может ли ожидаемая разница быть практически замечена. Посмотрим, насколько летящий снаряд массивнее неподвижного. Теория относительности утверждает, что прибавка массы движущегося тела, масса которого в покое была равна $m$, составляет:

$$m \left( \frac{1}{\sqrt{1 - \frac{v^2}{c^2}}} - 1 \right).$$

Здесь $v$ — скорость тела, $c$ — скорость света. Если вы дадите себе труд проделать вычисление, приняв $v = 1$ *км/с,* то узнаете, что прибавка массы составляет для летящего снаряда долю

0,000 000 000 005

от величины массы неподвижного снаряда.

Как видим, масса возросла на величину, абсолютно неуловимую самым точным взвешиванием. Точнейшие весы, какими располагает наука, определяют вес с точностью до 0,00000001 его величины. От них, следовательно, укрылась бы разница даже в тысячу раз большая, нежели та, какою пренебрегает старая механика. В каюте будущего межпланетного корабля, летящего со скоростью десятка километров в секунду, все аппараты во время полета увеличатся в массе на 0,000 000 000 5 ее величины в состоянии покоя. Эта доля крупнее, но и она лежит за пределами достижимой точности измерения.

О законе постоянства массы мы должны, следовательно, повторить то же, что сказано было о законе сложения скоростей: практически он остается вполне верным, и инженеры могут спокойно продолжать им пользоваться, не боясь впасть в ощутительную ошибку. Другое дело — физики, производящие вычисления или опыты над быстро движущимися электронами (скорость которых может достигать 95% скорости света и даже больше); в таких случаях приходится вести расчеты уже по законам новой механики.

А как обстоит дело с законом постоянства массы в области химии, с великим принципом Лавуазье? Строго говоря, и он должен теперь быть признан неточным. Согласно Лавуазье, 2 *г* водорода и 16 *г* кислорода, соединяясь химически, должны дать ровно 18 *г* воды. По Эйнштейну же, должно получиться не ровно 18, а меньше — именно

17,999 999 997 8 *г.*

На бумаге есть некоторая разница, но обнаружить ее реально нельзя никакими весами.

Итак, мы в праве утверждать без всяких оговорок, что положения механики Эйнштейна не меняют ничего в современной *технике.* Промышленность может по-прежнему уверенно опираться на законы Ньютоновой механики.

# СОДЕРЖАНИЕ

## ЗАНИМАТЕЛЬНАЯ МЕХАНИКА

## II. Свойства жидкостей.

## III. Свойства газов.

## IV. Тепловые явления.

## V. Звук и свет.

## VI. Разные вопросы.

**Издательская группа «АСТ» предлагает**
широкий выбор книг по домоводству, кулинарии и медицине.
А также разнообразную художественную, учебную
и детскую литературу на любой вкус.
Все эти и многие другие издания вы можете
приобрести по почте, заказав

**БЕСПЛАТНЫЙ КАТАЛОГ**

по адресу: **107140, Москва, а/я 140. «Книги по почте».**

**По вопросам оптовой покупки книг
обращаться по адресу:**

**Звездный бульвар, д. 21, 7 этаж
Тел. 215-43-38, 215-01-01, 215-55-13**

*Научно-популярное издание*

## Перельман Яков Исидорович

## ЗАНИМАТЕЛЬНАЯ МЕХАНИКА
## ЗНАЕТЕ ЛИ ВЫ ФИЗИКУ?

Компьютерная верстка *О.Э. Колесникова*
Компьютерный дизайн обложки *С.В. Баркова*

Подписано в печать 15.02.2001. Формат $84 \times 108^1/_{32}$.
Усл. печ. л. 24,36. Доп. тираж 5000 экз. Заказ № 8122.

Налоговая льгота — общероссийский классификатор
продукции ОК-005-93, том 2; 953000 — книги, брошюры

Гигиеническое заключение
№ 77.99.14.953.П.12850.7.00 от 14.07.2000 г.

ООО «Издательство АСТ». Изд. лиц. № 02694 от 30.08. 2000 г.
674460, Читинская обл., Агинский р-н,
п. Агинское, ул. Базара Ринчино, д. 84

Наши электронные адреса: www.ast.ru
E-mail: astpub@aha.ru.

Отпечатано с готовых диапозитивов
на Книжной фабрике № 1 МПТР России
144003, г. Электросталь Московской обл., ул. Тевосяна, 25.